《降魔舞》II

灵魂归宿

光牙 著

作家出版社

目 录

目 录

卷一　商周魅影

第 一 章
恐 怖 分 子

"请你们把所看到的一切都告诉警方，"问话的警察叫萧强，看他的肩章，应该是个高级警督，"谢谢合作。"

李维摇头道："我被恶鬼打晕了，刚刚才醒过来，所以什么都不知道。"他几乎不敢相信竟然有一队全副武装的暴徒来抢他的博物馆，不但把大门撞得破烂不堪，还在附近的墙上留下几百个子弹窟窿——得花多少钱修理啊！总算那些价值连城的古董没有什么损失，只是碎了两个仿古的花瓶。

"恶鬼?"萧强皱了皱眉头，"你一定是在开玩笑。"

"绝对不是！这里闹鬼，真的！"急于证明自己的话，李维指着旁边的人，"他们就是我请来调查这件事的妖魔猎人！"

看看龙飞和宁汝馨，萧强问道："你们确定是恶鬼干的?"声音里透出怀疑。

龙飞抢着道："是啊，我亲眼看到一个恶鬼贴在馆长身后，使劲掐他的脖子！"总不能说是自己把李维揍晕的吧?"那些强盗也是被恶鬼吃了的！"

盯着龙飞看了好一会，萧强忽然道："你所说的鬼魂会用 M90 狙击步枪吗?"

龙飞一愣："什么?"

"我们在外面找到几具尸体，全都是被狙击步枪在胸口开了个洞。"

这个消息太震撼了，李维过一会才小心翼翼地问道："警方怎么看?"

"帮派火并，"萧强道，"其中一个死者是国际刑警正在通缉的逃犯，有三十三次杀人指控、二十九次绑架嫌疑和六次抢劫银行的纪录,其他死者也都是穷凶极恶的亡命徒。他们聚在一起,并且不知道从哪里弄到一堆枪支弹药,肯定是要干一票'大买卖',而不只是抢劫博物馆这么简单。所以我估计他们是因为和其他帮派的利益冲突,在火并中被打死了。"舒了口气,笑道:"我知道不该这么说,不过他们死掉也好,这个世界也能清静点了。"果然正如秦澈所说,这些人都是"恶贯满盈",只是不知道死在狙击步枪下这几位的灵魂,现在是不是正在阴曹地府受尽折磨。

清理现场用了几乎一整天的时间,然后警察就离开了。李维决定暂时关闭博物馆,等到修缮完毕之后再重新开放。

走到休息室门外,李维轻轻敲门问道:"舍荣大师,好些了吗?"舍荣醒来之后,因为法力消耗太大,需要找个地方打坐来恢复元气,于是李维就把他安排在这间休息室里。知道舍荣法力高强之后,李维对他可谓关怀备至。

舍荣打开门走出来,合十道:"多谢施主关心,贫僧好多了。"他的脸色还是有些苍白,不过眼睛已经恢复了神采。接着问道:"不知道施主有没有看到一颗舍利子?"

李维莫名其妙道:"什么舍利子?"

龙飞走过来道:"就是这个东西吧?"他在手中一抛一抛的,正是昨晚舍荣手中的那颗"小石子",只不过现在变成了灰白色,隐隐透出黄光。他把舍利子向舍荣扔过去,"给你!"

舍荣抓在手里,合十道:"多谢施主。"

宁汝馨微笑道:"大师力战妖邪,我们应该多谢你才对。"

舍荣颔首道:"除魔卫道,乃是出家人的本分,女施主何须道谢。"

李维忽然问道:"敢问大师,这是哪位高僧的舍利?"和舍荣说话的时候,他也下意识地文绉绉起来。

舍荣脸现崇敬:"这正是大圣释迦牟尼佛祖金躯碎质。"

李维全身剧震:"释迦牟尼佛舍利?! 大……大师,可以给我看看么?"激动之下,连话都说不成句了。

舍荣倒是爽快,把那颗佛舍利递给他。李维双手接过,放在眼前仔细观察,满脸都是虔诚的神色。

看了一会,李维转向舍荣问道:"大师愿意出售吗? 敝馆可以出高价。"

舍荣摇头道:"此乃佛门圣物,是断断不能出让的。"他说得斩钉截铁,没有半点回旋的余地。李维失望至极,恋恋不舍地把佛舍利还给舍荣。

宁汝馨道:"这就是释迦牟尼舍利? 难怪法力如此强大。"

舍荣点头道:"都是佛祖保佑。"回想昨夜凶险万分的情景,舍荣心有余悸,要不是自己在佛舍利的帮助下行险用出"佛光普照",恐怕已经死在那些黑火之下,变成那些火焰的一部分了。

龙飞笑道:"如果你能弄到几百颗舍利到处放着,肯定不会再闹鬼了。"

李维脸色一变,这句话正触到他的痛楚。虽然那个"女鬼"不见得有什么危险性,不过这个新出现的"恶鬼"可很明显不是这么好相与的。急忙道:"几位都是专家,告诉我该怎么办?"

想了想之后,舍荣正色道:"就我看来,昨夜那自称'莫名仙'的妖怪应该是在保护这几口铜鼎不被贼人盗走。因此如若再有人来盗鼎,他应该还会出现。"

李维心想这样倒好,相当于请了一个免费的强力保镖。他最担心的是那些珍贵文物的安全,妖怪的问题倒是还在其次,问道:"那我应该做什么?"

舍荣道:"以不变应万变。"也就是说,不用做任何事。

这时一个职员走来,道:"装修公司的人来了,馆长要不要见一下?"

李维点头道:"好的,我这就过去。"然后对另外三人道:"几位需要我给安排住宿吗?"现在这种非常时刻,为了留下这些"专家",自然要好好伺候他们。

舍荣摇头道:"贫僧风餐露宿惯了,不劳施主费心。"然后又道:"施主这里有没有朱砂黄纸之类的东西?"

李维愕然道:"大师要这些干什么?"

"贫僧想画几张符咒,虽然不一定有效,但也聊胜于无。"

宁汝馨奇怪道:"我记得佛教中人只念佛诵经,只有三清教徒才画符作法啊?"

龙飞问道:"什么是三清教徒?"

"就是道士。"

舍荣笑道:"贫僧有个朋友是道教中人,曾经向贫僧详细讲解过这些符法的妙用,所以也略知一二。"

李维为难道:"可是现在去哪里找朱砂符纸啊?"朱砂好像可以在化工用品商店里买到,至于符纸……不知道烧给死人的黄表纸能不能用?

宁汝馨道:"在我们的住处倒是有这些东西。如果大师愿意,可以与我们一起过去看看。"月炎偶尔也会练习画符,不过画出来的符咒很少有效就是了。

"如此甚好。"舍荣点点头。

"既然如此,请几位尽快回来!"李维心想白天应该不会有什么麻烦,不过到了晚上就难说了。送三人离开之后,这才去与请来的装修负责人见面。

这个"包工头"身材高大、鼻梁高耸、眼窝深陷,似乎有些外国血统。据秘书说,他是副馆长介绍来的。不知道这小子在工程里捞了多少回扣,李维心里很感到有些不平,为什么自己没想到?

"你们是哪家公司的?"李维打着官腔,他已经拿定主意,一定要为自己捞点好处。

"安庆装饰公司。"标准的普通话,只是发音略微有些模糊。

李维摇头道:"没听说过,肯定是家小公司。我担心你们有没有资格来承担这项工程。"先来个下马威,让对方对自己有些顾忌。

包工头不为所动,平静道:"宫先生已经答应了。"博物馆的副馆长姓宫。

"经过公开招标了? 我看没有吧。而且他只是个副馆长,总不能自己说了算,还是要经过组织讨论嘛!"言下之意,自己这个馆长没说通过,你就别想接下这笔工程。

包工头淡淡道:"我们都已经来了,总不能就这样回去吧?"

听到下面传来引擎的轰鸣声,李维从窗户里向外看去,看到几辆重型东风牌载重车正驶进博物馆大院。

看着包工头,李维道:"既然你们都来了,我也不是不近人情,而且这个工程的确比较急,所以公开招标那个环节就省了。不过总得向馆里的几位主要领导有个交待,对不对?"他的话说到这份上,对方要是还不明白就是白痴了。

果然,包工头冷漠的脸上绽开一丝笑容,道:"我明白你的意思了。你是想让我给你送礼。"

李维脸上闪过不悦的神色,"我可没这么说。"心想这家伙是怎么当包工头的? 连这点基本的常识都没有,哪有人当面说要送礼的?

"正好，"包工头把手伸进口袋，"我这里有件东西可以送给你。"当他的手从口袋里拿出来的时候，李维看到他手中有一个苹果大小的暗绿色圆球。

包工头微笑道："晚安。"手一松，那个圆球掉在地上，"啵"地一声摔成碎片。立刻，一股翠绿色的烟雾蒸腾到空中，转眼间充斥了整个房间。李维只闻到一阵醉人的甜香，接着脑袋昏昏沉沉的，然后就什么都不知道了。

包工头好像一点没受这烟雾的影响，冷笑着踹了倒在地下的李维一脚，然后走到窗边向外面看去。博物馆的院子里，很多身穿工作服的人正从车上跳下来，身手相当矫健。他们在入口处设置了路障，放上"施工中，请勿入内"的牌子。满意地点点头，包工头随手把窗帘拉好。

有人推门进来，身上穿的是建筑工人的工作服，头上还带着安全帽，不过腰里斜插着的"沙漠之鹰"，很明显的把他和建筑工人区别开来。立正敬礼之后，那人用法语道："少校，我们已经控制了这座建筑。"

点点头，少校也用法语问道："大巫师怎么说？"

"大巫师说，需要研究一段时间才能有结论。"提到"大巫师"时，两人的声调都十分恭敬，好像生怕冒犯了他。

少校点头道："好，你带人把这里所有的人集中到一起，我去大巫师那里看看。"

"是！"

楼下的展厅里，铜鼎周围站满了荷枪实弹的"建筑工人"，警惕着四周的动静。一个身材干枯的老者正在最大的铜鼎旁边，仔细观察着上面的花纹，工人制服穿在他身上明显是过于肥大，给人飘飘荡荡的感觉。黝黑的脸上隐约能看到复杂的刺青纹路，给人非常诡异的感觉。

"大巫师，"少校恭恭敬敬地行礼，"到现在为止，一切都在计划之中。"

"哦，"大巫师不耐烦地挥挥手，"我知道了。"他的法语不太标准，不过充满了令人难以抗拒的威严。

等了一会，少校才又小心翼翼地问道："不知道您对这些铜鼎的研究有什么进展？"

大巫师回头瞪了他一眼，不满道："哪能这么快？再说不把这九只鼎放在一起，根本不可能得到关于宝藏的确切信息。"然后又去看鼎上的花纹。

少校道："既然是这样，我们能不能先把这些鼎运回去？您也好对照着我们带来的那只鼎进行研究。"这里不是他们的国家，而且又是地处闹市中心，一个不小心就会招来大麻烦。而且那个怪物还可能会出现，虽然大巫师法力高强，不过还是尽量避免麻烦的好。所以把这些鼎运回他们的巢穴再进行研究才是最明智的选择。

大巫师想想没错，点头道："好，你们动手吧。"恋恋不舍地把目光从铜鼎上移开。

少校一挥手，其他人立刻过来把五只较小的铜鼎搬到停在的车上，然后又用特制的小型吊车把三只比较大的铜鼎吊起来。

"小心、小心点！"大巫师神经质地高声喊着。总算一切顺利，三只铜鼎稳稳当当地放在车上。

看着周围的艺术珍品，少校忍不住问道："大巫师，我们可以再拿点别的吗？"

环视一周，大巫师轻蔑道："都是些毫无法力的破铜烂铁，要来有什么用？"干枯的手在空中一挥，"走吧。"顿了顿，又道："我来扫尾。"

虽然很不甘心，不过大巫师的命令是绝对不能违抗的，甚至连辩驳也是不允许的。少校只好暗自心痛，命令道："收拾东西，撤！"

引擎的轰鸣声中，一队卡车缓缓驶出博物馆的大门。

第 二 章

莫 名 仙 踪

走到大厦前的空地，舍荣停下脚步，抬头看着眼前这座高大的建筑。几只乌鸦从旁边飞过，发出"哇哇"的叫声。

看了一会，舍荣摇头道："施主这座宅院正是处在地阴汇聚之地，最容易招来妖魔鬼怪、冤魂亡灵，实在不适合生人居住。"

龙飞问道："那该用来做什么？"

"可以建佛寺庙宇，或者西洋教堂也未尝不可，都能压抑此处的阴气。"说到这里，舍荣摇头苦笑道："不过恐怕没人会听信贫僧这些话了。"看来他也很明白，谁会在这个寸土寸金的闹市区盖间寺庙教堂什么的？

宁汝馨点头道："月炎说过，这里曾经闹鬼闹得很厉害，而且驱除之后很快又会再出现，最后那个建筑商没办法，才以非常便宜的价格卖给她的。"

"闹鬼？"龙飞疑惑道，"我怎么没见过？ 要是能有两个鬼魂陪我打游戏倒是不错……"真不知道他的神经是怎么长的。

舍荣正色道："我上次就说过，施主的楼舍上空集聚的妖气太重，如果不加清除恐怕会酿成大祸。"顿了顿，又道："不过施主既然是妖魔猎人，肯定早已知道这些事情，所以小僧也不便多言。不过还是要提醒施主，养妖驱鬼总是邪魔外道，就如苗人养蛊害人，最终会被蛊虫反噬自身！"

"多谢和尚提醒，"龙飞笑嘻嘻道，"你看看这些妖气是从哪里来的？"

舍荣微微一笑，"施主是在高看小僧了。"略一凝神，然后道："现在里面有两只妖物，一只是修成人形的猞猁精，另一只妖气较弱，小僧见识浅薄,还请施主赐教。"

龙飞得意道:"是巨蜥,很大的那种!"

宁汝馨则眉头略皱,低声道:"猞猁?"

"原来如此,"舍荣点点头,又对龙飞道:"小僧多说一句,人妖殊途,常与妖怪来往必定大耗精元。既然这位女施主如此国色天香,施主也不要惑于那妖物的美色。孽海无边,回头是岸。阿弥陀佛!"

宁汝馨听他这么说,竟然是把自己当成龙飞的妻子了。由此推断,这个和尚竟然是真的没察觉站在他面前的就是一个货真价实的"狐狸精",不由得大是奇怪。这个和尚的法力之高是她生平仅见,而且见识也是不凡,没想到自己竟然能瞒过他的法眼。

龙飞挠头道:"美色?我倒是还没看到这位猞猁小姐……这样吧,如果她能比我老婆或者未婚妻还漂亮,就让她留下吧!"这话让宁汝馨听得暗自摇头,又是老婆又是未婚妻,这家伙又开始胡言乱语了。

舍荣也听得莫名其妙,心想这位施主莫测高深,自己说不定是小瞧他了。

龙飞招呼着:"进去吧,那条懒蜥蜴八成还在旯旮里趴着,咱们可不能跟它一样怠慢了客人。"说着当先向大门走去。

大厅里没开灯,显得有些昏暗。

龙飞打开门旁边的开关,高声道:"那位猞猁小姐,你在哪里啊?"话音未落,头顶寒光一闪,一把短刀从天而降,取的是龙飞的后颈,速度快似子弹。

舍荣大喝道:"小心!"手中禅杖猛抢,不过已经来不及挡下那柄致命的短刀了。宁汝馨想抢上去推开龙飞,却被紧随而来的两柄飞刀挡住去路,无奈之下只好收住脚步,眼睁睁地看着飞刀射下去。

千钧一发之际,龙飞向前跨出一步,接着转身伸出右手食指在飞刀上弹了一下,将飞刀弹得反激起来,向它飞来的方向射去。这几下动作似慢实快,虽然每一下都让宁汝馨和舍荣看得清清楚楚,却都是在飞刀加身之前的电光火石之间完成的。

"啊!"上面传来一声娇呼。

"真是抱歉,"龙飞不好意思地挠挠头,"准头没拿捏好。"

宁汝馨抢过来焦急地问道:"你没受伤吧?"

龙飞摇头道:"我倒是没事,不过那位小姐的脸上就不太好看了。"

舍荣也走过来,道:"施主武艺高超,贫僧佩服之至。"刚才那一下偷袭,他自问就躲不开,而这个人却能轻松闪避,而且立刻将飞来的暗器射回去,这份功力和反应让他钦佩不已,对龙飞的印象也大大改观。

龙飞对宁汝馨笑道:"我说过我很厉害吧?"

宁汝馨"呀"了一声,却也不得不承认自己过去一直小瞧他了。她忽然有了一个奇怪的想法:也许这家伙一直是在装傻?

舍荣断喝一声:"孽畜,还不现身!"

天花板上有人娇声道:"我说大和尚,你那是几百年前的称呼了?起码称人家一声小姐,这样才有礼貌嘛!"

龙飞道:"猞猁小姐,天花板上除了灰尘什么都没有,还是下来咱们一起喝喝茶、聊聊天,好不好?"

天花板上娇嗔道:"你把人家的脸弄花了,我才不下去,丑死了!"

舍荣突然抢上几步,大喝一声:"哒!"挺起禅杖就向天花板上捣去。轰然巨响之后,只见天花板上开了一个圆桌大小的窟窿。

碎片纷飞中,一个娇小的身影从天花板上一蹿而下。

舍荣挥动禅杖扫去。那人伸手在杖头上一按,借力之下轻轻巧巧地向一旁闪开,在空中一扭身,稳稳站在地下。

"妖孽,哪里逃!"舍荣还要追杀,龙飞急忙拦住他道:"远来都是客,和尚也别太认真了嘛!"舍荣这才想起自己的身份,缓缓将禅杖放下,重重地冷哼一声。

那人笑道:"这才对。"她看起来大概二十岁左右(千万别指望凭外貌来判断一个妖怪的真实年龄),身材不高,给人娇巧玲珑的感觉,美丽的脸庞上带着令人难以捉摸的微笑。她的美丽与宁汝馨那种清丽决然不同,是一种肉感、野性甚至是难以驾驭的狂放的美丽。就像一只难以驯服的野猫,宁汝馨有这种感觉。

她指着自己脸上一道浅浅的伤口,大声道:"那边那个人,你把我的脸划破了,该怎么赔偿?"她说得理直气壮,却全不提自己先放飞刀的事情。

龙飞为难地挠头道:"要不然让你在我脸上划两刀?"

宁汝馨哭笑不得,没好气地白了他一眼,对猞猁精道:"你是谁,来这里干什么?"

"我叫莘藜,就是草字头下面一个辛苦的辛,和草字头下面一个黎明的黎。名字不错吧?"她好像很为自己的这个名字得意。

龙飞伸手在空中画了几笔,"好麻烦。"

宁汝馨不为所动,道:"你来这里做什么?"

"本来是来杀人的,不过现在我改变主意了。"莘藜说得满不在乎,好像杀人对她来说就像吃饭睡觉一样简单。

宁汝馨追问道:"你要杀谁?"

"所有和你在一起的人,大姐姐。"莘藜轻轻一笑,嘴角露出尖尖的犬齿,"如果我成功的话,主人应该会高兴的……不过好像很难完成了。"说着,她向龙飞抛了个媚眼,"这位哥哥比我想象得厉害很多呢!"

"主人?"宁汝馨眉头紧皱,"你的主人是谁?"

"主人就是主人,不过你们好像都叫他莫名仙。"

宁汝馨剧震道:"你是他的手下?"

"是啊,"莘藜很干脆地承认,"你总不会认为我是玉皇大帝或者如来佛祖的跟班吧?"

"他让你干什么?"

"主人不知道我来这里,"莘藜托着下巴,作出思考的样子,"我本来是想把在你周围的人都杀掉,然后再把你活着带回去……也许是我太没用了。"说着撇撇嘴,一付气呼呼的样子看着龙飞。

龙飞笑笑,问道:"你现在要怎么办?"

"在这里等啊,"莘藜在旁边的沙发上坐下,"如果主人发现我不见了,应该会来这里找我的。"

"什么?"宁汝馨第一个念头就是:逃走!

"啊,"莘藜忽然向门外看去,"主人已经来了。"

大惊之下,其他人都顺着她的目光向大门看去。夕阳的余晖透过玻璃照进来,没有半个人影。

与此同时,莘藜双手连挥,以肉眼难见的速度发出六柄飞刀,分别向舍荣和龙飞的头、颈、胸射去,而且无声无息,让人难以发觉。

头也没回,龙飞回手探出,一把就将那些飞刀攥在手里。舍荣则是略略侧身,提起裂裟一抡,把那三把飞刀包在里面。

莘藜兴高采烈地鼓掌道:"精彩,太精彩了!"好像自己致命的偷袭只不过是和他们开一个善意的玩笑。

这时一个声音问道:"莫名仙在哪里?"同时秦澈从阴影里走出来,紧盯着莘藜,脸上表情冷冰冰的,令人毛骨悚然。

莘藜顽皮地笑道:"我怎么知道?"

秦澈淡淡道:"别跟我要花样,妖怪。"他抬起左手在空中虚握成拳,然后略微紧握了一下。那边莘藜的脸色立刻变得煞白,痛苦地弯下腰去,甚至连发出呻吟的力气都没有。秦澈将手略松了点,问道:"莫名仙在哪里?"

龙飞好奇道:"这是什么法术?好像很有趣似的。"

舍荣神色凝重道:"此乃束魂手,能抓摄三界众生三魂七魄。这位施主功力深湛,而且恐怕和地府渊源不浅。"

喘了几口气,莘藜抬头大声道:"你就把我杀了吧!"神色倔强。

"杀了你?"秦澈嘴角露出一丝冷酷的笑容,"未免想得太简单了吧?"走到莘藜身边,弯腰伸手把她的脸托起来,看着她的眼睛道:"你认为死亡就是解脱?"

莘藜眼中闪过一丝恐惧,使劲从他手里挣出来,倔强道:"我都死掉了,你还能把我怎样?"

秦澈站直身子,淡然道:"如果你有兴趣可以试试看,不过我保证你会后悔的。"语气转为严厉,"说,莫名仙在哪?"自从认识他以来,宁汝馨还没见过他这样声色俱厉。

龙飞看不过去,插入道:"这样吓唬小姑娘不好吧?"

秦澈冷喝一声:"你闭嘴!"现在的他一反平日的温文尔雅,好像着了魔一样。

龙飞叹了口气,"这家伙疯了。"

秦澈不理他,向莘藜逼问道:"带我去找莫名仙!"

"不用,"有声音传来,"我来了。"声音嘶哑,而且有些含混不清,似乎说话的是个行将就木的老人。

秦澈猛地回头,看到一个人推门进来。他看起来和秦澈年龄差不多,不过二十多岁的样子,很难想象刚才衰老的话音是他发出的。

秦澈恶狠狠地盯着来人,眼中都是刻骨的恨意。莫名仙丝毫不让地和他对视着,脸上一片漠然。

不知道过了多久,秦澈咬牙切齿道:"你就是莫名仙?"

莫名仙漠无表情,"至少很多人都是这么叫我的。"

秦澈向莫名仙走上一步,"你知道我是谁?"

"不知道,我从来不认识无名小卒。"莫名仙的声调没有丝毫波动,好像秦澈的问题与他毫不相干。

"好、好!"连说了两个"好"字,秦澈突然怒吼道:"我要让你永远待在十八层地狱里,在那里受尽折磨!"

莫名仙不为所动,淡淡地应了一声:"哦,如果你有这个本事的话。"

秦澈冷笑,手腕一抖,一支三尺来长的短枪出现在他手里,枪尖斜斜指向莫名仙。

宁汝馨听到身边龙飞低声兴奋道:"好东西!"正在奇怪,那边莫名仙也动容道:"锁龙枪!你从哪里找到的?"

"等你下油锅之后,我再慢慢告诉你!"枪尖一挑,秦澈挺枪径直向莫名仙刺去。枪尖带起的劲风仿佛巨龙的咆哮,同时整个枪身隐约幻起一条张牙舞爪的飞龙幻影。

莫名仙不敢硬接,飘身向后飞退,一直退出门去。秦澈的短枪如影随形,紧追着莫名仙不放,却始终刺不到他身上,一个起落之后也追出大门。两人的动作都是快如鬼魅,身形闪了几下就消失在都市的混凝土森林里。

屋里龙飞自言自语道:"锁龙枪?东西不错,就是名字太晦气了……"宁汝馨听得莫名其妙,问道:"你说什么?"这时舍荣走到莘藜身前,目不转睛地瞪着瘫倒在地上的猰狉精。

龙飞笑了笑:"没什么。"忽然大叫道:"嘿,你干什么?"窜出两步,冲上去抓住舍荣就要砸下去的禅杖。

舍荣挣了两下,发觉禅杖纹丝不动,沉声道:"放开!"

龙飞嬉皮笑脸道:"你放开!"

舍荣脸现怒色,道:"施主为何要对此等妖物百般呵护?"

宁汝馨忽然道:"佛家应该是戒杀生的吧?"

舍荣摇头道:"女施主此言差矣,此等妖魔鬼怪,人人得而诛之。如来佛祖予我等佛法神通,就是为除魔卫道,由此造福天下苍生!"接着对龙飞道:"如果施主再不放手,莫怪贫僧冒犯了!"

"要打架?我奉陪!"龙飞笑嘻嘻地一付寻衅滋事的无赖嘴脸,手里却一点也不放松。

舍荣突然松开禅杖,举起右掌向莘藜额头拍去,铁掌带起虎虎风声,如果拍实的话莘藜必定是脑浆迸裂的下场。不过龙飞的反应比他还快一步,禅杖一横,正好挡在舍荣手掌前,硬生生地接下他这一掌。

舍荣收掌而立,愤然道:"施主休要苦苦相逼!"

龙飞笑道:"我没有逼你……啊!"手中的禅杖略一回转,"叮叮"两声砸下两把射向舍荣的飞刀。同时地上的莘藜一弹而起,娇笑着飘然出门。

舍荣怒吼道:"孽畜休走!"劈手把禅杖夺过来,然后追出门去。这次龙飞没有使劲,任由他从自己手里把禅杖夺走。两人一追一逃,转眼间不见踪影。

"啊,都走了。"龙飞伸了个懒腰,四下看了一圈之后满意道:"总算没砸坏什么东西。"

宁汝馨忽然道:"她很漂亮?"

龙飞愣了一下:"什么?"

宁汝馨犹豫道:"我是说……她比你的妻子或者未婚妻还漂亮?"原来她还记得刚才龙飞说的话。

"啊,"龙飞好像刚想起来,"她还差得远呢。"他倒是一点也不客气,不过怎么听都像吹牛。

宁汝馨怀疑地看着他:"那你为什么要救她?"如果龙飞不加阻拦,莘藜早就死在舍荣禅杖下了。

龙飞挠头道:"就这样让她死掉太可惜了吧?"他也觉得有些难以自圆其说,赶紧岔开话题道:"现在和尚跑得没影,咱们就这样空手回去向那个馆长交差?"

宁汝馨道:"只有这样了。"接着沉默一会,忽然问道:"我呢?"

龙飞听得莫名其妙:"你? 什么?"

宁汝馨脸上一红,摇头道:"没、没什么。走吧!"

第 三 章

嗅 觉 追 踪

当龙飞和宁汝馨回到博物馆的时候已经是华灯初上。他们看到博物馆周围搭着不少施工常用的简易铁板墙,挡住了来来往往行人的视线。铁板墙那一边静悄悄的,似乎维修工作已经停止了。

绕着博物馆转了一圈,他们发现博物馆的大门和侧门都被粗重的铁链锁起来。

宁汝馨皱眉道:"不对劲。"

龙飞不知道从哪里找来一根铁棍,插进铁链环里猛地一撬,铁链"啪"的一声断成两半,丁丁当当地落在地下。这才问道:"什么?"

宁汝馨哭笑不得,摇头道:"没什么。"

随着院门打开,宁汝馨闻到一种淡淡的甜香气息,接着眼前一黑险些跌倒。龙飞从后面揽住她的纤腰把她扶住,问道:"怎么了?"

宁汝馨轻轻摇头,扶着他向后走了几步,然后深吸了几口气,感觉好了一些,这才问龙飞道:"你没有觉得头晕?"

龙飞放开宁汝馨的腰,摇头道:"没有。"走上前几步使劲吸了吸气,"有种奇怪的味道,你不喜欢这个?"

宁汝馨心想这家伙不是生命力非常坚韧,就是感觉神经过于迟钝,居然一点也不受毒气的影响。心念一动,伸手在空中划了一个半圈,"狐炎!"地上腾起一道两米多高的半弧形青白色火墙,飞快地向院子里面扑去。龙飞躲闪不及,被火墙一扫而过,衣角被火焰点着了。他一边手忙脚乱地扑打着,一边怪叫道:"你想把我烤熟啊!"

宁汝馨急忙上去帮他灭火,歉然道:"对不起,我以为你能躲开。"现在她真搞不明白龙飞到底是天才还是白痴了。

龙飞气呼呼地道:"下次先打声招呼!"

宁汝馨点头道:"好的。"

这时那面火墙已经停在院子里,颜色也由原来的青白色变成一种幽幽的荧绿色。随着火焰的燃烧,一种令人作呕的焦臭味在空气中弥漫开来。

"和我猜想的一样,"宁汝馨道,"好像是某种植物的汁液混合上动物油脂炼成的。"

龙飞奇怪地问:"你怎么知道?"

宁汝馨解释道:"看看火焰燃烧的颜色就能了解个大概,原理大概和化学上的色谱实验差不多。"见龙飞一头雾水的样子,就知道自己算是白说了。抬手向远处的火墙一挥,"散!"随着她的声音,那火墙转眼间熄灭不见。

宁汝馨自言自语道:"得想办法进去……"那些香气扑鼻的毒雾虽然被火焰烧掉一些,不过还是充斥了整个院子,阻止外面的人踏进这片寂静的领地。

龙飞神秘一笑,道:"来吧。"说着拉起宁汝馨的手就向里面走去。

宁汝馨急道:"你干什么?"忽然发现周围出现一团若有若无的淡蓝色光辉,把两人罩在里面。这光辉仿佛一种有若实质的保护罩,将那些危险的毒雾远远推开。

宁汝馨好一会才明白过来,讶然问道:"是你干的?"这种防御法术她从来没见过,不过毫无疑问非常强大。

"是这个东西。"说着,龙飞从口袋里掏出一个小小的四棱锥体,大概两厘米高,不知是用什么材料构成的,正在散发着淡淡的蓝光,"一个朋友给我。"

宁汝馨问道:"可以让我看看吗?"不管怎么看,这个小东西都是一件强大的魔法道具,怎么会有人把它随便送人?

龙飞好像有些犹豫,想了想之后才把那个四棱锥递向宁汝馨,道:"小心点。"

"小心?"刚把锥体接到手中,宁汝馨就知道龙飞让她小心什么了。在接触的一瞬间,她就感到自己的妖力、体力,甚至生命都在飞快地被这个小东西吸进去,仿佛那是一个吞噬一切的无底黑洞!与此同时,锥体发出的光变成白色,在他们周围的光辉也随之变成同样的颜色。她想向龙飞寻求帮助,却发现自己连张嘴说话的力气也没有了。

见到情况不对,龙飞劈手把锥体夺回来,然后把宁汝馨扶住,摇头道:"所以我说,这东西太危险了。"回到他手里之后,这个锥体的光芒又变回蓝色。

宁汝馨的体力逐渐恢复过来,这才惊魂稍定,心中都是疑问,问龙飞道:"你没事?"

龙飞叹了口气,"看来这东西不适合你。"

宁汝馨怀疑道:"这是什么?"

"嗯……"龙飞有些为难,"我也不知道,是很久之前一个朋友给的。"从他困惑的神情来看,似乎说的是实话。

宁汝馨现在也没有时间深究,道:"咱们赶快进去看看,不知道这里的人现在怎么样!"

大厅里的铜鼎不见了,取而代之的是一个手举三头叉,背生双翅的漆黑雕像,大概和普通人差不多高,凸目獠牙,面目狰狞可怖。在雕像周围,横七竖八地躺着不少人,从衣着上看来都是博物馆的工作人员。

宁汝馨走过去弯腰略一察看,发现这些人都还活着,只不过是晕了过去。略略放心之后,正想招呼龙飞把这些人弄出去,发现他正在饶有兴致地研究那座雕像,道:"这是中部欧洲神话里魔鬼基里亚克的形象,据说他掌管着遗忘和混乱。"说话之间,周围的绿色雾气渐渐消失了——不是散开,而是凭空消失!

"材料很奇怪。"龙飞随手把那个四棱锥体放回口袋,那种淡蓝色的保护光线也随之消失。伸手摸了摸那座雕像,"又软又黏……"

"什么?!"宁汝馨一震,失声道:"小心!"

不过已经迟了。只听"啵"地一声轻响,那座雕像变成一团黏稠的液体,软软地淌在地下,接着变成黑褐色的蒸汽沿着地面飞快地向四周扩散,转眼间就把地上那些人"淹没"了。不过这些黑褐色蒸汽来得快,去得也快,不到十秒钟就已经飘散殆尽,好像从来没存在过。

"嘿嘿……"傻笑声中,有人从地上爬起来,宁汝馨急忙问道:"这里发生了什么?"那人没有回答,只是看着她一个劲地傻笑着,亮晶晶的馋涎从他的嘴角里淌下来。

宁汝馨发现不对劲,急忙对那人施了几个法术,不过没有什么帮助。最后黯然摇头道:"晚了。"

龙飞莫名其妙道:"怎么?"

"他们大脑的思维中枢已经被彻底破坏,我没有办法了。"宁汝馨又摇摇头,"好霸道的毒药!"

这时越来越多的人从地下爬起来,有的站着,有的蹲着,还有的干脆坐在地下。他们都是一副笑嘻嘻的样子,不过这笑容里根本没有快乐的成分,有的只是迷茫。

"这里什么时候改成疯人院了?"

回头望去,宁汝馨看见莘藜从门外走进来,皱着眉头。周围的人都对她嘿嘿傻笑着,这让她很不舒服。

宁汝馨摆出警惕地神态:"你怎么会在这里? 舍荣呢?"

莘藜一边走过来,一边撇嘴道:"那和尚还在满城里找我呢,他——呀!"一个"傻子"忽然伸手向她抓来,莘藜尖叫着跳开,随即飞起一脚把那人踢飞出去。惊慌之下,她这一脚踢得十分重,不过那人落地之后马上就爬起来,和旁边的一个"同类"搂成一团,高声唱着不知名的古怪调子,好像一点也没受伤似的。

躲开那些"傻子",莘藜几步跳到宁汝馨身前,瞪着她问道:"你把这些人怎么了?"看来她认为是宁汝馨干的。

宁汝馨还没搭话,又有好几个"傻子"蹒跚着向他们走过来,嘴里嘟嚷着只有他们自己才能听懂的话。

莘藜大口大口地喘着气,忽然大叫起来:"不、不要!"猛地从大门口窜出去。

龙飞和宁汝馨对视一眼,都感到很奇怪。他们都知道这个猞猁精武艺高强、心狠手辣,她为什么会害怕这样的弱智人?

莘藜在外面叫道:"你们出来!"

龙飞看看宁汝馨,后者点点头,于是两人一起走出去。

莘藜站在外面,好像已经平静下来,大声问道:"那些铜鼎呢?"

宁汝馨冷冷道:"我们也想知道。"对这个莫名仙的手下,她没有任何好感。

莘藜很明显不太相信,怀疑道:"不是你们运走的?"

龙飞笑道:"我们要那些大锅干吗用?"然后把他们来到这里看到的奇怪经过对莘藜说了一遍。他说这些的时候,宁汝馨冷冷地一言不发。

听完之后,莘藜焦急道:"坏了,坏了! 那些鼎真让人偷走了!"

她的话让宁汝馨心念一动,想起上次莫名仙出现的时候也是阻止那些强盗把铜鼎抢走,问道:"莫名仙让你来这里做什么?"

"当然是保护这些鼎啊!"莘藜的俏脸上都是焦急,"可是现在却丢了! 主人非骂死——不,非打死我不可!"

龙飞奇怪道:"他在干什么?"

"那个姓秦的缠得他脱不了身,所以才传命令让我过来保护这些铜鼎……"看来这些铜鼎对莫名仙真的很重要。

看来秦澈真的有能力对付莫名仙,这让宁汝馨放心不少。

龙飞问道:"现在你准备怎么办?"

莘藜毫不犹豫道:"当然是把那些鼎找回来!"接着可怜巴巴地问道:"你们能帮我吗?"她竟然会寻求帮助,这可很让人感到意外。

宁汝馨断然拒绝道:"不!"

"啊……"失望的神色一闪而过,莘藜又看了龙飞一眼,这才转身匆匆走了。看她的神色,似乎是在追寻着什么。

龙飞问道:"我们要做什么?"

"当然是去找那些抢走铜鼎的人!"宁汝馨的心情好像不太好,"得把那些铜鼎拿回来,而且,"她顿了顿,接着道:"他们手里可能会有让这些人恢复的方法。"虽然可能性并不大。

龙飞很奇怪:"为什么不和那个小姑娘一起?"

宁汝馨冷冷道:"你愿意和她在一起? 我也没意见。"

龙飞苦笑摇头,然后才问道:"我们该去哪里?"他这么说,就是要与宁汝馨在一起了。

宁汝馨这才意识到自己有些失态,事实上,连她也不知道自己为什么会有这种反应,心下对龙飞有些歉疚,道:"因为那个莘藜是莫名仙的人……"

龙飞点点头表示理解:"我知道。"

"谢谢。"虽然这么说,宁汝馨心里隐隐觉得自己并不是这样。

龙飞道:"好了,我们去哪里找那些大锅?"

"那个方向,"宁汝馨伸手一指,"他们是往那边走了。"

龙飞奇道:"你怎么知道?"

宁汝馨解释道:"味道,那些人留下一种很奇怪的味道,我想大概就是那种毒气的解毒剂的味道。只要顺着这种气味追下去,应该就能找到他们。"

"你有一个灵敏的鼻子,"龙飞作了个鬼脸,"好像警犬一样!"

宁汝馨不理他的玩笑,道:"那只小猫应该也是发现了这一点,才有把握能追踪下去。"

龙飞一愣,道:"小猫?"

宁汝馨道:"猞猁属于猫科动物。"

"哦,"龙飞点点头,正色道:"那我们得赶快,不然让那只'小猫'抢先找到那些锅就不好了!"

正如宁汝馨预料的一样,这种味道一直顺着道路延伸下去。出来之后,宁汝馨先在不远处的公用电话上打电话报警,让警察帮助搜索和救助现场这些丧失智力的人。当她打完电话的时候,发现龙飞已经"借"好了一辆停在路边的桑塔纳,正在等她。

顺着路上的气味追踪下去,行驰好一阵子之后出了市区。路上有好几辆警车呼啸着和他们擦肩而过。在弄清对方的底细之前,宁汝馨不希望让警方知道他们正在追踪的方向,因为如果抢走铜鼎的是强大的妖怪(虽然这种可能性并不大),警察的武器根本不会有任何作用,只是白白浪费生命而已。

乌云遮月。

黑暗中,风声呜咽。

第四章

毒蛇守卫

一路追踪下去,过了两三个小时之后,龙飞和宁汝馨已经离开市区很远,来到郊外的一小片丘陵地带。这里正在进行房地产开发,原有的居民已经迁走了。在车灯的照耀下,隐约能看见前面的黑暗里停着许多各种型号的工程机械。

有两个人在路中央挥舞着荧光棒,示意他们停下来,然后走过来敲敲车窗,道:"前面是工地,请你们回去!"说得斩钉截铁,没有半点回旋的余地。

宁汝馨打开车窗,大声道:"我们是来找人的!"

拦路的两个人不耐烦地挥挥手,"这里没有你们要找的人,赶快离开!"

宁汝馨还要说下去,龙飞伸手阻止了她,道:"走吧,咱们可能是迷路了!"说着向宁汝馨使了个眼色,发动车子,调过车头向来路开回去。黑暗中有两辆车子发动起来,远远地跟着他们,一直跟了四五公里,才掉头回去。

宁汝馨道:"看来就是这里了。"刚才她发现黑暗中至少有五支自动步枪从各个方向瞄准他们,而且很可能远处还有威力更大的武器。估计龙飞也是因为发现了这些东西,才忽然同意离开的。

龙飞把车子停在路边,道:"该怎么进去?"

"我进去。"说着,宁汝馨念动咒语,将自己变成一只小小的麻雀,从车窗里飞出去,对龙飞道:"你在这里等着,我很快就回来!"说完一振翅膀,向黑暗中飞去。

看着宁汝馨飞走不见，龙飞自言自语道："应该不会出事吧？"

飞了一阵，宁汝馨来到刚才他们调头的地方。那两个人还在那里，警惕地望着道路的尽头。不过因为这里实在太偏僻了，所以根本没有车辆过来。

居高临下地看下去，宁汝馨倒吸一口凉气：她发现在旁边停着的两辆重型卡车上分别架着一挺轻型机枪，而在另一辆车上，居然有一门反坦克炮！只是这些，就够武装一支小型军队了。可想而知，刚才如果他们不掉头回去的话，这些东西肯定不会像现在这样保持沉默了。宁汝馨意识到事情的严重性，这些人绝对不是普通的小偷或者强盗，恐怕连最嚣张的恐怖分子也不敢随便使用这些武器！

黑暗中有人从"工地"的方向走来，卡车上传来一声断喝："真神的愤怒！"

来人答道："即是对我们的宽恕！是我！"他们的对答用的是英语。

"妈的，你们来晚了五分钟！"卡车上的人骂骂咧咧地说道，一边从上面跳下来，"上来，该你来喂这些蚊子大爷了！"说着招呼着其他被换下来的人，一起向里面走去。

宁汝馨跟着他们飞进去。即使是如此严密的防卫，也不可能发现一只在天空中飞过的雀鸟。

没飞出多远，宁汝馨看到前面的山坳里有不少暗绿色的行军帐篷。大概七八个较小的方形帐篷围成一圈，保护着中央一个巨大的圆形帐篷。这种圆形行军帐篷不像是任何国家所装备的，看起来倒是很像元朝时蒙古人使用的那种"王帐"。

宁汝馨停在营地旁边的一棵树上，她的动作很轻，甚至没有惊动在这棵树上警戒的暗哨。观察着下面的动静，宁汝馨发现那些小帐篷里不时有人出出进进，却没有一个人走进中央那个圆形的营帐，也没见到有人走出来。而且那座圆形营帐里没有任何光线透出来，让人感到愈发的诡异。在那圆形营帐周围，有些枯树枝一样的东西竖在地上，随着夜风缓缓摆动。

身边忽然传来一声低沉的闷哼，宁汝馨转头看去，发现那个哨兵软软地靠在树枝上，四肢不住地抽搐着。他的喉头上被撕开一个可怖的大洞，鲜血汩汩地从里面涌出来，顺着他的身体流到树上，然后顺着树干流到下面的泥土中，没有发出一点声音。在他身边，一只和猫差不多的动物蹲在那里，用一双散发着绿色荧光的眼睛瞪着宁汝馨。与猫不同的是,它的耳朵上生长着耸立的黑色长毛。

那只"大猫"开口道:"看,人类就是这么脆弱。"

宁汝馨沉声道:"你是莘藜?"她们对话的声音都很低,因为不想惊动下面的那些人。

"当然是我。"看来眼前这只大猫就是莘藜的原身——猞猁。

宁汝馨道:"你为什么要杀他?"

"谁? 哦,你说这个人?"莘藜伸出爪子,在尸体的脸上划了两下,留下几道纵横交错的爪痕,"人类的生命这么短暂,早几年死和晚几年死又有什么区别?"接着她轻轻一笑,"我要杀掉这里所有的人,你愿不愿帮忙?"

"什么?!"宁汝馨大惊道,"你疯了!"

莘藜甩甩尾巴,不屑道:"用得着这样大惊小怪? 你也看到了,这些家伙绝对不是什么善男信女,把他们干掉,也算是对社会治安作点贡献。"说到这里,她轻轻笑了笑,"我说得没错吧?"

宁汝馨摇头道:"即使他们是杀人犯,也得经过审判才能判处死刑!"

莘藜瞪了她一会,道:"天啊,你受到人类的影响太深了! 咱们是妖怪,比人类强得多的妖怪! 什么法律,什么道德,对咱们完全没用! 记住,只有弱肉强食,才是不变的生存法则! 现在,我比这些垃圾强,那么我就是法官、律师、陪审团,也是执行死刑的刽子手!"顿了顿,莘藜又问道:"你帮不帮我?"

"不!"

莘藜摇摇头,"无所谓,我自己也能解决。不过我要警告你,不要想妨碍我!"接着忽然好像想起来什么,"啊,差点忘了,我得先确认一下那些铜鼎是不是在这里。"她不再理宁汝馨,纵身从树上跳下来,没有发出一点声音。那些往来巡视的卫兵丝毫没有察觉,一个随时会散播死亡的瘟神在他们身边悄悄走过。

宁汝馨飞起来,在空中斜掠而过,落在莘藜前面,道:"等等!"这时她们正在外围一个小型帐篷的阴影里,来往的卫兵都没有看到。

莘藜停下脚步,"改变主意了?"

"我想想提醒你,这个地方很古怪,你不要太冲动!"

莘藜冷笑一声,"古怪? 我怎么没看出来?"说完伸出爪子把宁汝馨拨开,"别挡道,我没多少时间!"她并不想伤害宁汝馨,所以利爪都收在肉垫里。

"你知道那些是什么？"宁汝馨用翅膀向前指了指。在那里，一根"树枝"正在空中轻轻摆动。

莘藜看了一眼，哼道："谁知道那是什么？你知道？"

宁汝馨摇头道："我也不知道，不过那东西让我感到很不舒服。"

"啊哈，直觉？"莘藜夸张地笑出来，接着沉下脸道："很抱歉，我不相信这个。"说着向前窜出去，来到那根"树枝"旁边停下来。弹出锋利的爪子，在"树枝"上划了三四下，回头示威似的对宁汝馨道："你看，什么都……"

话音未落，就听到一阵奇怪的声音，好像是布帛被撕裂开来发出的。抬头望去，只见"树枝"顶端的外皮裂开，伸出一尺多长的黑色柱状物体，在这根柱子的顶端是一个三角形的小脑袋。抖动几下，接着那根圆柱顶端的一段开始变得宽阔扁平，足足变宽了好几倍。一双暗红色的小眼睛居高临下地看着莘藜，透出令人毛骨悚然的寒光。

"眼镜蛇？"莘藜嘲笑一声，"这些家伙还真够传统。"话音未落，忽然闪电般窜出，张嘴向那条蛇的七寸处咬下去。

不过那条蛇的动作更快，身子一扭避过莘藜的攻击，同时张大嘴露出四只尖牙，身体猛地一探，反向莘藜咬下来。

莘藜身体在空中无处躲闪，眼看就要被毒牙咬中。危急之下，她用后腿在蛇头上一蹬，借力之下一个翻身，远远地落在地下。就地滚了两圈，莘藜才翻身站起，前半身俯低在地上，龇着牙和那条怪蛇对峙着。

怪蛇昂着头，嘴里吐出鲜红的蛇信，发出"嗞嗞"的声音。它的身体有节奏地上下起伏，不知道在那根"树枝"里还有多长。

外围的营帐里传出一阵嘈杂的人声，很多人从里面跑出来，手中端着M16，大声呼喝着，显然是因为这边的响声惊动了他们。不过这些人只是远远地看着，不敢靠近中央营帐半步，更不敢向中央营帐的方向开枪。

这时从中央的圆形营帐中传出幽幽的笛声，仿佛呜咽的哭声。怪蛇的身体随着这个声音缓缓摆动，好像在跳一种奇异的舞蹈。与此同时，附近其他的"树枝"顶端纷纷爆开，每一根上面都伸出一条毒蛇。这些毒蛇在笛声的控制下面向莘藜，以同样的动作摆动着。

莘藜感到一阵发自心底的恐惧，脊背上的毛本能地竖起来。她从来没见过这样诡异可怖的情景，一时间真的不知道该怎么办。惟一令她感到安心一点的是，这些蛇好像不能离开它们栖身的那截"树枝"，所以能攻击到她的只有最近的一条蛇而已。

不过她马上就知道自己错了。笛声渐渐变得非常急促，那些蛇的动作也随着声音的变化变得越来越剧烈。最近的那条蛇突然一张嘴，一道黏稠的液体向莘藜飞射而来，同时其他的蛇也张嘴向她喷出黏液。这些黏液喷出的略有先后，刚好把莘藜周围所有的退路笼罩在内。

莘藜猛地向上窜起到半空躲开射来的黏液，不过因为黏液实在太多，还是被其中一股射中了后背，立刻感到一阵火辣辣的疼痛。不过这疼痛只是一瞬间，接着就变成毫无感觉的麻木。莘藜心头一片冰凉，她没想到这些蛇的毒液如此霸道，竟然能在这么短的时间透过她的皮毛进入身体，这比所谓的"见血封喉"可要厉害多了。转眼之间，麻木已经从后背扩散到四肢，莘藜只感到全身僵硬，再也无法协调自己的动作，直挺挺地向下落去。这时又有几股毒液打在她身上，不过她已经连疼痛的感觉都没有了。

灰影一闪，一只麻雀贴着地面斜掠过来，在莘藜落地之前抓住了她，接着猛地振翅，带着她向空中飞去。那些毒蛇又是一阵毒液喷过来，不过因为麻雀飞得太快，纷纷射在空地上。毒液所到之处，地上的青草转眼间化为枯黄。

中央营帐中传出的笛声再变，连着吹了两个尖厉的高调。两条蛇好像得到了命令，身体突然一缩一伸从"树枝"里挣脱出来，落在地上之后飞快地向麻雀飞走的方向追去，动作飞快至极，仿佛两条黑色的闪电。那个方向的人纷纷惊叫着跳开，给这两条黑蛇让开道路，唯恐自己被咬上一口。

笛声变得缓和下来，剩下的毒蛇纷纷摇摆着缩回"树枝"里。一个十几岁的少年从中央营帐里跑出来，用一种特殊的土黄色布条把爆开的地方缠好。干这些事情的时候，少年脸上的表情一直保持冷漠，似乎根本不知道这些"树枝"里隐藏着绝对致命的毒蛇。

围观的人群中有人排众而出，走上前两步颤声道："是我的无能，让大巫师受惊了！我甘愿接受处罚。"他就是在博物馆中的那位少校。

大巫师沙哑的声音在营帐中响起："算了，不是你的错。你们只能对付人类，妖怪什么的还得我亲自动手。"

"是。"停了一下，少校又问道："要不要我们进行搜索？"

"不用，"大巫师好像有些不耐烦了，"你们该干什么就干什么去吧！"

少校不敢多问，躬身道："是！"然后回身命令道："解除警报，所有人回去休息!"

　　其他人巴不得赶快离开,纷纷跑回自己的帐篷里。刚才那些毒蛇给他们留下了极其深刻的印象,想想这些东西就在自己身边……看来他们今夜是别想睡着了。

　　另一边,莘藜沉声道:"为什么要救我?"因为控制声带的肌肉已经渐渐开始麻痹了,她的声音变得沙哑晦涩,不过意识倒是非常清醒。

　　那只麻雀当然就是宁汝馨,她答道:"如果看着你死,我不就和你一样了?"

　　莘藜哼了一声,"无聊。"她发现宁汝馨的呼吸突然急促起来,飞行的高度也开始降低,问道:"你怎么了?"按说以宁汝馨的道行,抓着莘藜飞这么一会根本不会感到一点疲劳。

　　宁汝馨只说了一个字:"毒!"

　　莘藜立刻就明白是怎么回事:宁汝馨抓住她身体的时候,爪子上沾染了她毛皮上的毒液。这些毒液透过皮肤侵蚀进宁汝馨的身体,现在正在飞快地消耗着她的生命。

　　莘藜尖叫起:"你不能死,绝对不能死! 快、快把我扔掉!"

　　"不!"宁汝馨知道即使现在把莘藜扔掉,自己也已经中毒了,而且她绝对不会这么做。现在,她惟一的念头就是尽力扇动翅膀,只要飞回他身边……宁汝馨自己也感到奇怪,那个呆呆的傻瓜能做什么? 可是现在,她心里只想着他。

　　后面不远处的草丛里传来"瑟瑟"的声音,似乎有什么东西正飞快地追过来。

　　宁汝馨感到一阵阵头晕,因为她一直在剧烈运动着,因此毒素在体内传播的速度比莘藜快得多。终于,她再也坚持不住,和爪子里的莘藜一起摔落空中,掉进一团草窝里。

第五章
公平交易

很香,这味道……就像记忆中那户农家锅中的肉汤……

宁汝馨猛地惊醒,发现自己趴在房间里舒适的大床上。从对面的镜子里可以看到一只美丽的小狐狸,身上的白色毛皮一尘不染,在她身后有九条毛茸茸的大尾巴在轻轻摆动。

宁汝馨使劲摇摇头,难道昨天的那一切只是一场梦?她随即否定了这个想法。她很清楚,那一切都是真的。不过后来发生了什么?她完全没有印象。

空气中飘荡着浓浓的香味,这是绝对真实的。宁汝馨走出房门,寻找着香味的来源。说实话,她真的有些饿了。

"啊,好香!"莘藜大叫着从另一间房间里冲出来,她已经变成人形,一脸陶醉地吸着空中的香气。见到宁汝馨,她的脸上现出古怪的神色,支吾道:"啊……哦……早上好。"

宁汝馨对她点点头:"早上好。"说着,她也变成了人形。对这个莫名仙的手下,她不再是充满敌意,也许是因为昨晚的经历。不过即使如此,她还是对这只"大猫"心存戒备。

"哇呀!"龙飞的怪叫声从厨房里传来。本来每一套房间都配有厨房,不过月炎说要有集体精神,于是就把一楼的一套三室一厅的房子布置成了一个设施可以与大酒店媲美的超级厨房——虽然她自己几乎不用。

宁汝馨和莘藜一惊,不约而同地向厨房奔去。不过当她们看清楚之后,都忍不住笑了出来。

龙飞正在手忙脚乱地用手中的汤勺搅着一口大锅里的东西,慌乱中抬起头打招呼:"哦,你们都醒了?"他腰里围着个围裙,头上还歪戴着一顶高高的厨师帽子,也不知道他是从哪里找到的。

宁汝馨急忙过去把煤气的开关关小,语气中略带责备道:"你小心点啊!"

龙飞嘿嘿一笑,道:"还不太会用这东西。"

莘藜好奇地问道:"你在煮什么?"空气中弥漫的浓香就是从龙飞面前的锅里发出来的。从这里看过去,只能看到锅里漂浮的泡沫,应该就是刚才暴沸产生的副产品。

"你们猜!"说着,龙飞又把汤勺伸进锅里使劲搅动,一边自言自语道:"不知道该煮到什么时候?"

宁汝馨道:"如果是肉汤的话,煮成这样就已经好了。"

"原来你懂行,早知道让你来煮了……"嘟囔着,龙飞把煤气关上,然后盛了一碗汤递给宁汝馨,"尝尝!"

莘藜抢着道:"我也要!"

"见者有份!"龙飞又给她盛了一碗。

宁汝馨尝了一口,发现里面的肉已经被煮得粉碎,说是"肉糜"更合适一些。不过味道还算不错,虽然好像什么调料都没放。

"很好喝啊!"莘藜称赞道,"你用什么煮的?"

"这个。"龙飞把旁边一团黑漆漆的东西提起来。那东西看起来薄薄的,大约两只手掌宽,近两米长,从龙飞手里一直垂到地下。

宁汝馨低呼一声:"蛇!"没错,龙飞手中的就是一张蛇皮,而上面的花纹让宁汝馨想起昨天晚上那噩梦般的经历。

"嗯,"龙飞向莘藜指了指,"要是加上她,就能煮'龙虎斗'了。"也不知道他从哪里听说的这个菜名,不过可以肯定的是他绝对做不出来。

莘藜不但没生气,反而好像有些不知所措,支吾几声之后才道:"是你救了我……"说到这里,她看看宁汝馨,才继续道:"……嗯,救了我们?"

龙飞笑道:"捡回来一只猫和一只狐狸,顺便抓了两条蛇,买二送二,倒真是不错的买卖。"当宁汝馨失去知觉之后,她的变身法术也随之失效,所以龙飞才捡到"一只狐狸"。

莘藜又道:"可是,我记得我应该是中毒了啊?"宁汝馨同样疑惑地看着龙飞,等着他的解释。

＂我把一条蛇的蛇胆给你们分着喝了,＂龙飞很明显是早就想好了答案,立刻回答道,＂没想到还真的有效!＂

宁汝馨很怀疑他的回答,因为理论上来说蛇胆并没有解蛇毒的功能,特别是毒性如此猛烈的毒液。不过当然也可能是那种怪蛇的蛇胆比较特殊,所以龙飞的话也不能说有什么漏洞。

宁汝馨想了想,问道:＂还有一个蛇胆呢?＂

＂刚才月炎的祖母派人来取走了,说是可能治好博物馆那些人的脑袋。＂

宁汝馨摇头道:＂这也太离谱了吧?＂如果连中枢神经损伤也能治愈,这蛇胆真是万能药了。

莘藜笑道:＂这就叫病急乱投医。＂说着把空碗递向龙飞,道:＂我还要!＂看来她的胃口很不错。

宁汝馨皱眉道:＂早饭吃太多会发胖的。＂

莘藜对她吐了吐舌头,＂要你管!＂

龙飞笑道:＂我纠正一下,现在刚好是晚饭时间。＂

吃饭的时候,都市频道播出了博物馆遭劫的新闻。李维出现在电视上,正在向警察描述当时的情况。他的脸色苍白,不过比昨夜那种白痴神态已经不知道好了多少,而且新闻里也没有关于有人变成白痴的报道。

＂那个蛇胆真的有效!＂虽然感到不可思议,宁汝馨还是只能得出这样的结论。

龙飞得意道:＂我就说嘛!＂

莘藜正想发表自己的意见,忽然脸上变色道:＂主人来了!＂

宁汝馨一阵紧张,向门外望去。莘藜所说的主人当然就是莫名仙,难道他已经把秦澈打败了?

大门向两边打开,莫名仙走进来。

＂主人!＂莘藜急忙站起来,＂那些铜鼎……＂

＂我知道。＂莫名仙挥挥手,他的声音还是那样苍老沙哑,和他年轻的面容毫不相配,＂你已经尽力了。＂

宁汝馨鼓起勇气问道:＂秦澈在哪里?＂

莫名仙沉声道:＂他被我的'八方束缚咒'所困,暂时动弹不得,不过那个法术维持不了多久。而且他在我身上钉下了'万里追魂印',脱困之后很快就能找到我,所以有些事情我必须尽快说清楚。＂他倒是很坦白。

看来他和秦澈是互有胜负，谁也奈何不了谁。

宁汝馨道："你想说什么？"知道秦澈还活着，让她松了口气，至少莫名仙不能太嚣张。

莫名仙伸出两根手指，道："我有两个请求。"

宁汝馨很惊讶他会这么说，不过还是说道："请讲。"

"第一，我想让你们帮忙找回那些铜鼎。"

龙飞笑道："你自己为什么不去把它们找回来？"

"那个叫秦澈的年轻人把我缠得太紧，让我脱不了身。只让莘藜去做的话成功的可能性太低……"莘藜想出言反驳，不过被莫名仙一眼瞪了回去，"……所以才想请你们帮忙。"

宁汝馨不置可否，道："第二呢？"

"第二，希望你能把你的内丹让给我。"

虽然早知道莫名仙觊觎自己的内丹，可是宁汝馨实在没想到他会这样明目张胆地提出来，而且好像还是很合理的要求。难道他不知道对妖怪来说，内丹比生命还重要吗？

宁汝馨还没说话，莫名仙对她摆摆手，道："我也知道这个要求很无理，不过我并不是现在就要，而且我会拿一些东西进行交换。"

宁汝馨问道："是什么？"她很好奇，有什么东西可以和内丹一样珍贵？

"这个。"莫名仙摊开手，空中立刻出现一团团七彩光华。在他手心里的是七八颗大小不一、颜色各异的珠子，最大的直径足有五厘米，小的也得一厘米多，流光溢彩，绚烂非常。

宁汝馨惊呼道："内丹！"是的，只有内丹才和内丹一样珍贵。

莫名仙点点头，道："这些是我收集的东西，最少的也有三百年的道行在里面。"他指着一颗最大的青色珠子，"这是一颗千年树妖的内丹，她拘役女鬼为自己吸人精血，甚至能够逆天而为，连天雷都奈何不了她，最后被我和一个叫燕赤霞的道士联手杀了。"又指着一颗略小一点的暗红色珠子，"这是我从一具血骷髅那里得来的，严格地说这不是'内丹'，而是'灵丹'。可惜当时我没有及时赶到，不然就能向玄奘法师解释明白了。"再拿起一颗像珍珠一样白色的珠子，在他的"收集品"里面算是最小的，大概只有大拇指指肚大小，"这是一颗鲤鱼精的内丹。我帮她躲过天雷，又让她脱胎成人和心上人长相厮守，她为了感激我，因而把对她再也无用的内丹送给我了。"

宁汝馨阻止他说下去:"等一下!"

莫名仙停下,静静地看着她。

"你是说,用这些来换我的内丹?"

莫名仙摇头道:"并不全是,还有你们帮我找回铜鼎的报酬。"

即使如此,也是太多了! 宁汝馨很清楚自己的内丹里只有百多年道行,莫名仙应该也知道,而他却拿这些加起来足有好几千年道行的内丹来进行交换!

宁汝馨摇头道:"我不明白,你能不能解释一下?"

莫名仙道:"可以告诉你的是,出于某种特殊的理由,我需要一颗内丹,这也是我收集这些东西的原因。但是试过之后我才知道,这些内丹根本不适用,还是得用九尾灵狐的内丹才行。所以我才想和你做这个交易。"

宁汝馨的心里乱成一团。看莫名仙的神态不像是在说谎,那么这个交易对她可以说是有利无害。随便用其中一颗替换自己的内丹,只要很短时间的修炼就能化为己用,同时还让自己徒增几百年甚至上千的道行!

想了想,宁汝馨又问道:"你要用我的内丹做什么?"

"这是个秘密,不过肯定不是伤天害理的事情。"莫名仙好像很明白宁汝馨的想法,这样说道。

宁汝馨再也找不出什么理由拒绝,正要开口答应,莫名仙道:"你不用这么快就回答我。不过如果你愿意考虑我的建议的话,我现在就把这些内丹给你。"

略一犹豫,宁汝馨点了点头。

莫名仙脸上露出一个僵硬的微笑,弯腰把手中的内丹放在茶几上,道:"我得离开了,那个姓秦的年轻人应该就快脱困了。"转身走出两步,忽然又回身道:"盗取铜鼎的那些人恐怕是些外来的亡命之徒,你们行动的时候千万小心!"这才转身去了。

龙飞从桌上拿起一颗内丹放在眼前饶有兴致地看着,道:"这家伙倒是挺大方!"将那颗内丹在空中抛起又接住,对宁汝馨道:"可以给我几个玩玩么?"

莘藜瞪着他,难以置信道:"玩玩? 你当这是些玻璃球吗?"

龙飞又抛了抛,"和玻璃球也差不多啊。"

莘藜哼了一声不再理他,问宁汝馨道:"你准备用哪一颗?"如果宁汝馨真要换下自己的内丹,也只能使用其中的一颗。或者可以把这些内丹炼成一块,不过宁汝馨并不知道这种法术。

宁汝馨茫然道:"我不知道……"

莘藜大声道:"要我说,当然哪颗道行深就是哪颗了!"看得出来,她对这些内丹所代表的道行很有点羡慕不已。

宁汝馨当然知道,这些内丹里就数那千年树妖的青色内丹里的道行最深,不过其中透出来的邪气也是显而易见。至于那个血骷髅的"灵丹"更是邪气冲天,几乎到了生人勿近的地步。

"啊,对了。"龙飞忽然道,"这些玻璃球好像还包括去把那些大锅找回来的报酬!"

莘藜立刻道:"没错没错!你们一定要帮我啊!"

宁汝馨暂时抛开内丹的事情。即使是为了那个被封在鼎中的幽魂,她也觉得有必要把那些铜鼎找回来。自言自语道:"应该从哪里下手呢?"现在已经几乎可以肯定铜鼎在那座山坳中的营帐里,不过那里森严的防卫实在令人无法接近。回想那些毒蛇的"毒液枪"的威力,宁汝馨就感到后背一阵凉意。龙飞碰巧救了她们一次,下次就不一定有这么幸运了。

龙飞笑道:"我们可以找帮手啊!"

宁汝馨一愣:"谁?"

"妖魔猎人协会!"

第六章

怪异组合

"嗯,这件事闹得很厉害。"柳卓群推了推老花镜,"地方上的压力也很大,因为那些鼎可算是国宝级的文物。"

宁汝馨问道:"他们能调多少部队来?"

"部队?"柳卓群愣了一下,"没有这个必要吧?"一般来说,地方治安是由警察负责的,如果是穷凶极恶的危险罪犯会出动武警进行协助,正规部队的调动则说明事态已经到了几乎无法控制的地步。

"完全有必要!"宁汝馨大概描述了那些"匪徒"拥有的火力,她对兵器没有多少了解,所以说得并不太明白,不过那门架在载重卡车上的反坦克炮还是给柳卓群留下了很深的印象。

柳卓群沉吟道:"那么说,这些人恐怕不是一般的罪犯了。"

"不仅如此,他们还用很古怪的方法豢养了许多怪蛇。"

"古怪的方法?"柳卓群很感兴趣,"说来听听。"她曾经从龙飞那里听说过黑蛇的事情,还用蛇胆治好了博物馆里那些人的脑子,不过并不知道这些蛇是用什么方法养的。

宁汝馨把那些怪蛇藏身在树枝里的情形说了一遍。

听完之后,柳卓群的脸色转为凝重,向龙飞道:"那两条蛇呢?"

"吃掉了,味道还算不错。"龙飞恍然道,"啊,忘记给你留点了。"

"吃了?"一愕之后,柳卓群哭笑不得道:"你倒真是好胃口。"然后对宁汝馨正色道:"如果我猜得没错,你看到的那些人是'真理教'的教徒。"

宁汝馨问道:"真理教? 那是什么?"

"是个邪教组织。你看到的那种蛇就是他们的一种伎俩,好像是叫

'原罪之蛇'的。"柳卓群轻轻招手，旁边的文件柜自动打开，飞出一个档案袋，轻飘飘地落在柳卓群面前的桌子上。

柳卓群拿起档案袋递给宁汝馨，"这是'真理教'的部分资料，你可以拿回去看看。"顿了顿之后，又道："看来这件事最好由我们来接手。嗯，你们在这里稍等一下，我找些合适的人手来帮你们。"

宁汝馨愕然问道："你的意思是说，让我们负责这件事？"

"确切地说，是你来负责。"柳卓群笑了笑，只是看这笑容，就知道她年轻的时候一定是个倾倒众生的大美人，"我想那位有绅士风度的先生不会反对吧？"

"双手赞成！"说着，龙飞真的举起两只手来。

宁汝馨还是不明白，疑惑道："为什么是我？"

"因为我相信你是最合适的。"柳卓群正色道，"我相信你很优秀，在很多方面都是。所以，我想让你证明这一点。"

宁汝馨沉默，终于点头道："好，我答应。"

柳卓群笑道："好，这才是好孩子。"也许她是故意忽略了宁汝馨一百多岁的年纪。"如果不是现在有个大麻烦，我也跟你一起去了。"

宁汝馨道："我可以找一个朋友来帮忙吗？"

柳卓群停下手中的动作，看着宁汝馨道："妖怪？"

宁汝馨点点头。

柳卓群笑道："当然可以。可以把他叫过来，介绍给我认识吗？"

宁汝馨正要答应，忽然柳卓群桌上的通讯器响起来："会长，有只妖怪在门口闹事，请问该怎么处理？"

柳卓群按下一个按钮，问道："什么妖怪？"

"初步判断是只猫精，啊！"通讯器里传来一声惊叫，"她闯进去了！抱歉，她的动作太快，我们拦不住她！"声音惊慌失措。

柳卓群镇定自若地按下另一个按钮，用威严的声音道："所有人注意，我是柳卓群。有妖怪进入协会建筑，你们的任务是将她生擒，然后完整无缺地带到我这里。完成这个任务的人将得到提升一级的奖励。"她的声音通过放置在各处的扩音器传遍了这座建筑的每一个角落，引起一片欢呼。要知道，妖魔猎人的级别与所接受的任务难度有直接的关系，只有级别够高才能接受那些高难度同时也是高报酬的任务（当然某些人例外）。一般来说，妖魔猎人需要完成很多任务，并且得到高层较好评价之后才能升级。仅凭一个任务就能提升一级，这种好事可是绝无仅有的。

松开按钮，柳卓群笑道："来的是你们的朋友？"

"是的。"宁汝馨点点头，"不过她不是猫精，而是猞猁精，叫莘藜。"为了避免不必要的麻烦，宁汝馨和龙飞让莘藜等在路对面的咖啡厅里，不过她显然是等得不耐烦，才硬闯进来。

"猞猁？"柳卓群好像很感兴趣，不过她没有继续问下去，而是道："好吧，我们看看会是谁把这只猞猁带来？"

接下来的几分钟里，妖魔猎人协会的大楼里好像一口沸腾的大锅，叫喊声、呼喝声响成一片，偶尔还会有一两声爆炸传来，夹杂着木制品碎裂的声音。可以想象，莘藜的出现引起了多大的轰动。柳卓群神色如常，打开计算机查找着资料。

很快嘈杂的声音平静下来，接着门外传来一阵沉重的脚步声，宁汝馨听到莘藜大叫道："把我放开！"听起来似乎没有受伤，这让宁汝馨放下心来。

敲门声响起，龙飞过去打开门，然后就看到莘藜从外面"飘"了进来。她的身体悬在半空，拼命挣扎着。在她身后是一个身材魁梧的黑脸壮汉，大概二十四五岁的样子。他的左臂上好像穿着一件精致的黑色护臂，从肩头到手指包得严严实实。这个壮汉用一只左手抓住莘藜的后领，就这样把她提在半空，所以才看起来像"飘浮"一样。

见到柳卓群，壮汉憨厚地咧嘴一笑，道："会长，我把这个妖怪抓住了。"

柳卓群点头笑道："我知道了，你快把莘藜小姐放下来吧。"

"是！"壮汉立刻把莘藜放在地下。莘藜的脚刚一着地，立刻一个回旋向壮汉踢去。不过那个壮汉的动作也不慢，左手一抬就挡住了莘藜的攻击，摇头道："没用的。"

通讯器响起："会长，刚才行动的结果出来了。"

柳卓群道："说。"

"最后完成任务的是三级一等猎人郑思尧，行动过程中轻伤十五人，无人重伤或死亡，损毁物品价值约两千元。请问，还有什么指示？"

"你找些人把弄乱的东西整理一下，别的没事了。"

"是。"

柳卓群转向莘藜，笑道："姑娘好身手。"

莘藜一撇嘴，道："我还是手下留情了呢！"接着对龙飞和宁汝馨大声抱怨道："你们就眼睁睁地看着我这样被人欺负?!"

龙飞一脸无辜的样子,道："谁欺负你了?"

莘藜指着那个叫郑思尧的黑脸大汉大叫道："当然是他,这个刀枪不入的怪物!"看来她在这个郑思尧手上吃了点亏,才会这样咬牙切齿的。

虽然被称作怪物,郑思尧好像也一点不在意,只是嘿嘿笑了两声。

柳卓群道："对了,思尧,我记得你应该升到二等猎人了啊?"

郑思尧低着头,好像很不好意思,道："因为我觉得自己还需要锻炼,所以一直没申请……"

这话让柳卓群感到有些哭笑不得。别人都是恨不得早点升级,只有这家伙是个例外。其实以他的实力,应该已经够二级二等猎人的水准,可他却还说自己需要"锻炼"。

想了想,柳卓群道："现在我就给你升级好了。"飞快地办完手续(在妖魔猎人证件上加了一个特殊的印记),接着道："交给你一个任务,就是跟这位宁小姐去打击一伙穷凶极恶的邪教徒。"

郑思尧毫不犹豫地答应道："是!"

宁汝馨还没说什么,莘藜已经嗤之以鼻道："就凭他? 不说别的,他能躲开反坦克炮的炮弹吗?"

郑思尧喃喃道："反坦克炮? 我没试过……不过曾经用铁魂挡住过125毫米滑膛炮的炮弹,可以吗?"

莘藜怀疑道："铁魂是什么?"

"它是我最好的朋友。"说着,左臂上的盔甲开始收缩,转眼间变成套在手腕上的一个黑色护腕。

莘藜惊呼："你用这东西挡住炮弹?"得到肯定的答复之后,她自言自语道："果然是个怪物……"

柳卓群又叫了三个人进来,其中一个叫蒋魅的漂亮女人是个幻术专家,另一个叫冯才的矮胖子的专长是驱役鬼卒,还有个叫孙斌的瘦子,能够使用威力强大的冰系魔法。他们都是二级二等猎人,拥有的实力毋庸置疑。

简单的介绍之后,柳卓群看着宁汝馨。

宁汝馨知道柳卓群在考自己,点头道："我想这些人应该够了。"事实上,如果善加利用的话,这些人的能力足以毁灭一支强大的军队! 这可能就是为什么法术和魔法曾经被人类抛弃的原因,因为它的力量实在太可怕了。

"会长,"蒋魅忽然开口道,"我不知道是什么任务,不过我想只要我自己应该就'够了'。"她特别在最后的两个字上加重了语气。冯才和孙斌虽然没说什么,不过看得出来他们和蒋魅的想法差不多。这些妖魔猎人都是自我中心主义严重的家伙,平日里独来独往惯了,要他们合作真是比让猫狗一起过家家还难。像郑思尧那样谦虚的,可以说是妖魔猎人中少见的异类。

柳卓群不置可否,只是看着宁汝馨。

宁汝馨知道这种时候应该显示一下自己的力量,才能让这些自大的妖魔猎人服气。不过她还是不想这么做,而是道:"你们听我说……"

蒋魅忽然对她妩媚一笑,"说什么?"宁汝馨心中一凛,知道她正在向自己施展幻术。幻术大致上可以分为两种,一是用魔力在空中造出根本不存在的幻象,称为"真实幻术";另一种则是通过影响对方的大脑,使其"感到"施术者希望让他看到的东西,成为"伪幻术"。这两种幻术并没有高下之分,全凭施术者的修为决定效果的好坏。

现在蒋魅对宁汝馨施展的就是后一种。她只是想证明自己有足够的力量去完成这个任务,倒不是有什么恶意。不过她犯了一个错误,就是选择宁汝馨作为对象。对精神魔法有着深刻研究的宁汝馨,自然对这种幻术也颇有造诣。

蒋魅只觉得眼前一花,忽然发现自己置身于一片鲜花盛开的沃野上。大惊之下,她知道自己施法未成,反而落入宁汝馨的法术之中。不过宁汝馨不想害她,否则她就不是身在原野,而是落在刀山剑海中了——要知道,幻术中的刀剑也能够将人真的杀死!本来以蒋魅的修为不应该这样轻易就为人所制,不过她一开始就对宁汝馨心存轻视,才在不知不觉间着了道。

见到蒋魅神色不对,冯才眉头略皱,忽然以与他的身材绝不相称的灵活动作,从口袋里掏出三张二指宽、两寸长的黄色符纸向宁汝馨抛去。在空中,那些符纸冒出一团青烟,化成三只张牙舞爪的小鬼,形象狰狞可怖。

三道寒光闪过,"啪、啪、啪!"响声过后,只见那三个小鬼被小刀钉在对面的墙上,怪叫一声之后又变成三张符纸。冯才感到脖子上一阵冰凉,接着听到莘藜的声音在耳边说道:"死胖子,你活得不耐烦了?"

眼见冯才被制,孙斌大惊,他刚才也参加了"追捕妖怪大行动",因此很清楚莘藜的身份。所以几乎是本能地,他以最快的速度向莘藜射出三支冰矢。这并不是什么高深的魔法,不过发动起来却是最快,而且他的角度拿捏的非常好,不会伤及比较矮小的冯才。

一片黑影竖起在莘藜和冯才面前,冰矢撞在上面发出丁当脆响,碎成一片冰碴。然后莘藜看清楚居然是郑思尧,这时他左手上的"铁魂"变成一面高大的盾牌,挡住了孙斌的攻击。

孙斌大怒道:"你干什么!"同时莘藜也大叫道:"谁让你多管闲事!"郑思尧吃力不讨好,喃喃道:"我想,大家应该心平气和地谈谈……"看到他不知所措的样子,龙飞忍不住笑出来。

柳卓群拍拍手,道:"好了。"她说出的话和郑思尧的当然不同,这里剑拔弩张的气氛立刻缓解许多。莘藜气哼哼地放开冯才,也不知道她是在生谁的气。宁汝馨解开蒋魅所中的幻术,歉然笑道:"对不起。"蒋魅没说什么,不过看得出来她对宁汝馨的印象已经大为改观。

柳卓群继续道:"我希望你们能很好地合作,因为这次的对手恐怕不是一个人能对付得了的。"

冯才道:"对手是什么……"他瞪了莘藜一眼,勉强把最后的"妖怪"两字收住。

柳卓群道:"是真理教。"

蒋魅等三人的神色立刻变为凝重,看来他们之前肯定听说过"真理教"的名字。蒋魅首先郑重地点点头道:"我明白了!"

第七章
真神之怒

　　真理教的教徒相信原罪,但是认为只有将原罪转移到别的事物(包括人)的身上,才能消除自己的原罪。真理教有很多奇怪的宗教仪式,并且保留了中世纪欧洲神秘教派的许多魔法知识,在十八世纪中期又受到美洲巫术的影响,发生了一系列变化。近年来,主要在东南欧及西亚范围内活动。其精神领袖称"巫王",高级干部称为"大巫师"。

　　当宁汝馨看完关于真理教的材料,他们所乘的"陆地巡洋舰"已经来到昨天她和龙飞第二次停车的地方。也就是说,离那些人的营地已经很近了。此时正是凌晨两点,夜色深沉。

　　莘藜道:"我看咱们还是下车,悄悄走过去最好!"昨天夜里的遭遇让她到现在还心有余悸,所以破天荒地小心起来。

　　"没有必要。"说话的是蒋魅,"继续开,我保证没人能发现这辆车。"她说得很有自信,却没有继续解释。

　　"好。"龙飞居然也干脆地答应下来,一踩油门,车子咆哮着向前冲去。

　　见其他人都没有反对,莘藜大急道:"你们疯了?! 一炮打过来,咱们连人带车都得没了!"

　　宁汝馨道:"不用担心,蒋小姐的法术很有用,我们不会被发现的。"

　　莘藜愕然道:"什么法术?"

　　"幻彩羽衣!"说出这个名字,蒋魅脸上略有得色,"你没发现?"所谓幻彩羽衣是幻术的一种,类似隐身术,不过更加复杂而且有效。这个法术结合了"真实幻术"和"伪幻术"的精华,能够让目标物体的形、声、气完全消失。

被蒋魅抢白一句，莘藜气呼呼地转过头，悻悻道："我怎么会知道？反正我也没有学法术的天分！"蒋魅笑了笑，不再理她。宁汝馨早就注意到莘藜从来没使用过任何的妖术，现在才知道她根本不会。她想安慰莘藜两句，却不知道从何开口。

在众人的沉默中，车子继续向前开着。宁汝馨和莘藜的神经渐渐绷紧起来，因为只有她们亲眼见过那些危险的怪异毒蛇，甚至曾经体验过中毒之后那种虚弱无助的感觉。所以即使明知道不会被发现，她们也无法泰然处之。其他人受到她们的影响，脸色也变得凝重起来，只有开车的龙飞一无所觉，依旧是那副天塌下来当被盖的表情。

走了一阵，宁汝馨忽然惊呼道："那些车呢？"她记得很清楚，那些架着机枪和反坦克炮的载重卡车应该就在这个坡上，作为保护营地的第一道屏障。可是现在那里空空荡荡的，什么都没有。

莘藜道："难道那些家伙跑了？"

宁汝馨也想到这个可能性，道："进去看看！"

果然，营地、车辆、怪蛇……一切都不见了，留下几处挖了一半的地基，大概是用来装门面的。从这里凌乱不堪的轮胎印来看，他们离开的时间不会太长。不过很奇怪的是，这些轮胎印离开营地就不见了，好像凭空消失了一样。

确定外面没有人埋伏在暗处之后，蒋魅解开加在车上的"幻彩羽衣"，推开门走下车。然后回头问车上的宁汝馨："现在我们该怎么办？"她这么说，就是承认宁汝馨是这些人的头儿了。

宁汝馨也走下车，道："在这附近找找，看看有什么线索。"然后回头问冯才："你可以向游魂问话吗？"与灵魂沟通是一项很高深的艺术，如果成功的话能从鬼魂那里得到许多意想不到的消息。

冯才道："可以，不过需要一些时间。"

宁汝馨点点头，道："好，现在就开始准备。希望能知道那些人的去向。"然后对其他人道："咱们两个人一组，在这附近搜索一下。"她这样做可说是非常小心，因为不知道那些疯狂的真理教徒会不会留下什么危险的陷阱。

蒋魅点头表示同意，道："我和孙斌一组。"敏锐的直觉告诉她，附近很可能潜伏着致命的危险。这让高傲的二级猎人放下面子，到同伴那里寻求帮助。看得出来，孙斌也有这种感觉。

"我和他一起。"宁汝馨指指龙飞。

莘藜怪叫道:"那我不是要和这个怪物在一起?!"她说的怪物当然是指郑思尧。

宁汝馨点点头:"没错,你们负责在这里,和冯先生在一起。"

"我不干!"莘藜使劲摇头,指着龙飞道:"我要和他一起!"

"不行,"宁汝馨道,"这是命令。"

莘藜气呼呼地道:"要是我不接受呢?"

宁汝馨淡淡道:"我相信你不会的。"

"懒得理你!"莘藜丢下这么一句,转身飞快地跑开。郑思尧看看宁汝馨,然后才向莘藜追过去。

蒋魅搞不清这些人是什么关系,干脆来个避之则吉,道:"我们去那边看看。"冯才也走到一旁,找了个开阔地开始用朱砂粉在地上画出拘鬼用的阵图。

宁汝馨对龙飞道:"看来得咱们留下来了。"忽然苦笑道:"我真的没什么权威。"

龙飞道:"你做得很好。"接着笑道:"你好像不太喜欢那只小猫,难道是因为狐狸和猫天性不合?"

宁汝馨愕然道:"我有吗?"见龙飞肯定地点点头,宁汝馨开始仔细回想刚才对话,得出的结论是:自己的确不喜欢莘藜,让她和郑思尧在一起,也许真的有点报复的心态在里面。这实在很难解释。如果说过去不喜欢莘藜的话,可以说是因为她是莫名仙手下的关系,但是自己现在已经和莫名仙达成了某种程度的和解,这种敌意应该也随之不存在了才对。平心而论,莘藜是个毫无心机的可爱姑娘,自己应该不会讨厌她才对,可事实是自己的确不想见到她,甚至有时候会后悔把她从毒蛇口中救出来,这种念头令宁汝馨自己也感到很吃惊。

就在宁汝馨满怀心事的时候,龙飞向正在忙碌的冯才走过去,招呼道:"需要帮忙吗?"

冯才连头都不抬,道:"不用,外行人插手反而会坏事。"他在地上画出两个同心圆圈,又开始在两圈之间划出无数亦字亦画的图案,密密麻麻地排列着。

龙飞也不再说什么,在一旁看着冯才的工作,似乎对那些复杂难明的符号很感兴趣。看了一会,忽然指着其中一大块图案问道:"我不太明白,这个地方的魔力是怎样运作的?"

冯才莫名其妙,反问道:"什么?"

龙飞道:"这里的魔力流向和周围的有些不同,不过我看不出是干什么用的。"

冯才由迷惑转为极度的惊讶,道:"你能看出些什么来?"

龙飞发现有些不对劲,奇怪道:"就算我看不明白,你也不用这样激动吧?"

宁汝馨听到他们的对话,放下自己的心事,走过来道:"你们在讨论什么?"

龙飞笑道:"我在向他讨教这个圆圈的问题,不过看来他希望能保守秘密。"

"那你就不要问了。"宁汝馨没好气地道,接着对冯才道:"对不起……"

"不,"冯才打断她的话,"你不明白!"紧盯着龙飞,道:"并不是我不想告诉你,事实上,我也不知道。"

"哦,"龙飞点点头,"那就算了,当我没问过。"

冯才还想继续说什么,宁汝馨对他道:"那些人可能已经走远了,能不能快一点?"冯才点点头,回头继续埋头去完成那个复杂的图形。

"过来。"宁汝馨拉着龙飞走到一旁,这才沉着脸问道:"你到底是什么人?"以前她和月炎当然也曾经问过同样的问题,不过都让龙飞胡言乱语地蒙混过去,不过这次宁汝馨觉得必须要弄清楚,虽然她也知道现在并不是个合适的时候。

龙飞笑了笑,道:"我是你的朋友。"

虽然明知道他是在逃避问题,这话还是让宁汝馨的心软了下来,也许他有什么不得已的苦衷,所以才不愿意透露自己的身份?这样想着,宁汝馨刚才的决心也随之烟消云散,又问道:"你怎么能看懂那种怪图的?"据她所知,冯才所画的是一种非常生僻的道法阵图,她从来没有在任何资料上见过,现在龙飞竟然能随口道出其中的魔力(或者说灵力)的运行路线,这当然令冯才吃惊不已——要知道即使最简单的驱魔符,其运作的原理也只是最近几年才开始逐渐研究明白的。

"我有个朋友会画很多和这个差不多的东西,也曾经教过我一些有关的知识,只是一点点而已。而且刚才我就是因为看不懂所以才问的嘛!"龙飞的这一番话好像无懈可击。

宁汝馨正想问他的那个朋友是谁,忽然听到冯才喊了一声:"好了!"

于是先放下这件事,和龙飞一起向那边走去。

听到冯才的喊声,蒋魅和孙斌、莘藜和郑思尧也赶回来。看得出来,他们都没发现任何有价值的线索。

冯才左手捏诀,右手中夹着三张符,脚下迈着一种奇怪的步法,口中低声念诵着:"吾在此借天地之威,召此地幽魂野鬼前来现身听令,咄!急急如太上老君律令!"念到这里,手中的符咒忽然燃烧起来。冯才将燃着的符咒投进圈里,然后抽身后退。

一般来说,那几张纸应该很快就被烧光,不过眼前的情形却是:圈里的火焰越来越高,从地面腾起足有一丈,没有丝毫熄灭的意思,而且颜色逐渐从亮黄变成苍白,仿佛一团巨大的鬼火。

蒋魅骇然道:"你召来的是什么?"她曾经见过冯才招魂的情景,招来的鬼魂应该是飘浮在空中的淡淡影子,绝不像现在这样"壮观"。

冯才当然也知道不对劲,不过现在他已经无法控制那个法术了。

火焰中浮现出一张模糊的人脸,"你们果然来了。那么,就准备接受真神的愤怒吧!"这句话是用英语说的,声音沙哑而呆板,更像是某种机械发出的。这些话说完之后,苍白的火焰随之熄灭。

莘藜问道:"这是什么怪物?"

宁汝馨道:"好像是那些人留下的魔法影像,被刚才的法术激活了。"

孙斌看着四周,道:"它所说的'真神的愤怒'是什么?"这个问题不需要回答,因为答案已经出现在他们面前。

远处那些地基附近,一只巨大的手掌猛地伸出地面,足有一人多高,然后是手臂、头……宁汝馨眼睁睁地看着一个十几米高"巨人"从地下爬出来,发出一声低沉的怒吼,摇摇晃晃地向他们走过来。

孙斌最先喊道:"泰坦!"难道眼前的真是那种传说中能驱使雷电的巨人?

宁汝馨也不知道,关于真理教的资料里没提到过这种巨大的怪物。不过现在并不是惊讶的时候:那个巨人突然助跑两步,两腿一蹬腾空而起,硕大无比的身躯凌空向他们压过来!

众人急忙向四周跳开,躲过了这雷霆一击。当巨人落地的一瞬间,能够清楚地感觉到地面的震动,留下一双深达尺许的巨大足印。

虽然身体庞大,不过那巨人的动作却一点也不迟钝,落地的同时左右手同时伸出,向郑思尧和冯才抓去。

"银蛇乱舞!"三条冰链从孙斌手中疾飞而出,飞快地向巨人硕大的脑袋窜去,而宁汝馨的狐火、莘蘩的飞刀也向巨人的脑袋招呼过去,蒋魅则造出许多幻象来干扰巨人的判断。与此同时,郑思尧手腕上的"铁魂"展开,变成一面布满利刃的刀盾,向挥来的巨手迎去;冯才招来四个鬼卒,两个护在他身前,两个向巨人的胯下攻去。他们一出手,就体现出二级妖魔猎人的高超水准。

巨人双手回转,左手挡在面前,接下了射向头部的所有攻击,右手一挥,将冯才的鬼卒远远地打飞出去,而他的身体如同钢铁般坚硬,没有受到丝毫伤害。不过刚才受到的攻击好像让他更加愤怒,身体的颜色从浅红逐渐变成深红。随手拔起旁边的一棵大树,疯狂地挥舞着。它也不管是真人还是幻象,一概横扫而过。

蒋魅大声道:"都到我身边来!"如果能用"幻彩羽衣"隐起身形,应该就能避开这个巨人的攻击,不过这个法术只能在很近的范围内有效,所以她才这样说。

她的声音吸引了巨人的注意力,大树夹带劲风砸下来。"轰"的一声,在地面上砸出一个深坑。总算蒋魅躲得及时,否则必定被压成肉酱。

其他人来到蒋魅身边,"幻彩羽衣"展开将他们的身形隐藏起来,同时蒋魅还在周围造出许多幻象以吸引那个巨人的注意力。巨人的怒吼越来越急促,身体变成了浓重的紫黑色,同时力量也越来越大。

惊魂未定,宁汝馨忽然惊叫道:"龙飞呢?"他不在幻彩羽衣的范围内!

"他在那里!"莘蘩尖叫起来。接着其他人也看到龙飞了,他正站在那个巨人身边!

冯才倒抽一口凉气:"天!他想干什么?!"

宁汝馨大惊失色。她想冲出去把龙飞拉回来,不过已经晚了。巨人发现了身边近在咫尺的目标,立刻抬起巨脚,重重地向龙飞踩下去。龙飞却好像呆住了一样没有丝毫躲闪的意思,任由那只脚踩住。

宁汝馨觉得时间好像忽然变慢了,周围的一切都失去了颜色,只有那只脚缓缓地、缓缓地落下,压在龙飞身上。她甚至听到了骨骼碎裂的声音——虽然在这样的距离上根本不可能听到什么。

将龙飞踩在脚下之后,巨人发出一声变了调的怒吼,接着怒吼变成一种非常古怪的"呵呵"声,手中的动作也越来越缓慢,终于僵在空中动弹不得。它身体的颜色开始迅速变淡,最后变成干燥的灰白色。紧接着,巨大的身体坍塌下来,转眼间变成了一大堆灰色的粉末。

众人呆呆地看着这一系列不可思议的变化,良久之后,莘藜用干涩沙哑的嗓音道:"他……死了?"

"我想……"蒋魅黯然摇头,"他是用自己的生命……"她没有说完,后面的话被一声轻叹代替。

"不!我不相信!"宁汝馨忽然尖叫起来,跑到那堆粉末边,发疯一样用双手在里面使劲翻找着。

其他人也默默地和她一起在粉末中找着,心想找到龙飞的遗体也是好的。不过那堆粉末实在太多,找起来恐怕会非常困难。

忽然一只手从粉尘里伸出来,把最近的冯才吓了一跳,大声惊叫起来。接着一个灰白色的脑袋钻出来,道:"别叫了,快把我弄出去!"声音颇为含混不清,大概是因为吃了不少粉末的缘故。

冯才反应过来,这个人是龙飞!急忙拉住他的手,把他从粉末堆里拽出来。其他人听到声音也都跑过来,不可置信地看着那个"粉末人"。

龙飞拍打着身上,还在糊里糊涂地抱怨着:"居然是这种死法,太不负责任了……"话音未落,只听"啪"的一声,他脸上被宁汝馨结结实实地打了一耳光。

龙飞莫名其妙道:"怎么了?"

宁汝馨没回答,扑上去抱住他的脖子,"哇"的一声哭出来。

第八章
莫名墓穴

"我想既然那家伙这么愤怒，不如让它笑一笑。"龙飞每个动作都扬起一片粉尘，不过他好像没受什么伤。

莘藜问道："所以你就想到去挠它的脚心看看？"

"对啊。"看龙飞回答时的神情，好像这是天经地义的一样。

即使是沉默寡言的孙斌也忍不住问道："你怎么可能没有被……踩死？"

龙飞笑道："无论谁站在那里都不会被踩死，那家伙又不是扁平足。"

其他人愣了一下，才明白他的意思。没错，如果是个这样巨大的"人"，他脚下的"足弓"中的确有可能容下一个普通人。

虽然龙飞说得轻松，不过想这样做的话，必须要有迅捷的身手和敏锐的判断力，更重要的是有超常的胆识和勇气。所以其他人都对龙飞的所作所为赞叹不已。

只有宁汝馨是个例外，冷冷道："只有没头脑的傻瓜才会这么干!"她已经从刚才的激动中恢复过来，依旧是平时那种清冷自若的样子。

龙飞笑了笑，道："傻瓜就傻瓜吧。"顿了顿，又道："对了，刚才你在哭什么？"

宁汝馨猛地一抬头，大声道："谁说我哭了?!"她这句话让龙飞哭笑不得，因为宁汝馨脸上还能清楚地看到泪水在粉尘中留下的痕迹。

宁汝馨又问其他人："我哭过吗？"

蒋魅居然肯定地回答道："没有，我想你大概是被灰尘进到眼睛里去了。"

宁汝馨点点头,道:"既然找不到什么线索,我们还是先回去,把这里的情况向会长报告一下。"说完当先向停在远处的车走去。

莘薇拉住蒋魅走在最后,小声问道:"你为什么这样说?"蒋魅说的是太明显的假话,所以莘薇感到很好奇。

蒋魅神秘地笑笑,低声道:"你还太年轻,很难理解这种心情。"忽然想到一个问题,问道:"对了,你多大年纪?"

"八十七岁,怎么了?"对这个回答,蒋魅只能报以苦笑。

当他们回到妖魔猎人协会的时候已经是凌晨三点多,不过那里却是一片灯火通明。许多人匆匆忙忙地从大门里进出,脸上都带着凝重的神色,连宁汝馨等人灰头土脸的惨样也没有引起多少人的注意。

宁汝馨叫住一个人问道:"发生了什么事?"

那人匆匆忙忙地丢下一句:"A级事件!"停也不停地走了。所谓A级事件,是指大批居民的生命安全受到威胁,并且已经造成大量伤亡的事件。

宁汝馨记得柳卓群曾经说过有个"大麻烦",当时她也没太在意。现在回想起来,难道指的就是这个"A级事件"?

柳卓群不在这里,这也是理所当然的,身为最高负责人的她要亲临现场进行指挥。不过她临走之前曾经交待留在这里的秘书:如果宁汝馨他们回来,就在这里等她。转达了柳卓群的交待之后,秘书安排了几间客房,让他们可以在里面休息。宁汝馨把一个装满"巨人粉末"的小瓶子交给秘书,让她安排进行各种检查。

宁汝馨屏住呼吸把自己全身浸没在浴池的水中,感觉着身上绒毛在水流的冲刷下缓缓摆动,希望这能让自己保持冷静,不过似乎没什么效果。她的脑海中一片混乱,连她也不知道自己在想些什么。

良久之后,她突然从浴池里跳出来,站在地上猛地一抖,向四周撒出一蓬水珠。接着她脚下升起一圈狐火,将身上湿透的毛发烤干。狐火散去,宁汝馨站在那里,看着对面落地镜中的自己:尖尖的嘴巴,灵动的黑眼睛,三角形的大耳朵,柔软蓬松的白色皮毛,以及身后九条轻轻摆动的大尾巴。"没错,你要记住,"她在心中对自己说,"你是一只狐狸——妖狐!你不会变成人,永远不会!是的,就是这样……"

院子里传来一阵嘈杂的声音。走到窗边看出去,宁汝馨看到有一队轿车从外面驶进来,几架直升机盘旋在上空,将明亮的灯光投射在地上。

当先的几辆轿车停在院子里的道路两旁,只有一辆一直驶进去,停在大楼前。立刻有人上前打开车门，柳卓群从车上下来，然后站在那里。又一个人从车上下来，身上披着一件黑色的雨衣，将全身都包裹在里面。柳卓群伸手去扶那个人，不过被那人推开了。然后，两人一起走进大楼。其他的车上也有人下来，有的跟进大楼，有的就在外面警戒着。

没过多久，宁汝馨房间里的电话响起。宁汝馨拿起电话，听到秘书小姐的声音："宁小姐，会长希望你能马上到二楼会议室来一下。"

宁汝馨答应道："好的。"

开门出去，宁汝馨发现龙飞和莘藜也几乎同时开门出来，很明显也是被同样的电话叫过去的。她只是对两人点点头，没有说话。

推门进去，宁汝馨立刻就发现偌大的会议室里只有两个人：柳卓群和那个神秘的"雨衣怪人"，两人分别坐在一张会议桌的两端，一言不发。注意到宁汝馨他们进来，柳卓群挥手示意他们坐下。

龙飞随便拉开一张椅子坐下来，宁汝馨也坐下，不过坐得离开他很远。莘藜却没有坐，而是面带疑惑地看着那个"雨衣怪人"，忽然开口道："是主人吗？"

这句话让宁汝馨吃了一惊，那个人是莫名仙？怎么可能！在莫名仙身上能轻易地感觉到一种令人窒息的压迫感，这个人却令人感到很平凡。

"雨衣怪人"苦笑一声，道："是我。"的确是莫名仙那苍老的声音，不过听起来更加沙哑。

莘藜大惊道："主人，你受伤了！"纵身窜到莫名仙身边，"让我看看你的伤势！"

"别……"莫名仙想阻止她，不过已经晚了。莘藜挥手就把那件雨衣切成了好几块，当她看到莫名仙之后，立刻发出一声令人毛骨悚然的尖叫。

宁汝馨猛地站起来，向后退出几步，一直到靠在墙上才停下来，重重地喘着气。

这真是地狱般的情景！莫名仙的左边腹部以上的大半身子完全被烧焦了，皮肉的残质附着在化成焦炭的骨头上，随着他身体的动作逐渐剥落，脸上的烧伤程度比较轻，一半脸的皮肤被烧掉，露出下面不住颤动的暗红肌肉。透过黑漆漆的肋骨看去，里面一团团的炭状物似乎是原来的肺。

莫名仙向莘藜挥挥右手，道："不要惊慌。"如果是人类受到这种伤，早就该死透了,他居然还能说话!

莘藜听话地安静下来,不过脸上还满是惊慌失措的表情。

龙飞忽然开口道:"秦澈干的?"他好像没有被眼前可怖的情景刺激到,至少还能开口说话。

莫名仙的半边脸上露出苦笑,道:"是。"

莘藜猛地跳起来,尖叫道:"我去杀了他!"说着就要向外冲去。

"站住!"莫名仙喝道,"你忘了我说的话么?我和他之间是上代留下来的恩怨,不用你来插手!"接着缓缓道:"而且他伤得也很重,已经被手下带回地府去了。"

莘藜站住,急道:"可是……"

宁汝馨道:"我想……应该先想办法治疗……"她没有说下去,因为实在不知道有什么灵丹妙药能治疗这样的"伤"。事实上,身体上可怖的灼伤只是一个方面,更重要的是,莫名仙的魂魄——或者说是灵体结构——已经受到了无法挽回的伤害,即使有太上老君的金丹,恐怕也不能恢复原状了。

莫名仙居然笑了笑,道:"反正我苟且偷生这几千年,早也已经腻了。而且也不见得这一时半刻就要烟消云散。"随即神色转为凝重:"宁姑娘,我还有件事想求你。"

"什么事?"

莫名仙看看对面的柳卓群,这才继续道:"请你去找一个地方。"

"什么地方?"

"我的墓穴。"

"墓穴?"宁汝馨愣了一下,心想难道他是要给自己找葬身之地?

"我的意思是说……"莫名仙犹豫一下,似乎在斟酌着自己的用词,"是我原来的身体所埋葬的地方。"

宁汝馨越听越糊涂了,什么叫原来的身体?

柳卓群忽然道:"还是我来解释一下吧。"指了指莫名仙,"姬先生在很久之前修炼有成,脱去旧躯壳成了地仙,而他留下的躯壳则被埋葬在地下,那就是他所说的墓穴。"她这样一说,其他人都有恍然大悟的表情。

龙飞问道:"你叫他什么?"

莫名仙答道:"我姓姬,当然,是在我还是人类的时候。"莘藜脸现惊讶,显然她也是刚知道主人的姓氏。

宁汝馨问道:"为什么要让我们帮你?"

"因为你已经在帮我了。"

想了想，宁汝馨道："好吧，你要我们怎么做？"莫名仙说得不错，而且如果要拒绝现在的莫名仙，她开不了口。

莫名仙道："那些铜鼎。你们首先应该找到那些铜鼎，如果将九只鼎按照洛图的位置摆放好，就能发现通向墓穴的地图……"

"等一下，"龙飞打断他，"难道你连自己埋在什么地方都不知道？"

"我当然知道，不过打开墓室入口也需要那九只鼎，所以非找到不可！"

宁汝馨疑惑道："你说九只？可是博物馆里只有八只啊？"

莘藜忽然叫起来："是九只！在那个营地里有九只鼎留下的痕迹！"

"什么？"莫名仙急不可待道，"快告诉我，你们都发现了什么？"

莘藜曾经在那个营地的地面上看到过铜鼎腿留下的印记，当时也没太注意，现在只能勉强记得是九个鼎排成一个正方形，在莫名仙的再三追问下，她又记起一些大概的排列形状。

问完之后，莫名仙的半张脸上神色凝重，道："看来他们已经发现墓穴的位置了，所以才匆匆赶过去……他们到底想要什么？"忽然笑了，对宁汝馨道："这样也好，就让那些人出力把那些铜鼎运进去。我告诉你们墓穴的位置，肯定能在他们之前赶到那里！"

宁汝馨点点头，问道："封在鼎里的鬼魂是谁？"

莫名仙脸色剧变，过了一会才勉强镇定下来，颤声问道："你见过她了？"见宁汝馨点头，莫名仙惶惑不安地自言自语道："是她，她出现了！难道封印已经松动了？她会不会落到那些狂徒手中？"

宁汝馨知道自己所料不错，莫名仙果然知道那个鬼魂，而且好像对她非常关心。又问道："她是谁？"

莫名仙好像没听到她的话，继续自言自语道："不可能，没有爽灵魂，谁也无法解开那个封印！只要还在鼎里，她就是安全的……"

忽然猛地醒悟过来，对宁汝馨道："你想知道她是谁？"

宁汝馨点点头。

思度良久，莫名仙好像终于下定了决心，道："你们愿意听我讲一个发生在很久很久之前的故事吗？"

第九章

风华绝代

　　时值午夜，曾经威严不可一世的朝歌城已经被滚滚浓烟吞噬大半，仿佛一只伤重垂死的野兽，艰难地喘息着。

　　忽然皇城城门大开，一队兵马冲杀出来。为首者头戴冲天凤翅盔，身穿黄金锁子甲，背披血色滚龙袍，手持斩天吞日刀，腰悬隐血嗜魂剑，身后缎黄旗上书一个大大的"纣"字。只见一片刀光剑影，兵来杀兵、将挡斩将。皇城前的青石大街，转眼间变成狰狞可怖的杀戮场。

　　皇城深处，灯影阑珊。窗边青铜古镜，映出祸水红颜。

　　妲己小心地拔下头上沉甸甸的凤钗。她很不喜欢这种拘谨古板的东西，自己花半天雕刻出来的木钗也比它多出几分新意。不过她还是整天带着，因为这是皇后身份的象征，更因为，他喜欢。

　　门外叮叮咚咚的曲乐传来，兰花的香气充斥了每一个角落。妲己知道是她，也该是时候了。悄然站起，妲己向门口走去，房门在她身前无声地向两边打开。

　　门外黄幡宝盖下烟气氤氲，妲己走上前去，盈盈万福道："小妖参见女娲娘娘。"

　　这位曾经用泥造人、采石补天的女神虽然彩衣似霞凤冠如云，但在这个跪在她面前的小妖面前，她总有一种自惭形秽的感觉。当年她出现在招妖幡下时就是如此，现在这种感觉更加强烈。

　　"你干得很好，商纣气数到今天为止。"女娲的声音冷冰冰的，和她娇美的面容很不协调，"当明天太阳升起的时候，这个世上就再没有纣王了。"

妲己身子微颤。这个女神！她推翻殷商六百年基业，令天下众生饱受战火荼毒，竟然只是为了一个不经意间的眼神和一首年少张狂的诗文！

见妲己不说话，女娲的语气缓和了一些："如果没有你，殷家最少还有百年气运，纣王也能得享天年。武王伐纣，按说你该记头功。"说完，她轻轻一笑，笑声也是冷冰冰的。

妲己茫然失神，喃喃道："谢娘娘。"是自己害了他么？她只是想得到他全部的爱，让他永远陪在她身边，仅此而已。如果都是普通人的话，他们会快快乐乐地生活，生很多美丽可爱的孩子，直到他或她生命的终结——可惜，他是万乘之尊，纣王天子。

看着妲己，女娲脸上不自觉地流露出一种报复的快感。报复的是那个对她不屑一顾的纣王还是眼前这个夺天地造化的妖怪？她自己也不知道。"你跟我回去，位列仙班指日可待……"

忽然有人插进来道："娘娘请听弟子一言。"

抬头看去，妲己几乎不相信自己的眼睛：是姬发！不，也许应该称他为周武王。妲己十几年前曾经见过他一面，他和父亲姬昌一起来朝歌觐见天子。那时的青春少年现在已经面带皱纹，不知是岁月留痕还是整日权谋操劳的结果。

女娲眉头略皱，不过没有发作，道："说。"因为武王姬发平时对女娲供奉有加，所以才得她另眼相看。如果是别人，恐怕也要接受女娲娘娘的诅咒，就像纣王一样。

武王这才继续道："现在普天之下，就连乡村愚妇都知道，妖女苏妲己迷惑纣王，残害天下生灵，荼毒满朝忠烈，敲骨看髓、剖腹验胎，早已是恶贯满盈……"说到这里，他抬头等待着女娲的反应。

女娲淡淡道："你想怎样？"

武王不知道她的意思，也不敢继续宣扬妲己的罪状，毕竟妲己是受女娲差遣，才来朝歌迷惑纣王的，只好道："请将妲己交给弟子，弟子自有处置。"

妲己看着武王，绝世容光令人不敢逼视，在她清冷自若的眼神下，纵使是武王也不得不侧头避开。妲己冷然道："我很清楚自己在朝歌都做过些什么，女娲娘娘也应该知道。你那些道听途说编出来的故事，在这里就不用说了。"

武王早已练就金刚不坏的白净脸皮竟然微微一红，喃喃地不知道该说什么好。事实上他也很清楚,这些所谓的"道听途说",大部分都是他属下谋臣姜尚派人到全国各处散发的,为的是扰乱民心。民心一乱,他们自然就能从中渔利。这都是为了普天之下的芸芸众生! 即使在冥府阎罗面前,他也会毫不在乎地这样为自己开脱。但在这个明知其身为妖魔的女人面前,他竟然感到有一点愧疚。

武王每一丝神色的变化都被女娲尽收眼底,让她心里涌起一股莫名的恨意。如果把这只狐狸交给武王,他真的会杀死她? 还是他会变成第二个纣王? 真是很有趣的问题。不过女娲不会这么做。"她要跟我回去。"对神仙和妖怪来说来日方长,总有很多方法可以让这只狐狸痛苦不堪。

妲己朱唇轻启,轻轻吐出一个字:"不。"

女娲有些错愕,道:"你说什么?"

"启禀娘娘,妲己不能追随仙驾。"声音并不大,却让人感到里面高山巨石般的决心。

冷冷地瞪了露出窃喜笑容的武王一眼,女娲这才对妲己道:"你想怎样?"语气森然如同万年寒冰。

"妲己曾经答应他要留在这里,等他回来。"

"他?"女娲一愣,随即明白,"殷纣?"

妲己点头,幸福的微笑在她脸上一闪而过。

"你不用等了!"武王大声道,"纣王无道,天下共讨之! 他此番出城,正中了姜子牙之计。迎接他的是数万将士和五百神甲兵。现在,暴君恐怕早已经横尸街头了!"不知为什么,他总是很想伤害这个女人,似乎她的痛苦能给他带来无尽的快乐——自从十几年前在朝歌第一次见到她,这个恶毒的念头就如同一条毒蛇在他心头盘桓不去。究竟他起兵伐纣有多少是为了她? 武王自己也不知道。

"他会回来的,我知道。"妲己的神色依旧泰然,"他答应过我。"

女娲冷然道:"你想在这里等他? 也可以,只要把我给你的百年道行废了。"当年来朝歌之前,女娲曾经赐给妲己仙果,让她凭空长了百多年道行,为的当然是更快地败掉殷商基业。

涩然一笑,妲己微张檀口,一颗拇指大小的圆珠从她嘴里飞出来落在手中,晶莹剔透如金似玉,滴溜溜不停地旋转着。

武王一声低呼:"内丹?"内丹是神仙妖魔全身精气所聚,比性命还来得珍贵,等闲不会拿出来。所以武王修炼这么久,还是第一次见到。

女娲冷眼旁观。她不相信妲己有能力自废百年道行,所以也不知道这只狐狸到底准备干什么。

妲己用春葱般的手指捏住内丹,淡淡道:"妲己欠娘娘的,如今一并偿还。"略一使劲,那颗内丹已经化为细粉,松手之后接着随风飘散,转眼间消失得无影无踪。同时妲己如遭雷击,嘤咛一声低呼,软软地瘫倒在地。

女娲重重地冷哼一声,吩咐道:"走吧!"

武王问道:"她如何了?"

女娲扫了武王一眼,森冷的目光令他背上窜过一阵凉意,这才道:"她自废千年道行,现在连一个普通山妖水怪都不如,"看看地上的妲己,言语中透出些许幸灾乐祸:"用不了多久,她就是一只普通的九尾狐狸了。"又命令道:"走吧,那些诸侯们还在等你。"本来她之所以带武王来这里,是为了向他证明妲己是自己的人,从而让武王放她一马,免得天下妖魔说自己出尔反尔,没想到却发生了这样的事情。

武王脱口而出:"能不能救她?"话一出口这才惊觉,难道自己并不想看到这样的结局?

"救她?"女娲的脸上好像罩了一层寒霜,"为什么?"话音未落,长袖凭空一挥,忽然间狂风大作,将武王裹在里面,向皇城外斜斜飞去。当武王睁开眼睛时,已经身处中军大帐内了。

这时姜尚进来,施礼报道:"纣王勇猛非常,适才冲杀一阵,独自逃回皇城去了! 我军杀敌三千,斩将……"

"什么?! 竟然让他逃了!"武王猛地拍案而起,"不是你说'昏君沉于酒色,纵是天生神勇也早已羸弱如病夫'吗? 而且还有五百神甲兵,竟然还是让他逃了!"

"我也未曾想到会是如此。"姜尚心下感到有些怪异,自己这个主上平日里城府极深,所以才能笼络天下诸侯共聚于此。现在是什么令他乱了方寸?

"传令各路诸侯,立刻起兵攻打皇城——违令者军法伺候!"想了想,武王接着道:"给我披挂,本王要亲自督战!"

此时在皇城内,妲己身上好像有无数只蚂蚁在时刻不停地叮咬,又好像有种大力要把她撕裂成无数碎片。从来没想到毁掉内丹会是一件这么痛苦的事情,不过如果重新来过的话,她还是会选择同样的道路。

随着妖力的消失,她无法保持人类的形态。先是九条蓬松的大尾巴露出来,接着身上长出细小的白毛。终于,她变回原形:九尾灵狐。

痛苦并没有随着变化消失,不过妲己却松了一口气:至少不用在他面前变身了。不知道他看到自己的爱人变成一只狐狸会怎么想?妲己也不想知道。现在她可以这样看他最后一眼,即使被他杀了,她也已经很满足了。

脚步声响,妲己只听声音就知道是他。可怜她已经连抬头的力气都没有了。

一只大手把她从地上纷乱的衣服里轻轻拉出来,抱在臂弯里。那双臂曾经无数次搂住她的纤腰。感觉着那充盈着爆炸般力量的肌肉,嗅着他身上的汗香,妲己感到死而无憾。

“呛啷”长剑出鞘的声音。

一股暖流淌进她的小嘴里,咸咸的带着腥气。血,是他的血的味道。这个味道妲己并不陌生,二十五年前她就曾经尝过,而那时他还不过是个稚气未脱的大男孩……

鲜血入腹,妲己渐渐有了些力气,勉强抬起头看着他的脸。

“好些了吗?”急切中还有惊喜。

妲己点头。

他发现手腕上的伤口已经凝固,于是捡起抛在一旁的佩剑,就往手腕上划去。

妲己猛地一挣,向剑锋迎去。他急忙收剑,不解道:“怎么了?”

妲己挣扎着跳在地上,尽量不让自己的腿发颤。走了两步,然后抬头看着他,意思是我已经没事了。她并不想让他知道眼前这只狐狸就是他最心爱的女人,永远不想。

他沉默一会,似乎在思考着什么。按照平时的习惯,妲己只是静静地看着他。

他忽然暴怒,大骂道:“你这妖怪,竟敢迷惑本王,害得殷商六百多年基业毁于一旦!可恶,着实可恶!”

妲己一惊:他知道了?

“滚!”他挥舞着手中的长剑,不过终究没有落下来,“滚到天涯海角去!我再也不想见到你这丑陋的妖怪!”

妲己一点也不害怕,走到他脚边,用脑袋轻轻磨擦着他的靴子。以前在他不高兴的时候,她会托起他的脸,给他一个深情的长吻。不过现在,她所能做到的只有这些了。

猛的一脚,妲己被踢得飞了出去,撞在旁边的帷幔上滑落在地下。纣王转身而立,大吼道:"快滚,不然本王把你剥皮抽筋!"

哀鸣一声,狐狸蹿出门去。

随手一掷,长剑呼啸着划空而过,钉在一旁的精雕凤祥柱上,直没至柄。

纣王转身,发出一声长叹。这才见堂堂七尺男儿,早已是泪流满面。

抬头仰天,纣王喃喃自语道:"美人就再迁就我这莽汉一次,来世若能转生为人,你我再续前缘。"又是一声叹息,"姬发姜尚虽然有违伦常,怎奈诸侯附之,已成大势。我若不死,则天下干戈不休……"默然良久,忽然哈哈大笑:"也罢,就让我这亡国昏君,也来为天下做件好事!"大吼道:"来人,移驾摘星楼!"

摘星楼顶,月朗星稀;雕梁画栋仍在,佳人美酒无期。

睹物思人,回想往昔与美人在此把酒寻欢、举杯作乐,纣王又是一阵唏嘘。想当年只是为了美人一声娇笑,自己便下令修建了这座高楼,今天更成了那姬发姜尚起兵伐纣的口实之一。也许,如果自己能早些退位让贤,也不至于弄到这付田地,说不定还能和美人找处避世逍遥境,过那只慕鸳鸯不慕仙的悠闲日子。不过现在说什么都晚了——只有他的死,才能平息天下的纷争。

摘星台下的柴薪越堆越高,皇城四面传来的喊杀声也越来越急。纣王觉得有些可笑,真想告诉他们,再过一时三刻,他这个昏君就会被烧熟烤透、化骨成灰,何必急在这一时,枉送了多少性命。

终于楼下柴薪准备停当。纣王走到围栏边向下看去,只见那个封宫官向楼上三叩九拜,这才举火把点着了柴堆。时值秋令,天干物燥,所以那柴薪遇火即燃,转眼间已成熊熊之势,那个封宫官却不退避。正在奇怪,纣王看到封宫官猛地把身一蹿,冲进火海,以死殉节。

"好,好!"纣王凄然大笑,"没想到我这昏君,身边还都是忠臣!"

"昏明忠奸,都是后人的笔杆子摇出来的。此等身后之事,大王又何须烦恼?不如让臣妾献舞一曲,以博君笑。"

"你……"先是一愣,纣王忽然开怀大笑,道:"好,就让我与美人同舞,来衬今宵良辰美景!"

火光中,妖娆曼妙的身影随风而舞,与纣王虎虎生威的舞步相映成趣。那些有幸曾经远远看到这舞姿的士兵心中都只有四个字:绝代风华!

由于皇城驻军的拼死抵抗,当武王赶到摘星楼下时,那里只有一片烧焦的残垣断壁。

"据抓获的宫人说,纣王确实是在此自焚了,妲己妖女和他在一起。"注意到武王的脸色不善,姜尚识趣地尽量少说话。

武王眉头紧皱,喃喃自语道:"她真的死了?"

背后长翅膀的雷镇子不识趣,大咧咧地道:"肯定死得通通透透,骨头怕都烧成灰了。"

武王勃然大怒,道:"你去把这里所有的骨头挑出来,无论人兽,各个分配整齐。要是弄错一根,拿你军法处置!"

雷镇子呆立当场,心想这怎么可能? 先不说骨头都被烧得黑炭似的,就算是好好的一堆白骨,又怎么分得清哪根是纣王、哪根是殉葬的宫人?

"我来帮你,这也是做件好事。"说着姜尚拉起雷镇子就走,生怕他再说什么奇怪的话。对这位主上的心思,他或多或少了解一点。从某种意义上来说,其实这个任务也不太难。

第十章
黑白无常

莫名仙讲完故事之后,会议室里一时间没有人开口说话,只能听到略显急促的呼吸声。

过了一会,宁汝馨才问道:"你说她……她是苏妲己?"

"是。"

宁汝馨总算知道为什么那个鬼魂和自己那么相像,因为她们本来就是同类! 她是苏妲己,中国历史上最著名的九尾妖狐!

略微一顿之后,宁汝馨看着莫名仙,缓缓道:"那么……你是谁?"

莫名仙露出半个苦笑,反问道:"你说呢?"

"你是姬发——周武王!"

莫名仙点点头,又苦笑道:"已经好几千年没有人在我面前提到这个名字了。"

虽然得到亲口承认,宁汝馨还是很难相信这个事实,连柳卓群也是。周武王,那个存在于历史课本和《封神演义》里的君主竟然就在面前! 长生不老、飞升成仙是多少帝王的梦想,居然早在他这里就已经实现了!

柳卓群问道:"姬发……啊,陛下! 这几千年来,你都在做什么?"这个问题很重要,因为他既没有把自己的王位"万寿无疆"地坐下去,也没有凭借自己的法术和影响力去阻止自己子孙后代的胡作非为(比如说那个烽火戏诸侯的周幽王)。

"不要这么称呼我,"莫名仙摇摇头,"我希望你们还是叫我'莫名仙',听起来比较舒服。"顿了顿,又道:"我在赎罪。"

宁汝馨惊讶道:"赎罪?"谁能想到,一个以英明仁慈的形象流传于世的帝王典范,在这几千年的岁月中竟然一直在"赎罪"?

莫名仙解释道:"不要误会。我秉承父王遗命起兵伐纣,上承天命下顺民心,我只会感到自豪,绝不会有丝毫后悔。不过……"他的声音低沉下去,"……我真的对不起她。"

宁汝馨猜道他口中的"她"指的是苏妲己,那只传说中颠覆了整个殷商王朝的九尾妖狐。"你把她的魂魄封印了?"

莫名仙痛苦地点点头,"如果不这样做,她很快就会魂飞魄散。我想救她,就只有这一个办法。"

"所以你才想要我的内丹?"用内丹可以凝聚妖怪的魂魄,如果满足某些特殊条件的话,甚至能重新构筑妖怪的灵体结构。

"是的,其他妖怪的内丹都不能和她的魂魄共鸣,只有九尾妖狐的才可以!"莫名仙抬起头看着宁汝馨,"你愿意帮我吗?"

宁汝馨点头道:"我会的。"就算不管莫名仙和他所付的"报酬",那个被拘禁的同类灵魂也让她无法拒绝这个要求——即使是让她放弃这百多年的修为。

莫名仙显得很激动,喃喃地不知道该说什么好,过了一会才道:"我现在就给你画地图!"桌子上有纸笔,莘藜急忙给他拿过来。莫名仙吃力地拿起笔,在纸上画着。

龙飞道:"用得着画什么地图,你带我们去不就行了?"

莫名仙摇头道:"不行,我很快就要入定,来积聚法力完成那个最后的法术,所以只能靠你们带我到那里去了。"

宁汝馨忽然道:"我还有一个问题。"

莫名仙停下笔,抬头看着她,"什么?"

"你爱她吗?"

莫名仙毫不犹豫地答道:"我对她的爱绝对不比殷纣少!"然后苦笑,"可是她只爱殷纣一个。"

"请原谅我的冒昧,"宁汝馨又道:"不过你确定自己不是被她的某种法术所迷惑?"

莫名仙笑了,反问道:"你知道什么法术能把一个人迷惑几千年吗?"

宁汝馨不再说话,陷入了沉思。

这时有人敲门,柳卓群道:"进来。"

进来的是个一身戎装的军人,看肩章应该是少校,举手投足间自然透出刚劲硬朗的军人气质。他对柳卓群敬礼道:"柳会长,你好。"看得出来,严格的军旅生活把他训练得如同钢铁般坚不可摧。

柳卓群礼貌地站起来,道:"你好。"接着向其他人介绍道:"这位是周圻营长,军区上派来协助的。"周圻一转身,又敬了一礼。不过其他人都在忙着自己的事情,几乎没注意到他的存在,只有龙飞友善地向他笑笑,这让他有些尴尬。

柳卓群道:"现场清理得怎么样了?"

"已经清理完了,伤者全都送进医院。"说到这里,周圻犹豫一下,道:"不过很奇怪……"

"什么?"

"那座楼完全被毁了,可是里面的人一个也没有死!其中有个大动脉被钢筋刺穿,几乎所有的血都流光了,根据常识判断早就应该死的,居然也奇迹般地活着!"说到这里,他苦笑摇头,"说实话,我完全不能理解。"

柳卓群道:"如果你知道是什么人造成那里的破坏,也许就不会太惊讶了。"

周圻皱了皱眉头,向对面的莫名仙看了一眼,问道:"那么,他是谁?"

"他是老朋友,很久之前就认识的。不过,我刚才说的不是指他。"

"消失的那个?"

"对,"柳卓群叹了口气,"他就是现在地府的实际管理者,也就是我们平时所说的'阎王'。"

周圻一时间愣在那里,显然他很难接受这个事实,猛地吸了口气,这才道:"也就是说,他能掌管人的生死?"

"大部分时候是的。"柳卓群道。

这时周圻身上的步话机响起来:"营长,有两个人要进来,该怎么处理?"自从莫名仙来到之后,就有许多军人警戒在外面。

看看柳卓群,周圻按下通话键,问道:"什么人?"

"他们不肯说出自己的名字,只说要带走什么莫名仙。"说到这里,步话机里压低声音说:"这两个人的样子有些奇怪,不过没有武器。"

"果然来了。"柳卓群脸色凝重,对周圻道:"周营长,请你让那两个人进来,然后命令你的人尽快撤离。"

周圻露出怀疑的神色,他没有立刻下令,而是问道:"你知道他们是谁?"

"也许吧,"柳卓群自信的脸上头一次闪过犹豫的表情,"希望我猜错

奇幻四公子

了。"顿了一下，又道："请你立刻下命令，否则可能就来不及了！"

周圻对步话机道："放他们进来，然后你们立刻集合回驻地待命！"

"是！"

周圻收起步话机，向柳卓群道："好了。上级给我的命令是配合你的工作，我已经照做了。"

"好的，"柳卓群点点头，"请你也尽快离开。"

"抱歉，"周圻摇摇头，"我要留在这里。"

柳卓群想了想，然后上下打量周圻一番，点头道："也好，说不定你能帮上不少忙。"

这时莫名仙忽然大叫一声："好了！"

宁汝馨被他的声音从思绪中拉回现实，一时还没反应过来，茫然问道："什么好了？"随即明白过来，"啊，是地图。"

"宁姑娘，"莫名仙盯着宁汝馨的眼睛，"把我带到这里，尽快！"见宁汝馨点头，他脸上露出微笑，缓缓闭上眼睛。接着他残破不堪的身体化成一团青烟，烟雾逐渐缩小，最后凝成一块拳头大小的彩石。石头的表面光滑圆润，还不停变化着五彩光芒。宁汝馨还没伸手，莘藜已经一把将那块石头拿在手里，警惕道："不要碰主人！"看来莫名仙的伤让她有些神经质了。

龙飞则飞快地把那张地图拿在手里，怪叫道："哈哈，藏宝图！"宁汝馨不禁厥倒。不过仔细想想，既然是周武王的墓葬，里面的金银财宝恐怕也不会太少，所以说这张地图是藏宝图也不为过。

"你们坐电梯到地下室，那里有个近距离传送的魔法阵，可以送你们离开。"柳卓群站起来走到窗边，看到有两个人正穿过打开的大门向里走来。周围的军人正在集合，按照他们的效率，估计很快就能全部撤离。回头催促道："快点，他们已经快来了！"

宁汝馨疑惑道："谁来了？"看来她完全不知道刚才发生了什么。

"管他是谁，咱们赶快去找宝藏！"龙飞眼中充满了异样的兴奋光芒，拉起宁汝馨就向外走。对一向自由散漫的他来说，这可真是难得一见的热情——就像一个饿了许久的人看到一桌丰盛的大餐一样。

宁汝馨想挣开龙飞的手，却发现使不出力气，只好跟着他向外跑去。

"等我啊！"莘藜大叫着也跟着跑了出去。

目送他们进入电梯后，柳卓群对周圻道："我希望你不介意。"

"什……"周圻还没明白过来，忽然发现自己的手上发出一种幽明的绿光。抬手一看,手上的皮肤不知道什么时候变成了一种深邃的绿色,这是一种比他身上的军装更绿的颜色,好像绿宝石一样。更奇怪的是,他竟然丝毫没有惊慌或者恐惧的感觉,反而感到非常舒服,好像体内忽然增加了无穷无尽的活力,几乎要大叫出来宣泄一下,这种感觉真的非常……奇妙!

"这种情况下,木灵能发挥更大的力量。"柳卓群道,"不用担心,不会对你的身体有害。"深深吸了口气,道:"跟我来。"说着走出会议室。

周圻跟在她后面,他发现自己的感觉变得无比敏锐,几乎能听清自己体内的血液在血管中流动的声音。所以,当他看到那两个人之后,立刻发现他们肯定不是人类。

只是从外表来看,那两个人就称得上"非常奇怪"。其中一个穿着一身白西服,打着白领带,脚下是一双白皮鞋,连鞋带都是白的,那张脸更是白得可怕。他的同伴与他的打扮差不多,所不同的是这位的全身都是黑色。两个人站在一起形成强烈的对比。从他们身上散发出阴冷的气息,令人不寒而栗。

黑白无常!虽然这两个人和传说中戴着"恭喜发财"帽子的无常鬼有很大区别,周圻还是立刻得出了这样的结论。

柳卓群道:"两位使者来此有何贵干? 如果是我老太婆的寿限到了,也不用劳动两位来引路吧?"

白无常一边嘴角向上翘起,露出一个诡异的笑容,道:"柳会长说笑了。这拘魂锁命的差事,我们兄弟是早就不干了。"

"那两位要干什么?"

黑无常冷然道:"捉妖!"

"没错!"白无常一拍手,接着道:"我们兄弟都是直性子,明人面前不说暗话,我们要把那个莫名仙带回去。"看着柳卓群,"会长不会有意见吧?"

柳卓群问道:"秦先生的命令?"

黑无常道:"不是!"

白无常笑道:"头儿还没醒,这是兄弟们自己拿的主意,也算是为他分忧解难。"

"既然是这样,请容我考虑一下。"柳卓群在尽量拖延,因为那个传送魔法阵的启动需要时间。

白无常显然知道她的用意,笑道:"如果会长不便出面,就让我们兄弟自己找吧。"虽然说得客气,不过意思已经很明白:再不交人,他们就自己去抓!

柳卓群脸色一沉,道:"你们想动手?"

"那也是迫不得已,"白无常还是笑着说道,"柳会长和木灵的威名,在我们地府也是如雷贯耳,如果只有我自己肯定不敢,自不量力,不过现在……嘿嘿!"言下之意自然是现在他们两兄弟联手,有绝对的胜算。

"好,"柳卓群冷笑道,"我现在倒也有些自不量力了。"一时间,气氛剑拔弩张。

第十一章
洛阳牡丹

传送魔法阵的出口在近郊的一座农家院里，这家的主人也曾经是妖魔猎人，不过在几年前就退休了，和家人一起在这里颐养天年。

所以当他看到三个人突然出现在院子里的时候并没有表示太多的惊讶，只是问道："你们需要什么？"

弄清楚自己身在何处之后，宁汝馨他们在这里拿到了一些旅行必需的装备，然后一起告辞出来。此时天方破晓，不远处传来雄鸡打鸣声。

宁汝馨向龙飞伸出手，道："地图拿来。"

龙飞从口袋里掏出地图给她。

宁汝馨看了一眼之后，发现地图最左边的一个小方框上清楚地标明是洛阳市，而在右边远处的山区中有个"X"，那里应该就是他们的目的地。莫名仙仓促之下画出的这张地图非常粗糙，只有为数不多的几个标注，更没有标明比例尺。看来要找到"宝藏"还得费一番工夫，只希望"真理教"从铜鼎上得到的信息也是一样的模糊。看完之后，宁汝馨皱起眉头，自言自语道："怎么会是在洛阳？"

龙飞问道："有什么奇怪的？"

宁汝馨解释道："周朝有两个国都，在西部的叫镐京，也叫宗周，在现在的西安市附近；东部的是洛邑，又叫成周，就是这上面标的洛阳市。从武王到幽王的十二个君主期间，周朝的国都都在镐京，后来的平王才把国都迁到洛阳。据我所知，武王陵是在陕西省咸阳市附近……"

莘藜打断她的话，急不可待道："主人说在洛阳，那一定就是在洛阳！我们得尽快赶到那里！"看得出来，她对莫名仙可谓忠心耿耿，赴汤蹈火在所不惜。

"嗯，"宁汝馨同意地点点头，"没错。"

一小时之后，他们很幸运地赶上了一列开往洛阳的火车。因为不是旅游旺季，再加上最近一直阴雨连绵，所以车上的人并不多。

路上，宁汝馨忽然问莘蕖："你是怎么认识他的？"

莘蕖已经渐渐平静下来，这时愣了一下，反问道："谁？"

"莫名仙……嗯，你的主人？"

莘蕖回想片刻，摇头道："我不记得了，从我记事开始就跟在主人身边了。"

"你们平时都做什么？"

"旅行，我们一直在到处旅行。主人一直在找某样东西，最近我才知道是九尾妖狐……"说到这里，莘蕖看看宁汝馨的脸色，见她没有生气的表情，这才试探着道："你不会还在生我的气吧？"

宁汝馨奇怪道："我为什么要生你的气？"

"因为……我曾经要杀他啊。"莘蕖悄悄指指坐在对面的龙飞，后者正一脸呆滞地望着窗外迅速闪过的电线杆，好像在看某种非常诱人的风景。

难道真的是这个原因？似乎是，但又好像不太对，宁汝馨自己也弄不明白。不过她还是对莘蕖正色道："没关系，这个傻瓜最大的优点就是生命力强，嗯，比妖怪还强！"说到这里，她笑了出来，"就算你现在想杀他也不一定能杀得掉呢！"莘蕖也笑了。

龙飞这才从呆滞中清醒过来，莫名其妙道："你们在笑什么？"听他这么问，宁汝馨和莘蕖笑得更厉害了。

这样一路笑闹，旅途倒也不算沉闷。傍晚夕阳西下的时候，车厢上方的喇叭里开始广播："尊敬的乘客，您好！本车的终点站——洛阳，就要到了。洛阳位于河南省西部，横跨黄河中游两岸，是华夏文明的重要发祥地之一，因地处洛河之阳而得名。洛阳是国务院首批公布的历史文化名城和中国七大古都之一，自夏以来，先后有十三个王朝在此建都，累计建都时间长达 1500 余年……"

听着这些介绍，龙飞两眼放光，自言自语道："这么说，地下肯定埋着不少好东西……"看着他的样子，宁汝馨真担心他会去把洛阳城整个翻过来。

按照在车上他们商量好的计划，走出火车站之后，他们就打电话回妖魔猎人协会总部,却被告知柳卓群会长暂时不在,让他们过一会再打过去。

放下电话,龙飞问道:"现在做什么?"

莘藜抢着道:"当然是去找那些强盗,把铜鼎夺回来!"

"去哪里找他们?"

宁汝馨的这个问题立刻让莘藜哑口无言,喃喃道:"按照地图一路找过去,肯定能碰到……"她自己说得也有些底气不足。

龙飞忽然道:"看那边!"

顺着他指的方向看过去,宁汝馨看到一个身材高挑的漂亮女人面带微笑站在那里。她身穿米黄色导游制服,手里还拿着一面红色小旗,上面写着"洛阳欢迎您"!看来应该是个某旅行社负责接待客人的导游。即使是这身打扮,也将她身上雍容华贵的气质显露无遗。

莘藜撇嘴道:"姐姐比她好看!"

龙飞摇头道:"不是这个问题……"

莘藜立刻对宁汝馨道:"姐姐,她说你不如那个女人好看!"刚才这一路上,她已经和宁汝馨达成了某种攻守同盟的默契,而且不知道从什么时候,她开始叫宁汝馨"姐姐",宁汝馨也默认了这个称呼。

这时宁汝馨轻轻摇头,低声道:"她是个妖怪。"

"啊?"莘藜吃了一惊,又仔细看了看,"真的?"

宁汝馨道:"她是个花妖,而且道行很深。"也许有四五百年的道行,不过还是没有蜕尽身上的妖气。一般来说花妖都喜欢安静,它们的灵体总是在自己的本体周围度过悠长而寂静的时间。可是这个妖精不但出现在这里,好像还在做导游的工作!这让宁汝馨觉得很奇怪。

龙飞对宁汝馨道:"你要不要过去和她打个招呼?"

"为什么?"

"都是妖怪,难得见面当然要问候一下。"龙飞说得好像理所当然一样,"要不然,让小猫过去。"事实上,除了某些特殊的情况,绝大多数时间妖怪之间很少有来往。

这时那个花妖看到他们,向这边走过来道:"宁汝馨小姐?"

宁汝馨讶然,反问道:"你是谁,怎么会认识我?"

"我叫牡丹,平时为协会做些简单的工作,不过并不是正式的猎人。"花妖笑道,"柳会长刚才来过电话,说你们马上就到。柳会长让我转告你们,她得花一段时间处理昨晚发生的事情,恐怕很难亲自过来。不过两天之后,她会派人过来帮你们。"

听到这里,莘藜不满地大声道:"为什么要两天之后?!"

牡丹很有礼貌地回答她:"这个柳会长并没有说明。"

龙飞挠头道:"不用这么着急吧?"本来他是最着急的,现在反而这样安慰起莘藜来。

"怎么能不着急?"莘藜使劲摇头,"要是让那些强盗先找到怎么办?"一边说,她一边心不在焉地用左手在旁边一辆车门上划着,抓出一道道弯弯曲曲的铁屑。

龙飞道:"他们现在是警方重点搜捕的对象,总不能带着这么大的铜鼎去坐飞机火车吧?大概连高速公路也只能从偏僻的山路绕过来,天知道要走多久。而且在那样的荒山野岭说不定就碰上几次山体滑坡桥梁倒塌,要是再遇到外星人入侵……"眼见他越说越离谱,宁汝馨急忙大声喊停。不过抛开胡言乱语不谈,龙飞的话倒是不无道理。那样一大群人加上九个大大小小的铜鼎,即使有法术保驾护航,也是太明显的目标。为了行动隐蔽,他们的速度肯定快不起来。想深一层的话,说不定还得感谢他们把那些铜鼎从博物馆里弄出来,再千里迢迢运来洛阳呢!

莘藜也想到了这一点,道:"那我们就去把主人的墓穴找出来!"

宁汝馨摇摇头。仅凭这张潦草的地图,要找到那个墓穴简直比大海捞针容易不了多少。比较明智的做法应该是找到真理教的人,然后尾随他们去找,这样要简单多了。

牡丹插入问道:"你们要找谁的墓穴?"

"我主人的!"莘藜抢着道。牡丹当然不知道她在说什么。宁汝馨解释道:"周武王,姬发的墓穴。"她并没有提莫名仙,因为这个名字在妖怪中的口碑并不好。现在想想,也许就是因为妖怪之间的交流太少,以讹传讹之下,才让莫名仙成了恐怖的化身。

牡丹听懂了,不过更加奇怪,疑惑道:"据我所知,洛阳只有周平王之后的周王墓,在他之前的周王都葬在咸阳……"

宁汝馨点头道:"我也觉得很奇怪,不过这是武王自己画的地图上说的,应该不会错。"

牡丹不可置信道:"你们找到了周武王留下的地图?"见宁汝馨点头,牡丹露出羡慕的神色,"能不能……"忽然摇摇头,"啊,算了,你们肯定不会把原本带在身边。"

宁汝馨苦笑,没有说那张地图就在自己口袋里。看得出来,牡丹大概是认为"周武王的地图"一定是刻在青铜或者兽骨上,历经久远的年代才被从地下某个角落被发现。她肯定想不到,这张地图是用黑色签字笔画在一张会议记录纸的背面,到现在为止问世还没超过二十四小时。

想了想之后,牡丹忽然道:"如果你们要找墓穴,我倒知道有个人可以帮上忙……哦,应该说是个妖怪。"

莘藜立刻问道:"谁?"

"一个叫张朗的妖怪,是个职业盗墓贼。不久之前,他从近郊的一座东汉贵族墓里偷出来一件金缕玉衣,我现在的任务就是抓住他。"顿了顿,又道:"我想,如果能抓住他的话,让他帮忙找你们说的周武王墓应该不难。"

宁汝馨表示同意,问道:"在哪里能找到他?"

"不知道,他总是行踪不定。不过我得到情报,他准备把那件金缕玉衣卖给一个日本的文物贩子。那个日本人是以旅游的名义来中国的,他参加的旅行团马上就到。"原来这就是她打扮成导游的原因。

宁汝馨点点头,道:"也许我们可以帮忙?"

"那可太好了!"牡丹很高兴,"我们这里的人手总是不够用,上面催得又紧……"接着苦笑道:"越是历史悠久的城市里,像我这样的妖怪就越多。"

莘藜道:"好像你和人类相处得很好啊?"

牡丹叹了口气,摇头道:"可惜并不是所有妖怪都和我的想法一样。"

这时有个面容精神的年轻人跑过来,"小姐,那些日本人来了!"

牡丹对他点点头,道:"好,我这就过去。"指指宁汝馨三人,"你带这几位去龙泉,然后给他们安排好房间。"

年轻人毫不犹豫地答应:"是!"

牡丹又向宁汝馨他们介绍一下,然后约定在龙泉大酒店见面,匆匆走了。

这个年轻人叫李浦,是个很健谈的小伙子。后来在言谈中才知道,他并不是妖魔猎人,而是"雇员"。所谓雇员,就是妖魔猎人协会(或者妖魔猎人个人)雇用的没有灵能力的普通人。因为拥有灵能力的人毕竟是少数,而且不一定都愿意加入妖魔猎人的组织,因此妖魔猎人协会的运转完全依靠灵能力者是根本不现实的,"雇员"的存在则弥补了这个缺点。他们中的大多数人往往不是为高薪吸引(因为危险性很大,因此"雇员"的薪酬相当高,具体数目不详),而是向往这种惊险刺激的生活。因为协会挑选"雇员"的条件也是相当严格,因此这些人都是相当优秀的人才。

路上宁汝馨问起牡丹的事情,不过李浦也不太清楚。他只知道当三年前他被协会雇佣的时候,牡丹就已经在了。记得当他知道这位雍容华贵的女子是牡丹花精的时候,他倒是没有什么震撼,反而觉得"就应该是这样才对"!与他一起工作的人也很少提到牡丹的来历(也可能是根本不知道),不过他们都对她相当尊敬。

龙泉大酒店是洛阳市内最豪华的五星级大酒店,只看厅堂里的巨幅壁画就是气派非凡。

下车之后,李浦低声问道:"开几间房?"刚才他一直想弄清这三个人的关系,不过到现在还是莫名其妙,无奈之下只好问了出来。

宁汝馨想了想,道:"就一间吧,最好在二楼或者三楼,方便一点。"

"好的。"临走之前,李浦看了龙飞一眼,满脸都是再明显不过的羡慕。

第十二章
啮齿动物

李浦的办事效率相当高，很快就安排好了房间。这是一间豪华的总统套房，客厅、卧室、书房——连卫生间的布置都极尽华丽。对普通人来说是天文数字的房价，在妖魔猎人协会眼里不过是小菜一碟。

把他们送到房门口之后，李浦就识趣地离开了。临走的时候，说因为旅行社安排了一个宴会，因此牡丹大概得到十点钟左右才能回来。也就是说，在这三四个小时之间，是不会有人来打扰他们的了。

"呼，总算可以睡一觉了！"莘藜高兴地大叫一声，身体一矮已经变回原形，几下蹿到那张超级宽的大床上，四脚朝天伸了个懒腰，然后翻身爬到枕头上将身体蜷成一团，抬头道："没事不要叫我！"说着把头埋在身体下面，只露出一对长着黑色硬毛的尖耳朵。

龙飞走过去，把掉在地上的那块五彩石捡起来，在手中抛了抛，苦笑道："连主人都不要了！"

莘藜的耳朵转了转，抬头道："啊，你帮我收好！"然后又把头钻进去。

宁汝馨微笑道："从昨天下午到现在，她一直没睡觉，对小猫来说太勉强了。"那边莘藜的呼吸变得舒缓而平静——她已经睡着了。

龙飞笑道："你不困？"

宁汝馨轻轻摇头，拿出莫名仙给的那些内丹放在桌上，一共七颗大小不等的圆球滴溜溜地滚动着，流光溢彩。

龙飞拿起其中一颗向另一颗弹去，碰撞时发出"啪"的一声脆响。笑道："来一起玩？"

宁汝馨哭笑不得，没想到他真的把这些稀世珍品当玻璃球打。不过她已经习惯龙飞这种胆大妄为的行为方式，反正一般是不会闹出什么大乱子来，当作没看见就好了。她摇摇头，道："如果让你来选，你会选择哪一颗？"

龙飞摆手道："我可不要，万一不小心吃下去，变成个大树骷髅什么的就不好玩了！"难得他还记得熊姨的话。

宁汝馨嗔道："谁让你吃了？"装出生气的样子，冷着脸道："你选哪一颗，说！"

龙飞为难地挠挠头，道："那就随便来一颗好了。"话锋一转，"不过我觉得那个鲤鱼精的内丹挺适合你的。"

宁汝馨心中一动，急忙问道："为什么？"

"它跟你的内丹一样是白色的，而且大小也差不多。"

这个答案让宁汝馨很失望，她把内丹收起来，站起来道："我也要睡了！"说着现出原形，也学着莘蕠跳到另一个枕头上，把自己的身体蜷起来。不过她有九条毛茸茸的大尾巴，看起来比莘蕠舒服多了。

龙飞挠挠头，为难道："呃……我睡在哪里？"

宁汝馨头也不抬："自己找地方去！"然后用威胁的语气道："你要是敢爬上来，我就……就咬你！"

龙飞伸出食指在眼前晃晃，笑道："淑女是不应该咬人的。"说着走上前，拉起一张毛巾被盖在宁汝馨和莘蕠身上，道："我出去转一圈，等会回来叫你们。"说完走了出去。他这两天睡得比宁汝馨和莘蕠只少不多，却看不出一点疲惫的神色。真是个怪人，宁汝馨心想。

龙飞走后，宁汝馨低声自言自语道："有盖被子的狐狸吗？真是个傻瓜……"虽然这么说，不过她却没有动，任由被子盖在身上。

朦胧中不知过了多久，宁汝馨听到有轻微的开门声，立刻警觉起来。这个人的动作很轻，和龙飞那种大大咧咧的风格完全不同。

门打开一条缝，一个矮小的黑影从外面闪进来，接着回手把门关上。宁汝馨知道自己的眼睛在黑暗中会发出绿色光芒，为了不惊动那个人，她干脆继续把头埋在被子下面，竖起两只耳朵听着周围的动静。

低低阴笑一声，那人向床边走过来，然后一阵轻微的瑟缩声，好像他从口袋里掏出什么东西。他的脚步很轻，几乎没有任何声音，宁汝馨如果不是注意听的话，根本不会发觉他的存在。莘蕠还在睡梦中，这时迷迷糊糊地伸了个懒腰。

一种强烈的气味充斥在空气中，是乙醚的味道！到现在为止，宁汝馨已经肯定这家伙不怀好意,估计是想用麻醉剂将她们迷倒,然后做些不可告人的勾当。她打定主意,在那人靠近自己的时候,就用一个"心灵震爆"把他放翻,这种法术可比什么麻醉剂有效多了。

那人走到床边,乙醚的味道更加浓了。这时莘藜忽然动了一下,本来盘在身边的尾巴向一旁甩出,落到被子外面。这是猫科动物熟睡时经常出现的一个无意识动作,就好像人类在睡梦中翻身一样。

那人发出一声惊慌失措的低呼,好像被吓了一跳,已经抓住毛巾被的手猛地缩了回去。过了好久之后,他的手才再次抓住盖着的毛巾被,宁汝馨感到他的手在不停地颤抖,似乎非常害怕。宁汝馨不禁感到奇怪:他在害怕什么?

那人突然发力,猛地把床上的毛巾被拽了起来。接着是一阵奇怪的寂静,那人一动不动地站着,木呆呆地看着床上的莘藜。

突然,那人嘴里发出一声令人毛骨悚然的尖叫:"啊——"声音中充满了极度的惊恐。尖叫声中,那人连滚带爬地向门口跑去,惊慌失措之下撞翻了好几张精致的欧式椅子。当宁汝馨抬头看过去的时候,只见到一个背影消失在门外。

宁汝馨一头雾水,完全不明白发生了什么事。她还没用任何法术,那个人却已经害怕地逃掉了!这个人既然有胆量来图谋不轨,怎么会见到一只狐狸和一只大猫(可以相信,在刚才的情况下,那人绝对分不清莘藜是一只猞猁,还是只大号的家猫)就这样慌张?

刚才的尖叫声把整个酒店的人都惊动了,不少房间里的人都打开门走出来,想知道是不是哪里失火了。

莘藜也被吵醒了,一翻身站了起来,四周看了一圈,气鼓鼓地道:"什么东西?!吵死了!"

这时龙飞推门进来,显然他也听到刚才的叫声,道:"你们不会是要把送菜的当晚餐吃掉吧?"

"先生,"有人在他身后干咳一声。龙飞回头,看到一个身穿制服的女服务员正推着一辆餐车停在身后,道:"这是您订的饭菜,请问是不是要我推进去?"

龙飞大是尴尬,急忙让开,"那就多谢了。"

女服务员将餐车推进门,忽然看到床上的宁汝馨和莘藜,立刻两眼放光道:"好可爱!"问龙飞道:"它们是你养的?"

"啊……"龙飞挠挠头,"算是吧。"那边莘藜低声咕噜着表示抗议,如果不是怕太引人注目，她早就大叫起来了。

"太漂亮了，一定是非常罕有的品种！"女服务员赞叹不已。

龙飞笑道："的确。"狻猊可是国家级保护动物，九尾白狐更是世所罕见——不过看起来，这位服务员是把宁汝馨当作某个稀有品种的小狗了。

女服务员羡慕不已，道："我可以摸摸它们吗？"

龙飞为难道："恐怕不行。她们会咬人，连我都咬！"

女服务员先是愕然，随后理解地笑笑，道："看得出来，您一定是个很喜欢动物的人。"说完转身走了出去。

刚关上门，莘藜马上纵身向龙飞扑去，大叫道："说谁是你养的？"龙飞笑着避开。

宁汝馨阻止她道："莘藜别闹了。"

莘藜一扑不中，蹲在地上瞪着龙飞，对宁汝馨道："姐姐，咱们一起咬他两口出出气！"

宁汝馨不理她，而是疑惑道："这样看来，刚才那人的反应实在很怪……"

莘藜得意道："一点也不奇怪，谁让我们长得这么可爱？"她的怒气来得快，去得更快，现在已经完全忘记了。

"我不是说那个女人。"宁汝馨把刚才那个人影的事情说了一遍，龙飞和莘藜这才知道刚才的尖叫声是怎么回事。

听完她的介绍，龙飞挠头道："我怀疑那个人是想来和你们这两位美女增进一下感情，没想到掀开被子看到的完全不是这么回事，大失所望之下导致精神崩溃了！"叹了口气，"可怜的家伙！"

莘藜呸了一声，道："不要嬉皮笑脸地胡说八道！"

"那好，"龙飞一本正经地板起脸，然后问宁汝馨："那家伙是人类还是妖怪？"

"不知道，"宁汝馨摇摇头，"这里都是莘藜的妖气，就算有别的妖气混进来也不好分辨。"说到这里忽然想到一个问题：这周围没有自己的妖气，即使现在恢复原形之后也没有！以她的道行，要练到妖气内敛应该还早得很——这是怎么回事？

急促的敲门声传来，宁汝馨和莘藜变回人形，这才应道："请进。"

进来的是牡丹，见到宁汝馨三人站在那里，她好像松了一口气，道："还好，你们没事！"

宁汝馨知道肯定发生了什么,问道:"怎么了?"

牡丹深吸一口气,神色凝重道:"所有我安排在这里的人,全都被迷倒了!"

宁汝馨心中一动,立刻问道:"乙醚?"

"对!"牡丹看着宁汝馨,道:"你知道了?"

"刚才也有人想把我们迷倒。"接着宁汝馨向牡丹将刚才的事情叙述了一遍。

听完之后,牡丹恨恨道:"是张朗!这家伙竟然嚣张到这个地步!"

宁汝馨记得这个名字,是那个准备把东汉金缕玉衣卖给日本人的盗墓专家妖怪,道:"你怎么知道是他?"

牡丹一愣:"我没有对你说过?他是只老鼠!"

宁汝馨恍然大悟,她这才明白为什么那人见到莘藜之后会这么害怕——只有发自本能最深处的恐惧,才能令人发出这样的惊叫!想象一下,如果一只老鼠掀开毛巾被之后,发现下面竟然是一只猫(而且还特别大)……所以他才会有这么剧烈的反应。

"老鼠?"莘藜一付不太感兴趣的样子,"讨厌的东西。"

牡丹沉声道:"他肯定还在附近!我一定要抓住他!"

"要说抓老鼠……"龙飞向莘藜指了指,"当然要猫小姐出场了!"

莘藜把嘴一撇,"我是猞猁,不是猫!"看来她是不愿意一显身手了。

"啊!"宁汝馨忽然惊呼一声,脸上露出惊慌的神色,"你主人变的那块石头不见了!一定是被张朗顺手偷走了!"

"什么?!"莘藜大叫一声,跳了起来,想都没想就冲出门去,一边叫着:"死耗子,把主人换回来!"

龙飞道:"那东西还在我这里啊?"

宁汝馨狡猾一笑:"不刺激一下,小猫怎么会去抓老鼠?"听她这么说,龙飞和牡丹也笑了。牡丹微笑道:"现在我总算相信你是九尾妖狐了。"

过了一阵,莘藜——已经现出原形——推开门进来,嘴里叼着一只精瘦的黑色大老鼠,毛皮干瘪而且没有光泽。把老鼠往地下一扔,莘藜道:"就是这家伙!"

牡丹有些担心,道:"他还活着?"

"当然还活着!"莘藜一爪把老鼠翻过来,"别装死,快说,我主人在哪里?"

老鼠大口喘着气,道:"我不知道,真的不知道!求求你,不要杀我!"他的声音里充满了无尽的恐惧,远远超过理智可以承受的界限。

"你的主人在这里,"宁汝馨把五彩石从龙飞手中拿过来对莘藜晃晃,"我们刚才找到了。"

"哦,"莘藜松了口气,并没有意识到自己被骗了,她抬起前爪,将锋利的指甲从肉里弹出来,"这么说,这家伙就没用了。"

老鼠惨叫一声:"不!"他在地上蜷缩成一团,浑身不住瑟瑟发抖。

"等一下,"牡丹阻止莘藜,然后问老鼠:"你为什么要把我的人都迷倒?"

老鼠尖声道:"我想在交易时不被打扰,所以才让他们睡一会。"

"金缕玉衣呢?"

"在我的房间,513号。就放在床下面的密码箱里,密码是521。"

"还有那个日本人,国际刑警想知道他的资料。"

"他叫山田元义,不过这次来中国用的护照上是'伊藤三郎',是个秃顶的胖子……"为了活命,老鼠唯恐说得不够详细。

"好了,剩下的就交给你们了。"牡丹向宁汝馨使个眼色,"我有些事得去处理一下。"走了出去。她当然是去找那件金缕玉衣和叫"山田元义"的秃顶胖子。

老鼠抬起头,可怜巴巴地看着宁汝馨:"求求你们,千万不要让这只猫吃了我……"

宁汝馨道:"如果你肯合作的话。"

"你们想让我干什么?"

"找一座古墓,周朝的。"

"可以,没问题!我把那墓整个挖出来给你们!"老鼠忙不迭地答应,"求求你们先把这只妖猫弄走!"后来,宁汝馨等人才知道,这只叫张朗的老鼠精在还没修炼成精之前曾经被一只猫抓住,然后百般玩弄,虽然最后逃得性命,不过从此却总是对猫怀着一种非理性的恐惧,所以才会一见莘藜之后立刻大叫逃窜。

第十三章
古墓迷踪

　　根据张朗提供的线索，牡丹很容易就找到了金缕玉衣，至于那个叫山田元义的日本人则交给国际刑警处理，因为他曾经在至少七个国家进行过文物走私活动，早就在被国际刑警通缉。张朗并没有被交给警察，因为他的能力已经超出了警方可以处理的范围（想象一下，该把一个老鼠精关在什么样的监狱里），由妖魔猎人来处理他则要合适得多。除了龙泉大酒店的经理被顾客们关于猫鼠乱窜的投诉搞得焦头烂额之外，这件事基本上完满结束了。

　　第二天一早，宁汝馨、龙飞和莘藜向牡丹借了辆越野车，带着愁眉苦脸的张朗向洛阳城外开去。因为牡丹要与国际刑警接洽，而本地为数不多的几个妖魔猎人都有任务在身，所以没有能派出人手帮他们。宁汝馨曾经向妖魔猎人协会总部打电话，不过柳卓群依旧不在。据秘书说，她是到一家兵工厂去了。宁汝馨很奇怪，难道她要买什么武器？

　　按照地图上的方向，他们一路行驶下去，逐渐远离了喧嚣的城市，进入了树木丛生的山区范围。公路变成盘山路，盘山路变成黄土路，等黄土路变成羊肠小路之后，他们就不得不弃车步行。又走了半天，终于连羊肠小路也没有了，他们只好在荆棘丛中开出路来。

　　夕阳西下时，莘藜忍不住怀疑道："我们不会走错路了吧？"

　　宁汝馨把莫名仙画的地图和洛阳周边地区的军用地图对照一下，肯定道："没错，就是这个方向！"

　　莘藜抱怨着："怎么可能有人把墓建在这里？"她好像忘了这墓穴就是她主人建的。

张朗看看四周，哼了一声，道："过去可是个风水宝地，不过到现在，这里的地脉已经完全枯竭！"地脉就是在大地中流动的灵力，可以为各种生物或者非生物提供不可思议的能量。与河流一样，地脉的流向也会因为某种原因枯竭或者改道。

龙飞很感兴趣，问道："你会看风水？"

"一点皮毛而已，干我们这行，当然得懂点这个。"张朗有些得意。当他知道这些人要他帮忙找墓之后，明白自己小命无忧，总算放下心来，不过还是离莘藜远远的。

张朗又道："如果我猜得不错，你们要找的那个墓穴应该就在地脉的汇集点上。"他这么说也有道理，因为古代的帝王高官、富商贵胄都喜欢找一个风水宝地作为自己的葬身之地，而所谓的风水先生就是提供这项服务的人。说着，张朗不知道从哪里拿出一只巴掌大小的精致罗经，聚精会神地看着上面指针的走向，然后向东走两步，又折向北走出两步，然后来来回回走个不停。

莘藜看得大是不耐烦，正要出声呵斥，却被宁汝馨摆手阻止。他们不即不离地跟着张朗，既不打扰他，也没有让他离开视线。

折腾了好一会，张朗才抬起头。他满头大汗，看起来有些精神恍惚。定了定神，才喃喃道："好像是这个方向……嗯，可能就在那座山对面……"

莘藜对他的话颇为不耐烦，皱眉道："什么叫好像？"

"因为这个。"张朗举起手中的罗经，中间的指针正在发疯一样跳动，幅度相当大。振幅中线所指的方向，正是对面那座大山。

山的对面，是一大片广阔的山间平台，粗略一算足有数百顷。这里种植着无数翠绿的柏树，枝繁叶茂，和周围苍翠的山林交相呼应。周围的山岭高出这片空地只有几十米，不过都是陡峭的悬崖，结果他们费了好大劲才从山上下到空地上。虽然宁汝馨可以飞下来，不过带着别人飞就很困难了。

"就是这里？"龙飞看着四周，"没见到有坟墓之类的东西啊？"

张朗道："在周朝之前，一直是只有墓而没有坟。即使是天子诸侯，也只是在墓穴上面种植树木，天子种百棵，诸侯王则根据实力的强弱递减。自从比干之后，才开始在墓上建坟。"

龙飞笑道："这么说，你应该感谢这个叫比干的家伙了。"

张朗不知道他指什么，愕然道："为什么？"

"如果不是他,你找墓穴的时候不就麻烦多了?"

张朗这才明白,笑了笑,道:"也算是吧。不过盗墓并不像你想的那样简单,只要找到个坟挖开就行了。"他毫不犹豫地说出"盗墓"两个字,好像认为自己所做的事是天经地义的一样。"要想成为一个优秀的盗墓者,不但需要比考古学家更丰富的文物知识,还需要比体操运动员更敏捷的身手……"

宁汝馨很有礼貌地打断他,道:"关于这个问题,以后我们有机会的时候再讨论。现在最重要的是找到这座墓穴的出入口。"一般的大型陵寝都有进出的入口,以供后人前来瞻仰拜祭。而这座墓穴更有些特殊,因为莫名仙曾经从里面走出来过,而且宁汝馨相信他曾经回到并且进入过这里。所以,这个墓穴有个方便的出入口也不是什么稀奇的事。

龙飞点头道:"好,我们分头去找。"说着先进了树林。莘藜和宁汝馨也分别向另外两个方向找过去。张朗则被莘藜抓着,跟她在一起。

林子里,浓密的树枝将整个天空都遮住了,所以光线很暗。宁汝馨在树林里面穿插来去,不知怎的就转了出来,旁边龙飞正好也从树林里走出来,两人面面相觑,都从对方脸上看到莫名奇妙的神色。龙飞挠挠头,首先问道:"这是怎么回事?"

宁汝馨看着那些树,露出思索的神态,道:"难道是……"为了印证自己的想法,她再看看那些树。果然,这些树并不是按照横平竖直的行列种下去的,有的两棵几乎靠在一起,也有的距离很远,露出一个宽阔的空当,看起来似乎是随意而为,杂乱无章地排列着。

"这是个阵法。"这样说的时候,宁汝馨神色凝重,"似乎是通过八卦推演出来的。"

龙飞讶然道:"你是说这些树?"

宁汝馨点点头。接着面带忧色道:"希望他们不要深陷其中才好……"

"我出来了!"莘藜的声音从树林里传出来,接着就见她和战战兢兢的张朗一起出来,"都怪这家伙没用,连路都找不到!"

张朗低着头道:"请您原谅……"看得出来,他对莘藜害怕到了极点。

宁汝馨问道:"你知道这个阵是怎么回事吗?"

"不知道,"张朗苦笑一下,"我对周易八卦也算是略有心得,不过完全看不出这些树的排列规律。"

宁汝馨对八卦也有些研究,不过同样看不出个所以然来。

龙飞道："要我说，咱们干脆把这些树都砍了，不就可以进去了？"

莘藜立刻拍掌赞道："好主意！"

宁汝馨皱眉道："可是这恐怕不是一天两天就能砍出路来的，而真理教的那些人就要来了。"

"对啊……"龙飞一拍脑袋，"对了，把莫名仙叫出来，他肯定知道怎么进去！"

宁汝馨道："怎么把他叫出来？"莫名仙现在只是一块色彩斑斓的石头，对外界的刺激没有任何反应。

龙飞一愣，随即苦笑着摇摇头。

众人正在思索，忽然感到脚下的地面传来一阵阵轻微的震动，同时听到沉闷的"嘭、嘭"声，接连不断。宁汝馨觉得这声音好像在哪里听到过。张朗最先问出来："什么声音？"

莘藜向声音传来的方向窜去，她的身手灵便至极，几个纵跃之后就来到山顶，然后又匆匆回来，脸色苍白道："他们来了！"

宁汝馨忽然想起来，这是脚步声！真理教的营地那个从地下钻出来的巨人，走起路时的声音就是这样！而且从脚步声听起来，这次竟然来了五个之多！

当机立断，宁汝馨道："躲到树林里！"上次龙飞误打误撞干掉了那个巨人，这次不知道还有没有这样的好运气，而且是五个！

他们刚进入树林，巨人的大头就出现在山崖上，手中举着一个硕大的铜鼎。这个巨人比上次他们见到的那个还要巨大，身高足有十米左右，沉重的铜鼎在他手中就好像一个瓦盆。接着又有四个巨人爬上山顶，站在第一个巨人身边，他们的身材都差不多，手中或提或抱着大小不等的铜鼎，有的抱着两只。宁汝馨数了一下，正好九只。难怪他们来得这么快，原来是有这么方便的"运输工具"！

一群人涌上山顶，不过在巨人脚下的他们显得如此微不足道。远远看去，他们身上还穿着建筑工人的服装，带着安全帽，不过挂在身上的M16却和这身打扮毫不相称。

一声古怪的呼喝之后，巨人们纷纷从山上跳下来，它们沉重的身体将地面砸得剧烈震动，好像地震一样。落地之后，巨人纷纷将手中的铜鼎放在地下，然后举起手臂，用自己的身体搭成五座阶梯，让山上的人从上面走下来。当所有人都下来之后，巨人们垂手站在那里，等待着下一步的命令。

下来之后,立刻有一队荷枪实弹的"建筑工人"拉开战斗队形,向树林中搜索过来。因为这些人和宁汝馨他们下来的位置不同,所以进入树林的地方也不同。有些人很快就从树林里出来,另外的则过了一会才走出来,满脸都是惊骇莫名的神色。很明显,他们是在这个树林里走散了。他们互相惊疑不定地询问着,这时一个人走过来,那些人立刻停止了议论,那人大概是他们的首领。因为离得太远,宁汝馨完全听不到他们在说什么。

说了一阵,首领离开。过了一会,忽然又是一阵古怪的呼喝。那些巨人接到命令,大跨步来到树林旁,伸手就把身前的一棵棵树拔起来。那些枝繁叶茂的大树在他们面前好像是杂草一般。转眼之间,拔下来的树木已经堆成一座绿色小山,树林则出现了一大块缺口。

宁汝馨知道不能力敌,叫着其他人在树林里面顺着边沿悄悄前进,一直转到树林背面。那些真理教徒在外面沿着树林搜索过来,不过他们再也不愿进入这片森林,加上这时光线昏暗,所以并没有看到宁汝馨他们。龙飞凑到宁汝馨耳边,小声问道:"该怎么办?"

"等到天黑的时候,我们尽快离开这里!"宁汝馨很清楚现在如果和那些人冲突没有任何意义,倒不如离开找到援军之后再回来——要对付那些十几米高的巨人,是不是应该动用坦克或者武装直升机?

太阳最后一抹余晖消失在天空的尽头,月光的照耀下,淡淡的树影在地上轻轻摇摆。"走!"宁汝馨小声命令道。

莘藜和张朗都现出原形,伏低身子悄没声息地走到山壁前。张朗跳了几下,发现抓不到上面的石头。这时莘藜张嘴把他叼起来,后腿一蹬猛地向上蹿去,又是接连几次跳跃之后眼看要到达山顶,在她又一次落脚的时候,忽然感到脚下一松向下摔去。总算她反应够快,接着使劲一跃,稳稳地落在山顶。一块篮球大小的石头沿着山壁掉下来,发出一连串清脆的碰撞声。

不远处巡逻的真理教徒立刻警觉,抬起枪就向这边打来十几发子弹,同时大声呼叫着同伴,远处站岗教徒闻声急忙向这边跑过来。几颗照明弹升起,将整个山顶空地照得如同白昼。

宁汝馨急道:"坏了!"

龙飞倒是很镇定,道:"你可以变成鸟飞走。"

这个宁汝馨当然知道,可是:"那你怎么办?"

"不用担心,"龙飞居然还笑了笑,"我可以走到树林深处去,只要待在那里，他们就不一定能找到我。等我们的人来到之后，你再来找我。"

宁汝馨不得不承认这是惟一的办法，她看着龙飞，忽然道："答应我，一定不要死！"

龙飞满不在乎地笑道："我怎么会死？"

宁汝馨点点头，郑重道："我会来找你的！"说完念动咒语，将自己变成了一只黑色的雨燕。这个法术不能把自己之外的东西变形，否则宁汝馨就可以带龙飞一起走了。

那些真理教徒大声呼喝着向这边来，全没注意到天空中一只小鸟无声地飞过。

看着宁汝馨消失不见，龙飞微微一笑。他并没有像树林深处走去，反而走出树林，高举双手，大声道："你们好啊！"

立刻有好几个枪口对准了他的脑袋。一个真理教徒喝问道："你是什么人？在这里做什么？"他说的是汉语普通话，不过发音有些不清楚。

龙飞笑嘻嘻地道："你们在这里做什么，我就是做什么的了。"

"你都知道些什么？"随着这句话，教徒纷纷让开，一个人穿过人群走来，正是那位少校。他走到龙飞身前，一双灰褐色眼睛紧盯着龙飞，沉声道："告诉我！"

龙飞还是笑着道："我知道的不多，一点都不多。"左手忽然一伸一缩，已经把少校腰间的手枪抓在手里，打开保险指着少校，笑道："也许你可以告诉我一些事情？"

少校神色自若，道："你随时可以开枪。"

龙飞也不客气，甩手向少校的膝盖打出一枪。枪声过后，少校还是笔直地站在那里，裤子的膝盖上出现一个小洞，却没有血流出来。接着那个弹头从小洞里掉出来，好像是被什么力量推出来的。

龙飞又开了几枪，不过结果都一样，就连击中少校眉心的子弹也从他的体内"弹"出来。最后龙飞把枪一扔，道："这是什么法术？"

"你没有必要知道。"说着，少校举起手就要命令其他人开枪。

"托马斯，把他带到我这里来。"这声音好像离得很远，却又好像就在身边。

"是！"少校恭敬地点头答应，好像说话者就在他眼前。接着对龙飞道："你可以多活一会了，大巫师要见你。"

第十四章
各 显 奇 能

宁汝馨对迎过来的牡丹劈头问道："哪里能弄到坦克？"

牡丹被她的话吓了一跳，道："你要坦克做什么？"

"去把他救出来！"宁汝馨非常后悔当时的决定，这一路上，她一直在想为什么自己没留在他身边？那个傻瓜真的能照顾自己么？

牡丹先是莫名其妙，马上发现只有莘藜和张朗跟来，大惊道："龙先生被他们抓住了？"

宁汝馨摇头道："暂时还没有。"然后把山上的经过大略说了一下。

"还好。"牡丹松了口气，又道："刚才柳会长打电话过来，说她派来的人已经坐上飞机，正向洛阳飞来。"

"来的是些什么人？"宁汝馨实在有些担心。暂且不论那些武装到牙齿的真理教徒，只是那五个小山一样的巨人就不好对付，更何况还有个制造它们的法师躲在背后。所以宁汝馨才开口要坦克。

"会长没说清楚，不过好像来了不少人。"

"人多不一定管用啊！"宁汝馨心里没底。

有人从屋里出来，大声喊道："他们已经到了，在南郊的军用机场！"

"好，"牡丹对宁汝馨道："咱们一起过去！"

山顶空地上，五个巨人还在不知疲倦地拔起地上的树木，身后堆起好几座木材小山，可见它们的工作效率是如何惊人。

临时搭好的帐篷里，大巫师用他那双似乎时时射出妖异光辉的眼睛盯着龙飞，似乎想用目光把他看穿，龙飞微笑着和他对视着。一时间，这里只剩下轻微的呼吸声，和外面的嘈杂混乱形成鲜明的对比。

过了一会，大巫师才开口道："你是妖魔猎人？"他的发音很特别，每个音节都带着浓重的鼻音。

"算是吧，"龙飞笑答道。

"到底还是来了。"大巫师面容冷淡，与其说他是在与龙非说话，不如说是在自言自语，"这真的有些麻烦了……"顿了顿，又问道："你们是怎么注意到的？"

龙飞笑道："说起来太复杂，我看就算了吧。"

大巫师居然点了点头，道："那就算了，反正也没有意义。"

龙飞原本以为他一定会追问，不禁奇怪道："为什么没意义？"

大巫师没有回答他的问题，而是缓缓道："王认为东方这些国家藏龙卧虎，所以他特别嘱咐我们不要惹人注意，"顿了顿，他的神色转为倨傲，"不过，我想他是过虑了，这里根本没有人能阻止我们拿到宝藏！"

"宝藏！"龙飞兴奋起来，道："你也知道？"

大巫师不屑地瞥了他一眼，道："我当然知道！"

"哦……"龙飞眨眨眼睛，道："那只鼎是你找到的？"

"当然是我！"大巫师的声音里透出无比的得意，"在我第一眼看到它的时候，就意识到它拥有神奇的力量！"

龙飞指着外面，"你们既然能驱使那些怪物，还有些厉害的魔法，这些鼎上的那点法术应该不会放在眼里吧？"

"你知道中国历史上最具有神话色彩的战争是哪一场？"大巫师忽然问出这样一个问题。

龙飞耸耸肩："我对历史不太熟。"

"是商周之战，也就是封神战争！"大巫师摇摇头，好像在感叹龙飞的无知，"在那次战争中所使用的法术和神器令人叹为观止。不过奇怪的是战争结束之后，很多法术和神器就再也没出现过，因此从那之后，中国的法术就开始走下坡路了。"说到这里，他看着龙飞，"你知道这是为什么？"

"被人藏起来了？"

"没错，它们现在就在我们脚下！"他指着外面的铜鼎，"而这些，就是打开宝藏的钥匙！"

龙飞问道："是哪个鬼魂告诉你的？"

大巫师一愣，"什么鬼魂？这些都是我费尽心思收集来的！"看来他根本不曾见过苏妲己的鬼魂。

大巫师忽然点点头,自言自语道:"哦,已经清理好了。"转向龙飞,道:"等明天太阳升起的时候,我就可以打开这座世界上最大的魔法宝藏——当然,还需要你的帮助。"

"我能帮什么?"

大巫师邪恶一笑:"你可以作为我们献给那些古代灵魂的祭品,以表达我们对打扰他们长眠的歉意。"

龙飞居然也笑着回答:"那倒是一件很光荣的工作。"

大巫师冷笑道:"你很勇敢,不幸的是,你勇敢的生命只剩下……"他看看表,"九个半小时。"他提高声音道:"来人!"立刻有三个人从外面走进来,站在那里等待着命令。

"你们好好看着这位勇敢的先生,如果他想逃走,或者是做什么傻事的话,你们随时可以开枪。"

"是!"

大巫师又向龙飞道:"我劝你还是安静地享受这段最后的时光,不过如果你愿意逃走的话也大可一试,反正活祭品和死祭品对我来说都差不多。"说完走了出去。接着外面传来他的呼喝声,大概是在命令着那些巨人。

剩下三人一言不发地瞪着龙飞,手中 M16 的保险打开,黑洞洞的枪口正对着龙飞。

龙飞笑道:"你们可以开枪试试,看看我是不是和你们一样刀枪不入?"那三人一动不动,好像根本没听到他的话。龙飞干脆躺在地下的地毯上,背对着他们睡了过去。那些人依旧一脸漠然地看着他,不带丝毫表情,更没有说过一句话。过了不久,龙飞真的睡着了。

洛阳城南郊,一处偏僻的军用机场。

真的来了不少人:整整一个连的部队!带队的是那个叫周圻的营长,宁汝馨曾经在妖魔猎人总部见过。

见到宁汝馨,周圻走过来,先敬了一个军礼,然后问道:"找到那些恐怖分子了?"

牡丹一愣:"恐怖分子?"

"是这样,"周圻解释道,"我们已经初步将这起事件定性为跨国恐怖活动,所以那些人也就被确定是恐怖分子。"

宁汝馨希望能找到其他妖魔猎人,可是没有成功,失望道:"只有你们?"

"他们都是最好的特种兵,我想应该够了,柳会长也这么认为。"

宁汝馨急道:"可我们要对付的不是普通的恐怖分子!他们能操纵巨大的人形怪物!"

"这件事柳会长已经知道,所以也让我们作了一些准备。"周圻走到一旁,打开一只放在地下的板条箱,从里面拿出一支全新的单兵反坦克火箭扛在肩上,"相信这个可以对付那些怪物。"

毫无疑问,那是一件威力强大的武器。不过更让宁汝馨吃惊的是,她能够感到封印在弹头里的那种强大的灵力——魔法火箭弹!

周圻放下火箭弹,"这是柳会长亲自在我们兵工厂制造的,还有其他的一些东西也是。"原来这两天柳卓群一直在忙这个。

"好,"宁汝馨点点头,"我们这就出发!"她已经相信这些魔法兵器能够打败那些巨人,现在最重要的是把龙飞找回来!

周圻点头,他将手一挥,那些列队站在那里的战士训练有素地登上早就等候在那里的四辆车子,浩浩荡荡地开出去。

路上,宁汝馨问起那天他们离开之后的情景,周圻大略说了一遍。

那天就在黑白无常要与柳卓群动手的时候,一个又矮又胖的秃顶男人忽然出现阻止了他们,并且向柳卓群表示道歉,然后他们就一起离开了,再也没提莫名仙的事情。第二天,柳卓群听完蒋魅等人的报告之后,立刻向周圻要求借用兵工厂赶制一批特殊武器,因为她和军方的关系很好,所以这个要求几乎立刻就得到了批准。当这批武器赶出来的时候已经是晚上八点,柳卓群派人送到机场,与早就等在那里的周圻会合,他们随即起飞,一个多小时之后降落在这里。

听完周圻的叙述,宁汝馨忽然想起一个人来,问道:"那个人是不是叫邵雷鹏?"

"对,柳会长好像认识他。"

难怪黑白无常会服从他的命令,因为他正是两人的顶头上司——判官!只是不知道他的到来是不是秦澈的意思?

说话之间,前面已经没有可以行使的道路,于是所有人一起弃车步行。因为已经知道道路,所以走得比今天早上快得多。终于,莘藜指着前面大声道:"就是那座山!"宁汝馨也认了出来,心头一阵激动:那个傻瓜怎样了?

周圻没有她们那样的夜视能力,只好停下来借助微光望远镜的帮助观察。看了一会,他放下望远镜,低声道:"一排长!"

"到!"

"你带部队从北面上去,不要被敌人发觉!到山顶之后等我的攻击信号!"

"是!"一排长带着三十几个人悄悄离开。

"二排长!"

"到!"

"你带部队绕到东面,堵住敌人退路。尽量抓俘虏,不过如果恐怖分子顽抗的话立即击毙!"

"是!"敬礼之后,二排长也带着他的人离开。

"其他人跟我从西面上去,用火力压制敌人,同时吸引他们的注意力。"

"是!"

"哇,好酷!"莘蓼一脸夸张的羡慕。

听到她的话,周圻道:"麻烦四位跟着我,可能还需要你们的帮助。"他口中的"四位",指的是宁汝馨、莘蓼、张朗和牡丹。后二者,周圻还是第一次见到,理所当然地把他们认作是来协助的妖魔猎人。

宁汝馨摇头道:"抱歉,不过我准备自己进去。"

牡丹立刻道:"不行,这样太危险了!"

"但是我必须知道他现在怎样了!"说完之后,宁汝馨对牡丹歉然道:"对不起,也许我太激动了。"然后对周圻道:"希望我这样做不会影响你的进攻计划。"

周圻略一思索,然后问宁汝馨:"你准备怎么进去?"

"我可以飞进去,就像这样。"说着,宁汝馨再次变成一只黑色的雨燕,停在莘蓼肩上。那些战士已经开始向山顶运动,因此没有看到这令人惊讶的一幕。

周圻震惊莫名,不过很快就恢复常态,道:"既然这样,应该没问题。"顿了顿,道:"我的计划是在太阳升起的时候开始攻击,在摧毁那些巨大的怪物的同时尽可能杀伤敌人,所以请你务必小心。"

宁汝馨点头道:"谢谢。"展开翅膀飞上天空,斜斜地向山顶飞去。

周圻道:"我们也走吧。"和莘蓼等人一起向部队赶过去。

没走多远,就有侦察兵报告发现了敌人的哨兵。周圻冷冷地在脖子上划了一下:杀!对敌人的仁慈就是对自己的残忍,特别在面对这些恐怖分子的时候更是如此。

得到命令之后，一名战士从草丛里悄悄潜到那名哨兵身后，突然跳起来捂住对方的嘴，然后用锋利的军刀在他脖子上划过。

莘藜正想说他的动作不够利落，忽然发现那个真理教徒的脖子上居然没有血流出来！他只是一愣，随即反应过来，挣扎着想把身后的战士甩开。那个战士显然也没想到会是这种情况，死死地按住他的嘴不让他叫出来，同时用军刀猛刺那个真理教徒的后心，不过同样没有血流出来，反而挣扎得更加凶了。

周圻低喝一声："让开！"得到命令之后，战士突然松开那个真理教徒，接着就地滚倒。

与此同时，周圻以最快速度拔枪射击，一声轻微的声音响过之后，那真理教徒的眉心出现一个直径不到五毫米的小洞，鲜红的血液从里面汩汩流出，顺着他的脸流下来。他的脸上露出不可置信的神色，然后慢慢软倒。

周圻神色凝重，走上前去检查一下那名真理教徒。确定他死了之后，打开通话器命令道："所有人员注意，全部更换特殊子弹！还有，射击时瞄准目标的头部！"

第十五章
山顶激战

　　宁汝馨飞过山顶之后立刻倒抽一口凉气：那一大片树林已经被完全拔光——这就意味着龙飞肯定已经被那些人发现了！

　　被拔光树木的平地上露出九块宽阔的方形石板，每块都有一丈来宽，成"田"字形排列。石板表面打磨得很光滑，一看就不是天然形成的。那些真理教徒千里迢迢运来的那九只铜鼎，如今正放在那些石板上。不过这些铜鼎并不是按照大小依次排列，而是似乎杂乱无章地放着。略一思索，宁汝馨就看出了规律：如果以最小的那只铜鼎为"一"，最大的铜鼎为"九"，正东方向为"上"的话，这九只鼎的排列正好是"上九下一，左三右七，四二为肩，八六为足"，按照这种排列，无论横、竖，还是对角线，数目之和都是十五，这正是"洛书"上记载的图形！传说当年大禹治水，曾有神龟出于洛水，背上刻着"九宫"的图案，是以称其为洛书。

　　暂且不去考虑这个图形的意义，宁汝馨注意到在中央的那只铜鼎前有几个人，仔细一看，其中一个赫然就是龙飞！他浑身被拇指粗的麻绳绑得如同粽子一样，直挺挺地躺在一张粗制滥造的担架上，被两个真理教徒抬着。许多荷枪实弹的真理教徒在外围警戒着，并没有注意到死神的降临。

　　宁汝馨心中一沉，虽然刚才她就想到龙飞必定被抓住，可是现在亲眼看到之后，她的心还是猛地一缩。不过至少他还活着——一具死尸是不需要绑起来，这让宁汝馨略微感到一点安慰。

　　在龙飞身边站着一个身穿白色长袍的人，带着一个形状古怪的尖帽子，一块绣满花纹的布片垂下来连脸都遮住，只留下两个窟窿露出眼睛。

宁汝馨感到这人身上散发出强大的魔力,这让她不敢靠得太近,只好落在旁边的树堆上,紧张地注意着情况的发展。一定要把他救出来!她心中不停地重复着。

此时东方天空露出一抹鱼肚白,宁汝馨注意到那些铜鼎庞大的身躯上开始散发出淡淡光芒。和上次在博物馆见到的青白光芒不同,这次发出的是淡淡的赤红色,如同熊熊燃烧的火焰。

那个穿袍子的人高举双手迎向东方,用一种古怪的语言祈祷着,节奏舒缓而悠扬,不过他的声音实在太难听。周围许多的真理教徒也放下枪,低头跟着他的声音祈祷着。

"呲呲"尖啸声中,西面的山头上发出一颗火箭弹,拖着一串白烟飞向站得最近的一个巨人。火箭弹击中了巨人的腰部,炸开一团绚烂的火光。爆炸的威力将那个巨大的身躯从腰间砍断成两截,上半截高高抛起,飞出好远之后才落在地下,同时化成一团细小的粉尘,四处飞扬。爆炸发生之前,又有四颗火箭弹发射出来,向它们庞大的目标扑去。在得到命令之前,这些巨人的反应非常迟钝,所以这些火箭弹弹无虚发,几乎同时命中目标。与此同时,狙击枪沉闷的声音响起,几个正在巡逻的真理教徒脑袋上立刻被开了天窗,步枪子弹巨大的冲击力将他们的脑袋掀起半截来,肯定是活不成了。不过那些真理教徒的反应也相当迅速,立刻明白是有人袭击,飞快地躲到那些树堆后面,随即开枪向山上射击。那些枝杈丛生的大树为他们提供了相当好的掩护,让山上的狙击手再也不能找到合适的攻击点,他们却能透过树枝的间隙将子弹打出去。

一连串爆炸之后,五个巨人无一幸免,他们"死"后留下的大堆灰尘飘荡在空中,就好像放了五颗巨大的烟幕弹,给周圻他们的进攻带来了相当大的困难。不过那些身在其中的真理教徒更是苦不堪言,那些烟尘令他们几乎无法呼吸,只好像没头苍蝇一样在烟雾里乱闯。慌乱之中,有些教徒举起枪漫无目的地向四周扫射,不过因为普通子弹不会对他们造成伤害,所以也就不会"误伤"。

宁汝馨看到有人急急忙忙跑到那个穿长袍的身边,大声道:"大巫师,有敌人进攻!他们的武器能打死我们!"他说的是英语,声音里透出恐惧,就好像一个总是认为自己不会死的人突然发现自己就要死了一样。显然过去他一直对这种"刀枪不入"的魔法很有信心,现在忽然发现它没用了,这怎能让他不震惊万分。

大巫师厉声道:"不要慌,少校!真神会祝福你们的!"

少校精神一振，道："请您用真神的力量，给这些异教徒最严厉的惩罚！"只有真神的力量——或者说这位大巫师的魔法，才能在这个时候给他安慰。

"现在不行，"大巫师的帽子动了动，好像是在摇头，"我必须集中精力打开这扇门，真正的力量就在眼前！"

少校问道："那现在怎么办？"

"你是真神的战士，应该知道现在该怎么做。"大巫师将手放在铜鼎上，这时铜鼎发出的光芒已经变成鲜艳的桔红色，连离开很远的宁汝馨也能感到上面发出的滚滚热浪，而那个大巫师竟然丝毫不惧，"不要辜负真神对你们的期望！"

"是！"少校转身匆忙离开。

担架上的龙飞忽然道："我赌十块钱，这家伙不会为你的那个什么真神，而把自己的小命送掉。"

大巫师居然点点头，道："不错，我也这么认为。不过他还是能拖延一段时间，这就够了。"他抬起头，"因为门马上就要打开了！"

"开了又怎么样？"

大巫师发出一串邪恶的笑声，然后道："我一直很崇拜东方的法术，因此我想用这些法术对付上面的人，以表达我对这个神秘国度的尊敬。"

"哦，"龙飞晃晃身子，"随便你怎样，能不能先把我放开？"

"我想不需要，因为你马上就要彻底解脱了。"

一缕金色的阳光出现在山顶，斜斜地照在这片空旷的土地上，投下一道光明与黑暗的分界线。

铜鼎上光芒变得更加刺眼，整个好像变成了一团跳跃着的巨大火焰。火焰越升越高，形成九条高大火柱。四周的八根火柱逐渐向中间弯曲，最终和中间的火柱汇集在一起。从下面看去，就像身在一个巨大的火焰笼子里。周围的枪声渐渐稀疏，最终停下来，所有人都在目瞪口呆地看着眼前这一幕令人不可置信的景象。

大巫师对龙飞道："时间到了，再见。"说着挥挥手，那两个抬着担架的人一言不发，默默地向火柱走过去。

他们要把龙飞在这火中烧死！宁汝馨再也没法看下去了，她猛地振翅飞起，向龙飞俯冲过去。同时使出两个"心灵震爆"法术，把那两个真理教徒打晕过去。

正想用狐火烧断龙飞身上的绳子，就听到大巫师冷哼道："滚开！"同时一股大力推来,把她撞飞出去。宁汝馨就势在地上一滚,现出九尾狐的样子。接着猛地一蹿,跳到龙飞身上,可惜她没有莘藜那样锋利的爪子,否则就可以把绳子切开。情急之下,她将自己能想到的法术一股脑地向大巫师施展过去,不过在离他身前一米左右的地方就被挡住,似乎有一层无形的屏障。

大巫师伸手向空中虚抓一下,然后猛地一放,又是一股大力向宁汝馨打来,不过这次她有了准备,伏低身子避开了大部分的攻击。即使如此,她还是被这种无形的力量打得一阵眩晕。

大巫师冷笑道:"那就一起当祭品好了!"话音未落,又是一股大力冲来,将龙飞和宁汝馨一同击飞空中,向那根最粗的火柱推去。宁汝馨还没来得及做出反应,已经和龙飞落在熊熊燃烧的火焰里。

一种古怪的声音突然响起,好像是非常尖锐的哨声,充斥在整个空地上空,刺耳的声音几乎将鼓膜刺穿,所有人都不由自主地抬起手想堵住耳朵。

中央那块放置铜鼎的石板变成一种火焰般的红色,缓缓流动,仿佛某种粘稠的液体,又像是没有实体的能量。

大巫师满意地点点头,走上几步,站在原来是石板的地方。那些火红的液体突然蹿起来将他包住,形成一个高高的红色凸起,不停流动的表面在阳光的照射下仿佛无数细小的红色沙粒。这情景实在非常诡异。

那个红色凸起逐渐缩小,最终又变成一个光滑的平面,不留任何痕迹。

周围一片寂静,只有火焰燃烧时发出的声音。忽然不知道哪里传来"啪"的一声枪响,在场的所有人这才想起来:现在实在不是发呆的时候!立刻,密集的枪声再次响起,子弹呼啸着在火柱间飞来飞去,为死神寻找着血祭的祭品。

虽然经过一些军事训练,不过那些真理教徒的枪法和心理素质显然不如经过严格训练的特种兵,因此胜利的天平很快就开始倾斜了。

周圻一直在观察着下面的情况,不过刚才因为烟尘的遮挡,他只看到五根巨大的火柱腾空而起,发生在空地中央的那些事情都没能看到。此时烟尘慢慢落下,他忽然看到一个树堆后面扬起一块白布。

周圻命令道:"停火!"他的命令立刻通过通讯器传到所有人耳朵里。上面的枪声随即停止,下面的树堆后面也不再有子弹射出来。

有人从树堆后面伸出脑袋,大声叫道:"我们投降!"

这边的战士喊道:"把武器扔出来!"

一支支 M16 从树堆后面扔出来,落在一旁的空地上。其中有两支因为没有关保险,碰撞之间走火打出一串子弹。

"把手放在头上,然后慢慢走出来!"

二十名左右的真理教徒从树堆后面走出来,全都两手举起来抱着头,紧绷着脸,神色紧张到极点。这也难怪,任何人在这种枪口环伺的情况下都不可能放松得下来。

留下一个班掩护之后,周圻带头顺着放下的绳梯滑下去,脚一着地,立刻端起枪,以防那些亡命之徒忽然有什么动作。

莘藜的动作最快,她不理那些真理教徒,几个起落就穿过那个巨大的"火焰笼",来到中央那只铜鼎跟前。此时地上的石板已经不再流动,重新变成一块青灰色的普通石头。转了两圈之后,莘藜焦急地自言自语道:"他们哪里去了?"

周圻走到那些教徒面前,大声问道:"你们谁是头儿?"同时其他人上前搜查那些真理教徒身上,以防他们还藏着别的武器。

"我是。"少校走出来,道:"先生,我希望我们可以得到战俘的待遇!"

"抱歉,"周圻摇摇头,"你们不是战俘,而是武装的恐怖分子,这一点请你搞清楚。不过我可以保证,你们会得到公正的审判。"这时搜身的战士们来报告说没有找到什么可疑的东西。

少校的脸涨得通红,过了一会惨然道:"好吧。"好像承认了自己的命运。然后问道:"能不能告诉我,你们的枪怎么能打死我们?"

周圻一拉枪栓,接住枪膛里跳出的一颗子弹,在少校眼前晃了晃,道:"这种特殊子弹,里面蕴含的力量可以穿透你们的法术。"

少校狠狠地瞪着他手中的子弹,过了一会才叹了口气,自言自语道:"我早就应该知道不该来这么神秘的东方……"

莘藜跑过来抓起少校的领子,恶狠狠地问道:"他们在哪里?"

少校莫名其妙,挣扎着道:"你说什么?"

"你们抓到的那个人!"刚才在上面,莘藜也用望远镜看到龙飞被绑在那里。

"啊,"少校恍然大悟,吞吞吐吐道:"大巫师要把他……把他当作祭品……"

"什么祭品?"莘藜追问道。

"就是把他扔进火里烧死!"

第十六章
武王宝藏

周围只有黑暗,绝对的黑暗,妖狐的眼睛可以分辨最微弱的光线,却也无法在这种完全没有光线的情况下看到东西。

宁汝馨动了一下,她尖尖的鼻子碰到某种东西,冰冰的、硬硬的,感觉还有些湿润。她干脆低下头,将额头贴在那块东西上,隔着毛皮传来的冰凉感觉让她清醒了许多。

原本她认为自己肯定要被灼热的火焰烧成灰烬,可是某种奇异的力量将火焰从她周围推开,当她落在石板上的时候一股强大的吸引力将她束缚住,然后她就感到整个世界都在旋转,好像处身在一个巨大的漩涡中。当这种眩晕的感觉消失之后,宁汝馨就发现自己已经在这片没有任何光线的黑暗中了。

心神稍定,宁汝馨把额头离开那个冰冷的物体,也许龙飞就在附近,她这样对自己说,才打起一点精神。为了能看清楚周围的景物,宁汝馨点起两团狐火,飘荡在自己身侧。这种法术是妖狐的特技,是一种用妖力维持的魔法火焰,并不需要可燃物的支持,而且温度可以随着施法者的意愿改变,温度越高则维持燃烧时消耗的妖力越多,所以在道行深厚的妖狐施展下,也可以成为恐怖的毁灭法术。如果只是照明的话,狐火几乎不消耗什么法力。

在狐火苍白的光线照射下,宁汝馨看到在她眼前的那东西是一块冰,足有一米见方的一大块,表面上布满了细小的花纹,不停地反射出变幻的光芒。透过冰层,宁汝馨发现有些东西悬在冰块中央,似乎是六七寸长的一根细棍。不过因为冰层太厚,而且透明度不是很好,所以看不清楚。

　　狐火只能照亮周围三米方圆的一块地方,宁汝馨高声叫道:"龙飞!"
"龙飞——龙飞——"一声声回音接连不断,许久之后才渐渐沉寂下去。
龙飞没有响应。难道他是在刚才的"漩涡"中晕过去了? 宁汝馨又叫了
两声,还是没有回答。

　　从回声可以判断,宁汝馨知道自己是在一个空旷的密闭空间里,两
边边界的距离最少也有一两千米。

　　宁汝馨站起来,将狐火的照明范围扩大到自己能力的极限,达到二
十多米远,希望能找到龙飞的身影。结果还是什么都没有,只看到十几
米开外的地方放着几块和她身边差不多大小的冰块。

　　在原地留下一团狐火作为路标,宁汝馨以这里为中心,开始按照螺
旋形的路线寻找。这种方法相当浪费时间,不过肯定能找到所寻找的目
标——如果真的在这里的话。

　　地面的感觉好像是柔软的沙粒,踩在上面的感觉很舒服。宁汝馨注
意到空气的温度大概在10度左右,那些冰块竟然能保持不化,靠的大概
是地脉的力量。

　　走到另一块冰旁边,宁汝馨歪头向里面看了看。这块冰里的东西比
刚才那块里的要大得多,隐约能看到里面是一大堆卷起来的东西。对
了,这些东西是竹简! 在发明纸张之前,大部分的文字都是记录在这种
用牛筋穿起来的竹片上,因此一本"书"往往需要用牛车来拉。因为不易
保存,再加上历次战乱,使得很少有真正的"简书"流传到今天,不过眼前
冰里的这堆竹简显然保存得很好。不知道这些竹简上记载的是什么?
宁汝馨忍不住想道。不过很清楚就算把这些书拿出来摆在面前,她也看
不懂上面的文字。在这个世界上,能完全看懂这些字的恐怕只有莫名
仙了。

　　"劈啪!"清脆的碎裂声传来,好像是一大块冰被人打碎时发出的声
音,接着是一阵骇人的狂笑。声音就是在她留下来当标志的那团火焰
附近。

　　宁汝馨浑身一震,她听出来这个声音就是那个"大巫师"发出的。他
也来到了这里! 宁汝馨刚才已经知道他的厉害,不敢轻举妄动。她把身
旁的狐火熄灭,悄悄地向声音传来的方向走去。

　　"这个,就是这个!"大巫师兴奋的叫声在空间里不停地回响。宁汝
馨躲在一块冰后面,看到他正在一大堆碎冰中手舞足蹈,双手高举着一

枚六寸长钉,上面还粘着几块碎冰,显然是他刚才敲碎冰块,从里面取出来的。这枚长钉通体遍布精致的花纹,即使相隔十几米,它散发出来的冷冽杀气还是让宁汝馨遍体生寒。刚才她没有这种感觉,大概是因为包着它的冰块有封印的作用。显而易见,这枚长钉是件威力惊人的"法宝"。这样说来,难道其他冰块中封着的也是类似的东西?难怪像这位真理教大巫师这么厉害的人也会想得到它们,这可是真正的"宝藏"!

"我的,都是我的!"火光下,大巫师的脸因为兴奋而扭曲,"我要成为巫王——不,我将是世界之王!"看来他的野心也因为即将到手的巨大力量而迅速膨胀。他高举着那根长钉,几乎是吼叫道:"来吧,在这里显示你的力量!"没有任何反应,大概是因为他使用的方法不太对头。

大巫师显得并不着急,他有的是时间来研究这里宝物的用法。把长钉拿在手里,他向宁汝馨藏身的这块冰走过来,想看看这里面封印着的是什么宝物。走到一半,他忽然发出"咦"的一声。

宁汝馨心叫不好,不假思索地向前急窜。在她身后"嘭"地一声,那块冰被一股强大的力量击成无数碎片,如同锋利的冰刀般向四周飞散。宁汝馨感到后腿一凉,然后是一阵剧痛,知道自己被一块碎冰击中了。

空中的火焰突然熄灭,四周又陷入一片漆黑。这团狐火本来就是靠宁汝馨的法力维持燃烧,她受伤之后自然无力继续支持。

黑暗中,大巫师冷喝道:"是谁?!"他并没有用魔法来照明,因为现在照亮自己周围的话,简直就是把自己给敌人当靶子。

宁汝馨当然不会回答他。后腿上的伤口很深,血不住地流出来。她挣扎着向前爬去,希望尽可能远离这个可怕的敌人。

大巫师没有再说话,宁汝馨忽然听到一种轻微的"嘶嘶"声,越来越近。她忽然想起来,这是"原罪之蛇"的叫声!大巫师显然是把它们带在身上,刚才放出来。这些冷血动物有捕捉猎物发出的红外线,因此黑暗对它们完全没有影响。

宁汝馨感到一阵难以抗拒的疲惫,她几乎要闭上眼睛,等待着死亡的降临。忽然一只手从她身下穿过,接着把她从地上抱起来,然后她就听到龙飞的声音在她耳边低声道:"对不起,我来晚了。"一时间,宁汝馨几乎要哭出来,不过她没有出声,只是张开嘴在龙飞胳膊上咬了一口,轻轻的。

龙飞抱着她,悄没声息地离开原地,在黑暗中无声地跑着。他跑得很快,好像能清楚地看见黑暗中的道路。他的左手好像拿着什么东西,所以只用右手抱着宁汝馨。宁汝馨蜷缩在他的臂弯里，腿上的伤口好像也不那么疼了。

　　走出好远之后，龙飞把左手中的东西放在地下，接着伸手推去。宁汝馨听到低沉的"轰轰"声，眼前透出一点亮光，这才看清楚龙飞推的是一扇厚重的石门。龙飞俯身拿起那件东西，闪身进去，然后回身把石门关上。

　　石门后面是一条狭长的信道，两边的墙上每隔几步就镶着一颗夜明珠，发出微弱的光亮。不过这光线已经足够宁汝馨看清楚了。

　　走到信道尽头，龙飞又推开一道石门。石门后面是一间四米见方的小室，里面空空荡荡，四周墙上也镶着几颗夜明珠，在中央摆放着一张古色古香的矮几，莫名仙双目紧闭正襟危坐在后面。他变的那块五彩石就带在龙飞身上，看来是到这里之后就恢复了人形。他的身体看起来已经完全复原了，不过宁汝馨能感到他的灵力已经所剩无几，几乎到了油尽灯枯的地步。

　　听到龙飞进来，莫名仙睁开眼，看到他怀里的宁汝馨，道："你受伤了！过来，我看看。"

　　龙飞把宁汝馨抱过去，莫名仙勉强抬起手，在她腿上的伤口上方掠过。伤口不再向外流血，不过依旧没有愈合，龙飞见状，从衣服上撕下一块布，把宁汝馨的后腿包扎起来。莫名仙苦笑道："我只能做到这样了。"顿了顿，又叹道："我的伤比想象得还要严重，否则也不需要借助那种东西。"

　　宁汝馨刚才就看到龙飞手中拿着的东西，那是一根长长的木棍头上绑着几根白布。听莫名仙这么说，她猛地明白了，道："这是招魂幡？"莫名仙点点头："不错。"招魂幡，顾名思义能招来死人的魂魄，不过宁汝馨知道这具幡有些特别，连活人的魂魄也能招来，可说是相当厉害的法宝。传说在武王伐纣的青龙关之战中，姜子牙的魂魄就曾经被这幡招走过。

　　莫名仙示意龙飞将招魂幡竖在石室中央，然后从矮几下拿出一个稻草人放在几上，接着从自己手上摘下一枚戒指放在稻草人旁边。做完这一切，他抬起头看着宁汝馨，道："你的内丹……"

　　宁汝馨变成人形，然后张开嘴将自己的内丹吐出来，毫不犹豫地交给莫名仙。莫名仙接过来，将它按到那个稻草人身体里，开始低声念诵咒语。他念的速度非常快，而且声音很低，根本听不清是什么。

　　龙飞问宁汝馨道："决定了？"

"什么？"

"哪颗内丹啊，"一边说着，龙飞俯身检查一下宁汝馨大腿上的伤口，确定包扎没有问题之后，才继续道："你选好了吧？"

宁汝馨点点头，"嗯。"说着拿出一颗内丹放在嘴里，一仰头吞了下去。接着脸上现出痛苦的神色，忽然俯身变回原形，在地上痛苦的挣扎翻滚着。没过多久，宁汝馨渐渐平静下来，勉强哆哆嗦嗦地站起来，这才发现浑身的毛皮都被汗水湿透了。连她自己也没想到，竟然可以这么快就适应了这颗外来的内丹，不过想要完全发挥这颗内丹的力量，就不是一朝一夕可以做到的了。

莫名仙忽然大喝一声："咄！急急如律令！"震得这间石室的墙壁都嗡嗡作响。

九团大小不一的淡青色光芒从头顶的石板中穿出来，飘飘荡荡地向莫名仙飞过去，停在他面前的空中列成一排，轻轻起伏着。与此同时，桌上那只戒指中也升起一团光芒，而且比其他的光芒都要大一些，同样漂浮在莫名仙面前。

莫名仙高举双手猛地一挥："魂魄归一——!"随着他的声音，那十团光芒猛地一起没入桌上的稻草人里，同时发出刺眼的光辉。

光芒散去，一个淡淡的影子出现在稻草人上方，和宁汝馨有七八分相像，正是历史上最有名的狐妖——苏妲己！她虽然还是那样虚无缥缈，不过神情里比上次在博物馆"见到"她的时候明显多了些什么，这让宁汝馨知道，莫名仙的法术的确成功了。

莫名仙的喉咙里发出一阵毫无疑义的声音，目瞪口呆地看着苏妲己。

苏妲己也没有说话，双眉轻颦看着莫名仙，不经意间就透出千般柔美、万种风情，即使没有实体，这绝代风华也足以颠倒众生。

好像过了一个世纪，莫名仙终于嘶哑着声音道："你……能原谅我吗？"

苏妲己轻轻点头，道："我原谅你。"

莫名仙——周武王姬发——笑了，所有的恩恩怨怨，这几千年来的奔波劳碌，全都在这一句话里得到了报偿。

"谢谢。"说完这句话，莫名仙又变成了一块石头，不过这石头的表面再没有那种变幻的五彩光华，这说明，他已经死了。

苏妲己轻轻摇头，脸上流露出黯然神伤的表情。转向宁汝馨道："谢谢你将自己生命的一半分给了我。"

宁汝馨吸了一口气,道:"这是我的荣幸。"

"希望你会得到我没能得到的幸福……"苏妲己的声音低下去,同时她的影子也逐渐变淡,终于消失不见。

龙飞四下寻找一圈,问道:"她去哪了?"

"不知道,"宁汝馨的眼神中透出迷茫,"也许魂飞魄散,或者投胎转世……"她瘸着腿,用三条腿一跳一跳地走到莫名仙变成的那块石头旁边,看了一会,忽然道:"他有没有后悔?"没等龙飞说话,她自己回答道:"那只有他自己才真正知道……"

第十七章
墓穴逃生

一直到离开,龙飞和宁汝馨都没有去碰莫名仙的"遗体"。把他留在这里也许是最好的选择,因为这里本来就是他的"墓穴"。现在,他应该可以享受那迟来几千年的安眠了。

龙飞抱起宁汝馨向外面走去。当第二道石门被打开的时候,宁汝馨被眼前的景象惊呆了。

这里再不是一团漆黑,在广阔的空间中充斥着色彩斑斓的七色光华,将天顶和地面都变成一片绚烂的彩色幕布。数十件大小不同的东西或浮在空中,或落在地下,争先恐后地散发着各种颜色的光芒,同时发出阵阵强大的灵气,有的和煦宜人,有的则暴烈肃杀。在周围灵力的激荡下,几柄长剑不约而同地发出阵阵剑啸。

"是你?"大巫师的声音传来。因为过度兴奋的关系,他的语调既尖且高,和平时有很大的不同。他向龙飞走过来,道:"你还活着,真令我感到意外。"他原来穿的袍子被一件绣着八卦图案的道袍取代,头上则带着一顶武将的云吞虎头盔,脖子上挂着一面铜镜,半边发出白光,另一半则有红光闪耀,左手执着一柄古色古香的青铜长剑,右手还是拿着那根六寸长钉,腰间挂着一个血红色的葫芦,肩上还搭着几条金色的绳子。虽然这打扮令人发噱,不过可以肯定他身上的东西都是宝物,这些法宝发出来的光芒映照在他满是花纹的脸上,显得更加狰狞可怖。

用剑指着龙飞,大巫师狂叫道:"你这个卑贱的臭虫,知道我得到了多大的力量?!"剑尖画了一个半圆,"这里的一切!一切都是我的!"

龙飞笑道:"见者有份,你一份,我一份,"拍了拍怀里宁汝馨的小脑袋,"还有她一份。不过她肯定不要,就当送给我了。所以,你拿一份,我拿两份。"宁汝馨哭笑不得,没想到这家伙现在还有心情开玩笑。

"哈哈哈……"大巫师发出一阵狂笑,道:"我很欣赏你的幽默,如果你愿意当我的奴隶,每天给我讲笑话听,我倒是可以考虑饶了你和这只狐狸的小命!"狂妄中带戏谑,显然是在玩猫捉老鼠的把戏。

龙飞摇头道:"据我所知,现在早就没有奴隶了。"

"我说有就一定有!"大巫师将左手长剑高高举起,"因为我将是世界之王! 全世界的人都会是我的奴隶!"

"当国王的滋味可不好受,"龙飞说得很认真,"恐怕比作奴隶好不了多少,真的。"这句话让宁汝馨觉得他似乎当过国王一样。不过以他的性格,如果真当上国王的话肯定不会快乐。

大巫师这次没有欣赏龙飞的幽默,怒哼一声道:"你敢藐视世界之王?"他扬起右手的长钉,"你知道这是什么?"

龙飞不假思索道:"钉子。"

"在你们的《封神演义》里,它的名字是'穿心钉'。"右手一扬,大巫师断喝一声:"疾!"手中长钉飞上半空化作一道青光,闪电般向龙飞蹿去。

龙飞不知厉害,横跨出一步想要躲开,谁知道这"穿心钉"如影随形,在空中一个转折,继续追着龙飞而来,眼看就要透胸而入。

宁汝馨猛地一蹬,跳起来挡在龙飞胸前,"穿心钉"从她身体里穿过,带起一蓬血雨,溅在龙飞身上脸上。因为这一下阻拦,"穿心钉"被她带歪了方向,没有穿透龙飞的胸膛,不过却将他的左臂洞穿。"穿心钉"在空中划了一个弧线,飞回大巫师手里。

在宁汝馨落地之前,龙飞迅速弯腰将她接住。

宁汝馨喘息道:"你的伤——"龙飞阻止她说下去,飞快地检查了她的伤势。"穿心钉"从她的胸腹之间穿过,几乎所有的内脏都被划破,更重要的是,这个法宝的威力将宁汝馨的灵体结构撕扯开来。对一个妖怪来说,这伤才是最致命的。

龙飞柔声道:"没关系,你会好的,一切都会好的。现在你只要睡一觉,醒来之后一切就都结束了。"宁汝馨感到一阵眩晕,不知不觉间闭上眼睛沉沉睡去。龙飞将手放在她身上,掌心发出柔和的蓝光,宁汝馨身上的伤口开始飞快地愈合。

大巫师看着龙飞的动作,略微有些惊讶:"你是个治疗师?"

龙飞没有回答。他将宁汝馨放在地下,一个小小的蓝色光团罩在她身上。站起身来，龙飞冷冷地看着大巫师，脸上再没有丝毫笑容。他手臂上的伤口不知道什么时候已经愈合，看不到丝毫痕迹，连一点血迹都没有。

大巫师冷笑道："你应该感谢我，给你们说遗言的机会。"说着又将"穿心钉"抛出，"疾！"

这次龙飞不避不让，在长钉及胸之前伸手一抓，就将之抓在手里。双手抓住，"咔嚓"一声折成两节，随手抛在地下。

大巫师看得目瞪口呆，张口结舌说不出话来。

龙飞看着他，缓缓道："这个世界很漂亮，和我的家乡一样漂亮。所以，我很喜欢这个世界……"

大巫师感到一阵莫名其妙的恐惧，惊慌之下他抓起肩上的那几根金色绳索向龙飞抛过去。这些可不是一般的绳子，而是大名鼎鼎的"捆仙绳"，无论凡人神仙、妖魔鬼怪，只要被它捆住就绝对无法逃脱。

"嗡嗡"几声响动过后，大巫师眼前漫起一片蓝影，然后就看到那几根"捆仙绳"断成无数半寸长段的绳头掉在地下。他甚至没看清楚龙飞有过什么动作。

龙飞面容不变，继续道："……不过这个世界也很脆弱，所以我必须控制自己的力量。"

"你没有力量！所有的力量都是我的！"大巫师疯狂地叫着，抓住脖子上那面"阴阳镜"，将镜面朝向龙飞。一团炽热的火焰从那面镜子里喷出来，向龙飞汹涌而去。周围几堆竹简受到波及，燃起熊熊火焰。不过这些火焰对龙飞毫无作用，甚至无法靠近他身周一尺之内。

龙飞跨前一步，"你想要力量？你知道什么叫力量？"

火光中，大巫师忽然发现龙飞的瞳孔变成橄榄仁的形状，与此同时，一种难以抗拒的压迫感将他压得几乎喘不过气来。总算他的神志还算清醒，哆哆嗦嗦地从腰上取下那个血红色的葫芦，好不容易揭下葫芦口的封条，道："请宝贝现身！"因为恐惧，他的声音沙哑而且发颤。

一团白光从葫芦里冲出来，在这团白光里隐约能看到有眼、有耳、有翅。这件法宝名为"血葫芦"，据说是某位仙人送给姜子牙的，能够杀人于无形。

下一句咒语应该是"请宝贝转身"，不过还没等大巫师念出来，那团白光一闪又窜回葫芦里，再也没有出来。接着，大巫师发现周围法宝发出的光芒变得暗淡了许多，一种若有若无的蓝色光辉笼罩了一切。

蓝光是从龙飞身上发出来的,他又向前跨出一步,道:"说实话,在这个世界,我只想做一个旁观者。你要做什么,或者不做什么,我都不想干涉。"

"我要你离开我!"大巫师大口大口地喘着气。这种压迫感让他无法站在那里,踉踉跄跄地后退几步,靠在一面高大古朴的铜镜上。

龙飞摇摇头,"但是不一样了,因为你伤害了我的朋友。"

惊恐到了极点,大巫师反而神经质地笑了:"那只狐狸!"

龙飞走到他身前,冷然道:"如果让我来说,她比你更有资格做一个人。"

骇然之下,大巫师转身想跑,却一下呆在那里。他看到那面铜镜里自己因为恐惧而扭曲的脸,而在他身后的,竟然是——

"哈哈,哈哈哈哈!"大巫师忽然大笑起来,左手长剑在空中挥舞着,同时对着镜子大叫道:"我不怕——我不怕你!"接着不停地用头去撞那面厚实的铜镜,几下就将额头上撞出一道大口子,鲜血流出来,顺着镜面流淌,他却好像丝毫不觉得疼痛,还是不停地撞着。看得出来,这个人已经完全疯了。这种压迫已经超越了他的精神能够承受的极限,他只能选择这种方法逃避现实。

龙飞皱起眉头,他也没想到会是这个结果。

撞了好几十下,大巫师忽然停下,直愣愣地盯着铜镜里的景象,喃喃道:"不,我不会让你吃掉,绝对不会!我要向巫王表示我的忠诚,他会为我报仇!真神,请你降临这里,驱逐一切邪恶!我们的天堂里一定有很多很多女人……"满嘴胡言乱语,越来越不知所云。忽然向上高举双手,大声吼道:"真神的救赎!"话音未落,他身上放射出耀眼的白光,接着"嘭"地一声炸成粉碎。这爆炸的威力惊人,强烈的冲击将周围几百米外三人合抱的石柱生生折断,许多法宝都随着这声巨响灰飞烟灭。

离他近在咫尺的龙飞怡然无损,宁汝馨在那团蓝光的保护下连一根毛也没掉。这个"真神的救赎"也是真理教的专有魔法,让施法者通过自爆来和敌人同归于尽,法力越强的人施展出来爆炸的威力越强。

因为是个密闭空间,爆炸的冲击无处宣泄,只能在这个空间里左冲右突。在这种接连不断的剧烈冲击下,天花板上开始出现无数裂痕,并且迅速延伸着。一大块一大块的石头从天花板上掉下来,随之而来的还有簌簌而下的沙土,整个空间乌烟瘴气,轰轰巨声不绝于耳,一片末日景象。

龙飞抢过去抱起宁汝馨，同时展开步伐向东南角跑过去。莫名仙曾经对他说过，这个"墓穴"的出口就在东南方。

与此同时，外面的人感到脚下一阵阵剧烈的震动，仿佛突如其来的地震一般。极度惊骇之下，他们都从别人脸上看到了无法形容的恐惧。即使是莘蕖和牡丹，也不禁脸现惊惧之色。

忽然"轰隆"一声巨响，那九块石板范围内的地面忽然整块塌陷下去，形成一个二十多米深的方形大坑。震动之下，那些铜鼎东倒西歪，上面燃烧着的火焰也随即熄灭。

因为看起来透着古怪，周圻命令所有战士不要接近那个"火焰笼"，因此当地面塌陷的时候，只有莘蕖、牡丹和张朗随着一起掉了下去，以他们的身手，自然不会受伤。

惊魂稍定，莘蕖惊问道："这是怎么回事？"

张朗神色凝重道："下面的墓穴塌了！"凭着丰富的经验，刚才他就断定这九块石板下面是个巨大的墓穴，只是一直不得其门而入。现在墓穴坍塌，更让他追悔莫及——周武王真墓！还有什么比这个更能吸引一个盗墓妖怪的呢？

莘蕖变色道："他们还在下面！"

"恐怕……"牡丹没有说出来，只是轻轻摇头。谁都明白她的意思：在这种情况下，生还的几率恐怕比花两块钱中福彩大奖的概率还低好几个数量级。

张朗忽然叫起来："那是什么？"只见东南角的那块石板上发出一阵红光，接着慢慢隆起一团东西，到了半人多高的时候就不再上升，颜色也变成普通的青白色。

"啪、啪"脆响声中，那块怪异的"石头"裂开，龙飞上半身露出来，怀里还抱着浑身是血的宁汝馨，大叫道："你们别光看着，快把我弄出来！"

第十八章
古韵余音

宁汝馨趴在龙飞的床上，轻轻活动着她受伤的后腿。因为龙飞说睡他的床对健康有好处，所以坚持让宁汝馨在他房间里养伤，自己这两天则一直睡在客厅里。

自己居然能活下来，这不能不说是一个奇迹，宁汝馨一直这么想。也许是因为这个傻瓜杂乱的房间真的有些特别，才能让自己活下来？想到这里，宁汝馨不禁笑出来。

她曾经问起龙飞自己被穿心钉击中之后发生了什么，龙飞的回答是大巫师因为太高兴结果发了疯，最后干脆自爆了事。爆炸把墓穴整个炸塌，他好不容易才带着她逃出来，其中惊险万状的情形被他添油加醋地讲出来，结果却逗得宁汝馨不住发笑。

敲门声响，宁汝馨道："请进。"

龙飞推开门进来，和他在一起的还有柳卓群。宁汝馨正想站起来，柳卓群急忙示意她不要动。龙飞笑道："还是摇尾巴就行。"平时他进来的时候，宁汝馨只是摇尾巴算作打招呼。宁汝馨狠狠地瞪了他一眼。

柳卓群也笑了，坐在旁边的椅子上，示意龙飞也坐下，称赞道："你们干得很不错！"

宁汝馨道："都是周营长和他的人干的，我们没做什么。"

柳卓群摇头道："他当然也干得不错，不过你们的作用才是最重要的。"不等宁汝馨说话，又道："你的事情，天界已经查明白，不会再有天雷来找麻烦了。"

宁汝馨点点头道："谢谢您。"

柳卓群笑道："这是应该的。如果连你都要被天打雷劈,这世上恐怕就没几个活人了。"说完掏出一张支票,"这是博物馆送来的支票,你们的报酬。"

"其实,"宁汝馨道,"我们什么都没有做,他们完全不必付钱……"

"又来了,"柳卓群挥挥手,"那个叫李维的都快高兴疯了,拿出去八个鼎,回来变成九个! 我看再让他加一倍,他也不会说半个'不'字。"八鼎和九鼎,其文物价值相差何以里距! 如果能证明这九只鼎就是大禹治水时所铸、夏商周三朝镇国之宝的话,申请个世界文化遗产简直是小菜一碟! 这个光荣而艰巨的任务就要让李维去完成了。

宁汝馨道:"我有个问题想问一下,为什么那些鼎会在齐国的墓里?"据李维说,这些鼎最初就是在一个齐国贵族的墓里发现的。

柳卓群略一沉吟,道:"姜子牙的封地就在齐,可能是他帮武王做过一些事情,比如封印妲己的魂魄。因此他的后人知道这鼎里有什么玄机,因此趁着兵荒马乱之际将九鼎弄回齐国,后来带进墓里陪葬。不过这只是我的猜测,这件事的真相到底如何已经没有人知道了。"

宁汝馨点点头,又问道:"莘藜呢?"自从送宁汝馨回来之后,莘藜就再也没出现过。

柳卓群笑道:"她上学去了。"

龙飞惊讶道:"上学?"

"她自己提出来想找点事做,我建议她去读大学。"柳卓群道,"星光女子学院,昨天就去上学了。据她自己说,感觉还不错。"

龙飞笑着接下去:"只要不被那个和尚找到!"

"你说舍荣? 他已经走了,据说要去西藏修行。"说到这里,柳卓群叹了口气,显然她很想将舍荣招入妖魔猎人的行列。

宁汝馨又问道:"那些真理教徒都交待了什么?"

"什么都没有,"柳卓群神色凝重,"他们都死了。"

宁汝馨失声道:"死了?"

柳卓群点点头:"就在移送公安机关不久之后,他们几乎是同时死亡。法医解剖之后得到的死亡原因是心脏病突发。"顿了顿,"看来,我们对真理教的了解还是太少了。"这些人当然不能同时心脏病发作,肯定是某种魔法的作用,问题是他们不知道是什么魔法。

龙飞问道:"那个周圻呢? 他该升官了吧?"

"升官不一定,通令嘉奖肯定是有了——不过还得过一阵子。"

"为什么?"

"他的女儿刚刚出世,所以他请了假,赶回去尽一个丈夫和父亲的责任。"柳卓群展颜笑道。新生命的诞生总是一件令人愉快的事情。

接下来宁汝馨问起莫名仙和秦澈之间的纠葛,柳卓群说她也不太清楚具体是怎么回事,只知道似乎与秦澈的父亲——也就是上一任阎王——有关。

又聊了一会,柳卓群起身告辞,临走的时候还特别嘱咐宁汝馨好好休养。至于另外两件任务已经交给别人去做了,让他们不用担心。

送柳卓群出去之后,龙飞回来,对宁汝馨正色道:"我还有一个问题。"

"什么?"

"你选的是哪颗内丹?"在离开之前,宁汝馨把其他的内丹都放在莫名仙的"遗体"旁边,现在墓穴坍塌,可说是死无对证了。

宁汝馨眨眨眼睛,顽皮道:"这是个秘密,不能告诉你!"

"是么?"龙飞挠挠头,"那就算了。"

宁汝馨露出神往的神情,忽然道:"你说那个鲤鱼精化身成人,和心上人长相厮守的故事是真的吗?"

龙飞为难道:"我怎么知道?"

卷二　灵魂归宿

第 一 章
准 备

夕阳西下,喧嚣的都市再次沉入虚无缥缈的暮霭中,一如千百年来每日不变的轮回。

"累死了!"随着夸张的抱怨,月炎一阵风一样从门外冲进来,把手中的书包抡起一个弧线,重重地扔到旁边的沙发上,接着她自己也倒在沙发里,这才长长地舒了口气。

宁汝馨给她端来一杯水,"考试怎么样?"

"还凑合吧……"月炎一饮而尽,有气无力地哼了两声,"那个家伙偏偏在重要的时候不出来,让我替她受这种罪!"

这两天柳月的意识都在"休息",大概是为了补偿月炎在伦敦时损失的活动时间。月炎本来打算一直请假的,不过这两天正好是高中一年级的分班考试,为了柳月的前途着想,她不得不硬着头皮去参加。

月炎把头靠在巨蜥"小小"冰凉的身体上,给自己运转过度的脑袋降温,"其他人呢?"

"小剑刚才打电话回来,说要去老师家里补课,今晚就不回来了。"

"有人管饭?"月炎坏坏一笑,"这个老师家要破财了!"

宁汝馨也笑了,"大概吧。"东方剑的饭量十分惊人,几乎可以赶得上三个成人壮汉,其他人最初还害怕他不小心把自己撑死,后来也就慢慢习惯了,只是偶尔还会怀疑他是怎么把这么多食物塞进那瘦小的身体里的。

"那个吸血鬼呢?"

"娜丽希雅说难得来到这里,要四处玩玩,早上就叫着莱提斯一起出去了。"

"他们倒是轻松,只有我倒霉! 天啊,明天还得考——试——啊——"月炎显得很是不平,忽然想起来,"对了,我要的东西那家伙买回来没有?"

"他早上就去了,不过到现在还没回来。"宁汝馨眉宇间略带忧色,"我担心,会不会出什么事了?"

在这座城市某处,一座看起来很是古旧的二层小楼早早地陷进旁边摩天大楼的阴影里,青灰色的檐瓦和褪色的红漆木门给人带来历史的沧桑感。

"'德仁堂'……没错,就是这里了。"龙飞抬头看了看那块古旧斑驳的招牌,自言自语道,"在网吧里待得太久了,得快点买完东西回去吃饭才行。"

伴随着刺耳的吱嘎声,龙飞推开门,一股刺鼻的中药味迎面而来。里面空间比从外面看来要小得多,被分隔成许多方形抽屉的柜子整齐地排列着,占据了绝大部分空间。天花板上一盏二十五瓦的小灯泡发出昏黄的光线,让屋里的一切看起来有些朦胧。

"有人吗?"龙飞大声喊了一句。

"叫什么叫?"一个不耐烦的声音从重重药柜后面传来,"我已经下班了! 要买药的话去药店,出门往东三十米就是!"

"就这么做生意? 现在的年轻人,真是没有职业道德……"

低声抱怨着,龙飞绕过药柜,向声音传来的方向走过去。

高高的柜台后面,一个身穿白大褂的年轻人正在百无聊赖地翻着手中的书本,听到有人过来,他头也不抬,"我说过,已经下……"他忽然停下来,瞪大眼睛看着突然出现在面前那张做工精良的卡片,然后抬起头看着龙飞,"你是妖魔猎人?"

龙飞耸耸肩:"没错。"随手把卡片装回口袋里,"如果你们已经下班了,我可以明天再来。"说完转身做出要走的样子。

年轻人急忙站起来,"对妖魔猎人来说,德仁堂是二十四小时营业的!"他好像急于要弥补自己刚才的失误,迫不及待地问道:"需要我为您做什么,龙先生?"

龙飞摇摇头,"还是算了吧,反正也不是重要的事情,最多不过是几条人命而已,没什么大不了的。"

年轻人窘得满脸通红,连声道歉:"对不起、对不起!"

眼看差不多了，龙飞这才道："算了，下次小心点，别人可不像我这么好说话哦！"从口袋里掏出一张折好的纸条递过去，"我要这上面的东西。"

年轻人接过纸条，"血耀石画笔十支，尸油烛两包，冥河暗沙五百克。"念到这里，他抬起头，有些为难地看着龙飞，吞吞吐吐道："对不起，不过你要的这些东西恐怕暂时拿不到。"

龙飞奇怪道："为什么？"

年轻人解释道："血耀石笔还好说，尸油烛和冥河暗沙都是一级管制道具，在妖魔猎人工会里的话。没有副会长一级的批准是不能使用的……"

龙飞没有等他说完，打断道："所以才来找你们——在这里的话，只要付钱应该就没问题吧？"

"话是这么说没错……"

"还有什么问题？还是说，你们根本没有这些东西？"

"货倒是有……"年轻人苦笑一下，"不过都放在库房的保险箱里，只有老师能打开。"

"好吧，那就叫他来！"

"恐怕不行，"年轻人很为难的样子，"他去昆仑山采药了，大概还需要三四天才能回来。"

"这么久？"龙飞皱起眉头，想了想之后，对那个年轻人道："你带我去保险库，我来试试看能不能打开。"

年轻人愕然，"你不是在开玩笑吧？"

"放心，我不会赖账的。"龙飞拿出一张支票递给年轻人，"这些应该够了吧？"

看到支票上的签名，年轻人一惊，抬头看着龙飞："柳月炎？"

龙飞笑道："啊，我算是给她打工的。"

"如果是月炎小姐的人，那就没问题了。"年轻人从柜台后面走出来，用钥匙打开旁边的小门，"这边请！"

走在阴暗狭长的走廊上，年轻人忽然道："对了，我叫陈天鹰，是沈老师的学徒。"

"龙飞。"刚才证件上就是这么写的，陈天鹰已经知道了。

"那个……你是今年通过晋升考试，取得猎人资格的？"

龙飞点头，"嗯，还是个新手。"

"听说资格测试很危险,对不对?特别是今年,好像死了很多人。"

"哦。"龙飞含含糊糊地应了一声。这次测试中发生的"事故"被妖魔猎人协会总部定为最高机密,再三重申月炎等人绝对不能对外泄露半点消息。

陈天鹰也很识趣,"嘿嘿"干笑一声没有继续追问,"本来我也打算参加这次测试的,不过老师不同意,说是因为我还不成熟……说不定真是这样吧?"

"你的老师也是妖魔猎人?"

"不,老师是'超能者'。"

龙飞从月炎那里听到过这个名词。所谓超能者是指那些拥有与妖魔猎人媲美的超常能力,却不属于妖魔猎人组织的人,比如杰克一样的吸血鬼猎人就应该算是"超能者"。

"到了,这里就是库房。"陈天鹰停下来,郑重其事地对龙飞道:"里面有些东西非常危险,所以请你一定不要随便碰任何东西。"

大门打开,里面的空间比想像的要大得多,到处都是一片混乱。高大的货架上堆满了大大小小的纸包麻袋,各种各样的盒子箱子从地下一直摆到天花板,几乎把仅有的路也堵上。一个靠墙放置的货架上摆满了高矮不一的玻璃圆筒,有些圆筒上还贴着黄色的符纸,透过混浊的黄色液体,隐约能看到里面有东西在有规律地抽动。另一边几排长长的武器架上摆满了奇形怪状兵器,从血迹斑斑的狼牙棒到 MP44 冲锋枪,简直像是轻兵器博览会。

龙飞饶有兴趣地看着周围,"你们这里好像有些很有趣的东西。"

"是的,我们的经营范围很广——小心上面!"陈天鹰提醒龙飞注意头顶,那里挂着一口造型古朴的大钟,"这里的很多魔法材料和道具就算是妖魔猎人协会也没有,当然也包括一些管制道具和违禁品。如果在这里找不到想要的东西,别处也很难找到了。"

房间尽头的墙上有一面三米多高的大门,在昏黄的灯光下闪烁着幽暗的蓝光。这道门的整体是用精钢铸成,表面刻满了弯弯曲曲的蝌蚪纹,大概是某种符咒。在门的表面看不到密码盘或者锁眼,只有一对狮头造型的门环。

来到门前站住,陈天鹰转身对龙飞道:"这里就是保险库,你可以用一切手段试着打开它。我去那边找血耀石笔,一会就过来。"说完就把龙飞留在那里离开了。

陈天鹰之所以放心地让龙飞去开锁，是因为他知道这个大门用的是一种非常特殊的魔法锁，这种锁能够辨认主人灵力波动的特点，从而确定主人的身份。没有任何两个人的灵力波动是完全相同的，因此除了特定的主人之外，任何人都打不开这道"锁"。想用暴力破坏更是不可能，这个保险库四壁都是整体浇铸的合金钢板，平均厚度达五十厘米，加上蚀刻的密宗最高级的防御咒术，甚至能轻易抵御核弹头正面攻击！由于沈老师与柳月炎的特殊关系，直接拒绝龙飞"开锁"的要求似乎有点不太合适，所以陈天鹰才带他来保险库，希望他能知难而退。

因为对这道大门实在太有自信，所以当回来之后发现保险库厚重的大门四敞大开的时候，他的惊讶简直无法用语言形容，愣了好一会，才想起来结结巴巴地问龙飞："这、这怎么可能?! 你、你是怎么打开这道门的?"

"我什么都没做，只是一拉门就开了。"龙飞耸耸肩，一脸无辜的表情，"对了，等你的老师回来之后记得告诉他，下次离开的时候不要忘记锁门!"

当龙飞提着一大包东西进门的时候，月炎正手拿一本《黑魔法集注》走来走去，嘴里还小声地念念有词："这个字读'拉米'还是'拉奇'来着? 不对，也许是'里奇'——唉，早知道就该把那套《希伯来咒语简明发音手册》一起找出来……"见到龙飞进来，她停下来问道："东西都买回来了?"

龙飞把手里的大包放在茶几上："粉笔、蜡烛，还有沙子，你要的都在这里。"

月炎满意地点点头："好，这样招魂用的东西就差不多都齐了。"

"不过，这样真的好吗?"宁汝馨面带忧色，"你从来没用过招魂魔法，这样照本宣科不会有什么差错?"

"当然不会，"月炎信心十足，"反正祖母到东京开会了，就算出了岔子也不会有人骂我!"

宁汝馨哭笑不得，"不是这个问题吧……"

"反正只是招魂而已，只要把那个吸血鬼要找的灵魂揪出来就完事了! 嗯，记得听谁说过，吸血鬼都是富翁呢——而且好像是越老的吸血鬼越有钱! 既然这家伙是现在还活着的最老的吸血鬼，帮他做事说什么也不会吃亏吧?"

宁汝馨原来还很奇怪，为什么月炎会对这件似乎没多少油水的事情如此热心，现在才明白她打的是这样的算盘，不禁感到又好气又好笑，心想这个孩子真是一切向"钱"看。

月炎看看门外浓重的黑暗,"话说回来,那个吸血鬼怎么还没回来,该不会是在哪里迷路了吧?"莱提斯和娜丽希雅都暂时住在"月炎大厦",反正这里的空房间还多得是。

宁汝馨道:"应该不会吧。而且莱提斯和娜丽希雅的汉语都很流利,就算真的迷路了,也应该很容易就能打听到回来的路。"

这时娜丽希雅的声音从门外传来:"Help us! 谁来帮忙开一下门?!"

龙飞过去打开门,看到娜丽希雅站在门外,身上的大包小包足有十几个。在她后面的莱提斯更惨,几乎被大大小小的购物袋淹没了。

月炎愕然,"你们这是扫荡去了?"

"这是给大家的礼物!"娜丽希雅看起来很高兴,"连小小都有哦!"

月炎得到的礼物是一个香奈儿的坤包,宁汝馨的是一套漂亮的水晶首饰,龙飞有一付样式新潮的太阳镜,东方剑的礼物是一支派克金笔,巨蜥小小则收到了一堆宠物食品。

好不容易把这堆东西收拾完,莱提斯这才有机会向月炎道:"请问,招魂已经准备好了吗?"莱提斯原本是打算见到月炎的祖母柳卓群之后,请她帮助寻找奈亚的灵魂,但不巧的是柳卓群刚好去日本参加一次会议,于是月炎自告奋勇要为他进行"招魂"。虽然莱提斯不太放心,不过盛情难却,也就同意了。

"差不多了,"月炎打开那本《黑魔法集注》挨个对照着,"画魔法阵的东西都有了,场地不用担心,熟练的魔法师——当然就是我了……啊——"她抬头问莱提斯,"你要找的那个灵魂叫什么来着?"

"奈亚。"

"对了,"月炎拍拍自己的额头,"你有没有什么她生前用过的东西?当然最好是随身物品,书上是这么说的。"

莱提斯感到很为难,奈亚在这个世界的时间本就不长,而且还是在六百多年前。在她死后,莱提斯曾经因为心灰意冷而休眠过相当长一段时间,醒来之后已经过了几百年,早已物是人非,再后来更是时事变迁,光世界大战就打了两回,想找到奈亚的"随身物品"实在是很有难度。

"这个……"说话的是娜丽希雅。她伸出手在莱提斯面前摊开,一枚外表朴实无华的戒指静静地躺在她手心里。

"奈亚的戒指!"莱提斯不可置信地看着娜丽西亚,"怎么会在你这里?"在伦敦的时候,莱提斯当着沙尔达的面把这枚"真名之戒"送给爱丽丝。

"爱丽丝给我的,她还告诉我一些关于这枚戒指的事情。"娜丽希雅笑了笑,不过这笑容看起来很有些勉强,"她说你可能会需要,因此让我把它转交给你。"吸血鬼绝对不能违抗上级的命令,既然莱提斯将戒指送给爱丽丝,后者就绝对不能拒绝。不过莱提斯并没有命令不能转借给别人,所以爱丽丝才用这种办法。

看着娜丽希雅,莱提斯想说什么,不过最终没开口,郑重其事地对她点点头,"谢谢。"

月炎把戒指拿在手里,饶有兴致地研究着,"做工还算不错……哦,"她注意到内圈镂刻的字母,"Naya L.——这是她的名字?"

"没错。"

宁汝馨也对这枚戒指很感兴趣,从月炎手里接过戒指,仔细观察一番之后,她把戒指还给月炎,"这似乎是某种增幅器。"

"我也觉得是!"月炎表示赞同:"不过不知道该怎么用啊,对不对?"虽然是对宁汝馨说话,她却一脸希望地看着莱提斯,不用说也知道她打的是什么主意。

"我也不知道,"莱提斯摇摇头,若有所思。"大概只有恶魔才能使用吧……"发现其他人的神色有些古怪,他这才发觉自己说错了话。急忙补救道:"我是说,如果是沙尔达这样的恶魔,一定知道该怎么使用吧!"除了爱丽丝和沙尔达,没有人知道莱提斯寻找的"奈亚"竟然是个来自地狱的恶魔。

"哦,"月炎看看表,"先不管是恶魔还是别的东西,咱们现在就得开始准备,不然十二点的时候就赶不上了!"

龙飞不知道什么时候把那本《黑魔法集注》拿在手里看得津津有味,听到月炎说要开始准备,"照这上面说,招魂魔法似乎需要很大的魔法阵,你准备把它画在哪里?"

月炎向空中举起右手,"当然是——上面!"

第 二 章
聚　　会

这个季节的夜里常常会起风,尤其是在一百多米高的大楼顶上,狂乱的气流几乎让人站不稳,而呼啸的风声则好像是地狱深处传来的恶魔的咆哮。朔月森冷的光辉照在平台上,给这里的一切涂抹上一层暗淡的颜色。

站在平台边缘,看着辉煌的灯火从下面一直向外延伸到地平线的尽头,宁汝馨忍不住感叹道:"真漂亮!"

娜丽希雅不无羡慕地看着宁汝馨,"真好,我也希望自己能飞呢!"她可不敢站到"悬崖"边上去,就算是站在平台中央,只要想到脚下离地面还有一百多米,她的心里就感到有些毛毛的。"他们为什么要把楼建得这么高呢?对不对,莱提斯?"

莱提斯正弯腰捡起什么东西,听到她的话"嗯"了一声。

娜丽希雅好奇地走过去,"你找到什么了?啊,一颗子弹头!"仔细看看周围,娜丽希雅惊讶地发现附近地面和墙壁上到处遍布着或深或浅的弹痕,"这里发生过战斗吗?"

"这是银子弹,用来驱魔的。"说着,莱提斯略一使劲,手指间的子弹头化成一团细小的粉末随风飘散。

楼梯间里传来月炎的声音:"你们几个,都到这边来!"

人都凑齐了之后,月炎在地上摊开一张图纸,"现在还有时间,我想有必要说明一下这个魔法的具体操作。对了,虽然很烦,不过还是把那个家伙叫出来吧!"然后念动咒语,火精灵细小的身影出现在她身旁。

"介绍一下,这是我的精灵,姆斯比尼!"

精灵立刻大声抗议："注意你的用词！不是'你的'精灵，我只是不小心和你订了一个倒霉的契约而已——喂，要把我照得漂亮一点哦！"最后这句话是对娜丽希雅说的，她正要用相机给这个火精灵拍照。

"好了，这次叫我出来是……"姆斯比尼忽然注意到莱提斯的存在，"呃，这家伙是什么？"

"你发现了？"莱提斯礼貌地微微一笑，"我是莱提斯，吸血鬼。"

"啊哈，吸血鬼！"姆斯比尼看来很高兴，身上火焰的颜色变淡了一点，"我以为你们这一族的老家伙们都死绝了呢，原来还有剩下的！黑暗时代的那段日子不好过吧，你是怎么熬过来的？"

月炎插进来："忆苦思甜的话等会再说，现在我来讲解一下你们的任务。"

"任务？我就知道叫我出来肯定没好事……"低声嘟囔一句，火精灵问道："好吧，这次你又想干什么了？"

月炎不理她，继续道："按照书上的说法，这个魔法需要很强的魔法力进行驱动，用来打开两个世界之间的通道……"

"等等！"姆斯比尼打断她的话，"要打开世界间的通道，你说的是什么魔法？"

"招魂，确切地说，是'回魂术'。"

"回魂？就凭你？绝对不行！"火精灵飞到月炎面前，激动地挥动着细小的手臂，"那可是A级上位的法术，只有专业的灵媒才能使用——你也该很清楚！"见月炎茫然摇头，姆斯比尼更是气不打一处来，整个身体都变成一种骇人的绿色，连附近的墙壁也被映成惨绿的颜色，"天啊，你竟然连这个都不知道！你到底还算不算个妖魔猎人？！"

"不过，"龙飞打开那本厚重的《黑魔法集注》，想给月炎解围："这本书上确实没写招魂魔法是什么级的……"

火精灵哼了一声，"这本书是1856年翻译的，那时候怎么可能有魔法分级？"

龙飞仔细找了找，摇头道："这里只写着'大清咸丰六年丙辰'。"

宁汝馨道："清咸丰帝1851年登基，咸丰六年就是1856年。用干支纪年的话就是丙辰年。"

"完全正确，恭喜你答对了！还是小狐狸有学问，和某个不学无术的小丫头完全不同。"

月炎终于恼羞成怒，大声道："没错，我就是什么都不懂！"猛地一跺脚，"龙飞！带上所有的东西，跟我来！"说完头也不回地从楼梯口冲出去。

龙飞苦笑，"工作，工作！"说着背起装满魔法道具的大包跟上月炎去了。

"狐狸，你等一下！"叫住宁汝馨，火精灵转向莱提斯和娜丽希雅，"很抱歉让你们看到这么一幕。这个孩子总是这么任性，看来离成熟还远得很呢。"说罢叹了口气。

娜丽希雅微微一笑表示理解，"我也是从这个年纪过来的。"

姆斯比尼问宁汝馨："狐狸，告诉我这到底是怎么回事？她要召唤谁？"

莱提斯抢着道："事实上，这应该是我的错。"接着他把事情的经过大概说了一遍。

"嗯，我知道了。"听完之后，火精灵点点头，"不管怎样，只要是这孩子决定的事情，她就一定会坚持到底——这点倒是和她的祖先们很像。"顿了顿，她看着莱提斯，"既然你是委托人，让你做点事情不反对吧？"

"当然，"莱提斯毫不犹豫地答应，"需要我做什么？"

"驱魔。"没等别人发问，姆斯比尼随即解释道："刚才说过了，这个魔法需要强大的魔力，只是依靠施法者本身的魔力是远远不够的，所以，我想月炎应该是想打开这座大楼的封印，利用它从地下导出来的阴气来提供魔力。"

娜丽希雅显得很感兴趣，"这座大楼的封印？"

"是的。这座大楼下面就是方圆数百里内地脉阴气集结的地方，而这座楼就好像是一个巨大的抽水机，不停地把地下的阴气抽上来。所以就在竣工后不久，这里弥漫的阴气就吸引了不计其数的魑魅魍魉，把这里变成了真正的'鬼屋'。开发商委托妖魔猎人来进行驱魔，据说当时的战斗相当激烈。"

"所以才有银弹头留下来。"说话的是莱提斯。

"战斗最后，大楼里的妖魔差不多都被驱散，然后妖魔猎人对大楼进行了封印，让它不会再吸取阴气——不过这只是暂时的，如果封印解除，一切还是照旧。"

"所以月炎才想到利用这种力量……"说到这里，娜丽希雅忽然明白过来："你的意思是，如果解除封印的话，还会引来一些妖魔？"

"就是这个意思，而且恐怕不是'一些'，而是'很多'。月炎应该也想到了,所以才把我叫出来。不过我很担心,狐狸和我不一定能照顾得过来。"

"我明白了。"莱提斯点点头,"我会保护他们。"

姆斯比尼竖起大拇指:"不愧是活过几百年的吸血鬼!"然后对娜丽希雅笑道:"你挑男友的眼光真是不错,不但英俊,而且可靠,还应该很有钱吧?"

娜丽希雅脸上泛起一阵桃红,"你开玩笑了,我只是要采访他而已!"

"好啦,"姆斯比尼并没有深究他们关系的兴趣,"他们应该已经准备得差不多了,我们也不能太晚啊!"忽然嘿嘿一笑,"让那个自大的小丫头尝尝失败的味道,这样也不错!"看来她是认定月炎的魔法不可能成功了。

楼顶平台中央,复杂的线条和符号组成了一个直径近五米的大型魔法阵。在隐晦的月光照射下,整个魔法阵发出幽幽的暗红色光芒,仿佛缓缓流动的鲜血。魔法阵里摆放着许多短粗的白色蜡烛,此时风已经停了,昏黄的烛火静静地燃烧着,空气中弥漫着一股刺鼻的臭味,就像是动物的尸体燃烧发出的味道。

姆斯比尼小声向娜丽希雅介绍:"这个魔法阵是用血耀石画成的,至于那些发出怪味的蜡烛,我想应该是尸油烛。"

"就是用人类尸体炼出来的脂肪做成的蜡烛,对不对?"

姆斯比尼讶然道:"你知道得很清楚嘛!"

"我可是个记者,以前曾经见过类似的东西——当然不一定是真的。"一边说着,娜丽希雅给挂在腰间的录音机换了盘磁带,然后用手提摄像机拍了一圈。

龙飞走过来,愁眉苦脸地抱怨道:"你们怎么才来? 魔法阵都画完了!"他费了好大劲才把被血耀石染成红色的橡皮手套摘下来。

宁汝馨问道:"月炎呢?"

"她在那边,正在做最后的准备。"

娜丽希雅兴奋道:"招魂什么时候开始?"

"午夜十二点,"回答她的是姆斯比尼,"那时是阴气最盛的时候,也是黑魔法最容易成功的时候。"

娜丽希雅看看表,"好,还有二十五分钟!"

"不,"姆斯比尼摇摇头,"工作现在就开始了!"她身上的火焰分出一点,变成筷子长短一根燃烧的火箭。火箭飞出,闪电般射进旁边的阴影里,嘶哑的怪叫声响过,一个虚无缥缈的黑影从那里窜出来,沿着地面滑行到平台边沿,毫不停留地跳了下去。

"一只影魔,"姆斯比尼松了口气,"如果都是这种角色就好了!"

"我感觉到了!"娜丽希雅骤然变色,"有什么东西从下面源源不断地涌上来——这就是阴气?"

"对了!那个小丫头这么早就解开封印,简直是无谓地增加工作量!"姆斯比尼的火焰变成鲜艳的红色,同时身体变大了一倍有余,"这里的阴气连人类都能感觉到,用不了多久恐怕连整个城市的妖怪都会被吸引过来!狐狸,你到北边守着,南边和西边就由吸血鬼老头负责,我去找那个丫头,然后去东边。"听到自己被称为"吸血鬼老头",莱提斯也只有摇头苦笑。

娜丽希雅担心地问道:"会不会有东西从下面上来?"

"那个东西的封印应该跟大楼的封印一起解开了,下面有它在的话应该就没问题了。对了,并不是所有妖怪都有恶意,恐怕大多数都是来凑热闹的。反正原则就是能骗走就骗走,能吓跑就吓跑,只要不捣乱想要留下来看热闹的也可以,碰到实在性格恶劣胡搅蛮缠的再动手好了。"

龙飞道:"可是……"

"没什么可是的!"姆斯比尼毫不客气地打断他,"就这么办,开始吧!"说完整个身体缩成一个火球,向魔法阵的方向飞过去。

莱提斯对娜丽希雅低声道:"跟紧我。"向龙飞和宁汝馨点点头之后就离开了。

"别离开我身边,小心点。"宁汝馨走了两步,发觉龙飞并没有跟上来,回头奇怪道:"你在干什么?"

龙飞看起来还是一头雾水,"我说,你们都在紧张什么?"

"你没听到姆斯比尼的话?"宁汝馨有些着急,"你也该感到了吧,这里高浓度的灵力。很快就会有许多妖怪被吸引到这里来,难道还不该紧张?唉,来不及了!"她拉起龙飞就向北方跑去。

没走出几步,宁汝馨忽然发现平台边多了一个人影。那人看起来大概四十多岁,眉宇间已经有了些许皱纹,身上穿一套笔挺的名牌西服,油光发亮的头发整齐地向后梳着。如果不是在这个特殊的时间和地点看到他,宁汝馨会认为他是个在商场叱咤风云的成功人士。

因为空气弥漫的灵力,宁汝馨无法感觉出对方的妖气,更不知道对方是什么妖怪(突然出现在三十多层高的大厦楼顶,是人类才奇怪了),

她示意龙飞不要动,自己伏下身子悄悄向对方走去。

走到离他不远的地方,宁汝馨听到那人正在喃喃自语,语气很是激动,"就是这感觉……没错,要的就是这感觉!这可比洗桑拿舒服多了,对不对?"

宁汝馨正在奇怪他在和谁说话,就听到一个声音道:"没错,老板。"不知什么时候,一个司机模样的人已经站在那人身边,"刚才在下边停车场遇到些麻烦,有只虫子非要和我争一个车位,还差点动了手。"

"别在这里闹事,""老板"挥挥手,举手投足间很有点成功人士的气派,"有什么事等回去再说。"

"是。"司机咽了一口吐沫,吞吞吐吐道:"老板,我受不了了,能不能……"

"说的也是,来这里就是放松的,不要太拘束了。""老板"松了松脖子上的领带,他的脸上长出一层鳞片,接着是白森森的獠牙从嘴里突出来,同时身体也开始变化,身高增加了一半有余。很快,他就变成了一个龙头虎爪的人形怪物,身后还有一条五彩斑斓的马尾。那个司机的原形和他差不多,不过体型略小一点。

"狴犴!"宁汝馨感到背脊上一阵凉意,失声喊出来。身为天神的后裔,狴犴在妖魔等级的金字塔里是相当靠近塔尖的一族,他们的强大是毋庸置疑的。宁汝馨很清楚自己连一只狴犴都对付不了,更何况这里还有两只!

听到声音,两只狴犴立刻发现了宁汝馨的存在,体型比较小的"司机"大步向她走来,"啊哈,老板,是一个漂亮妞!这味道……"他使劲嗅了两下,"好像是只狐狸!"

"老板"出声呵斥道:"告诉过你多少次,进城就要讲城里的规矩!"然后对宁汝馨歉然道:"这孩子刚从山里过来,还不太懂这里的礼节,有什么冒犯的地方还请多包涵。"他彬彬有礼的态度和狰狞的外表反差太大,反而让宁汝馨不太适应,愣了一下之后才想起来回答:"没、没关系!"

那只狴犴歪着头想了想,"这样好了,我请你吃顿饭作为补偿。迎宾路上有家西餐厅很不错,那里的菜应该合你的口味。"

宁汝馨连连摆手:"不、不用了!"

"齐总?"龙飞过来给她解了围。

"老板"点点头:"我是。"

龙飞递上一个签名板,"请在这里签一下名。"

狴犴很熟练地签好名，把签名板还给龙飞。宁汝馨很怀疑他是怎么用那样的爪子抓住笔的。

"你们的位置在那边。"龙飞给他们指出方向，"虽然没有座位，还是请你们过去就座。"

"司机"嘟囔着："饭店里还有小姐带路呢！""齐总"狠狠瞪了一眼，他这才乖乖地跟着走了。

两只狴犴刚一离开，宁汝馨立刻问龙飞："这是怎么回事？他们是谁？"

龙飞看了看签名板，"英烜公司总经理兼董事长，齐雨，另外那个是他的司机，叫齐天盛——真是有趣的名字。"

宁汝馨没听说过这个名字。这倒并不奇怪，和人类一样，城市里的妖怪都有自己生活的小圈子，再加上他们平时都刻意隐藏妖力混迹于人类中，彼此不相识也很正常。问题是，"他们怎么会在这里？"

"你先看看这个。"龙飞递给宁汝馨一张纸。

宁汝馨狐疑地接过来，见上面用特大号字印着："月光魔法Party——在月光下享受无穷无尽的灵力，感受黑魔法的奥秘！"下面是一行小字："参加费用每位1000RMB(或同等币值)，凭学生证、军官证或死亡证明享受八折优惠，凭低保证或失业证免费！详情请致电130XXXXXXXX垂询……"

看完之后，宁汝馨大概知道是怎么回事了，"月炎的主意？"

"除了她还有谁？"

第 三 章
失　败

"我不就是想逃个票么,犯得上用法术轰吗?要是不小心被打死了,你说我冤不冤?就算死不了,要是缺条胳膊少条腿住进医院得花多少钱?"这位愤愤不平的顾客就是刚才差点被姆斯比尼用火箭射中的影魔。大概是因为义愤填膺,他好像全然没想到自己只是一团影子,根本没有胳膊腿什么的,更不会住进医院。

"对、对!我知道了,给你打九折,行不行?"打发走了那只"因祸得福"的影魔,月炎转身看到姆斯比尼,还没等对方说话,她先抢着道:"我知道你要说什么,可是我不想听,所以你就不用说了!"

她的态度让姆斯比尼更是气不打一处来,"你到底在搞什么?难道你的目的就是想把这里再变成妖怪的游乐场?"

月炎哼了一声:"有什么关系?只是一个小时而已,到时候封印会再次启动,他们也就自然离开了。"

眼看越来越多的妖怪从四面八方到来,姆斯比尼知道事情已经无法挽回,扔下一句:"小心点别出了乱子,否则你的妖魔猎人资格就别想要了!"气呼呼地飞走了。

没过多长时间,"月炎大厦"的楼顶除了魔法阵附近,别的地方已经站满了妖怪,此时的妖怪们都卸下了平日的人形,各种奇形怪状的样子令人眼花缭乱。还有许多被吸引来的游魂野鬼,在平台上空飘飘荡荡。

虽然"妖"数众多,这里的秩序却很好。月炎把包括那只叫"齐雨"的狻貌在内的几个比较熟的厉害妖怪分开安排在楼顶各处,这样其他妖怪就算有心想捣乱一番,大部分也慑于他们的力量而不敢轻举妄动。

妖怪众多可苦了龙飞,他跑前跑后忙着登记收费。倒没有多少妖怪会赖账,问题是他们拿来付账的"钱"实在五花八门:掏美元港币的是现在混得好的,拿金银元宝的是过去日子富的,另外铜钱银元,甚至银票都能在这里看到!还有一个水猴的钱包里只有墨西哥比索,他从中美洲偷渡过来旅游,还没来得及兑换,龙飞问了一圈,只有莱提斯能听懂那只尾巴上长手的猴子嘴里叽里咕噜的西班牙文,不过问他也不知道墨西哥比索的汇率是多少。

当午夜来临的时候,空中弥漫的阴气浓度到了最高峰,同时这个奇怪的聚会也达到高潮。在场的妖怪都如痴如醉,全身心地享受着完全浸润在灵力中的奇妙感觉。对妖怪来说,这既是一种难得的感官享受,也是提升自己修为的捷径。至于那些飘忽不定的游魂,虽然同样会被阴气吸引,不过能从中得到的好处却十分有限,而且如果在其中待久了,还可能受到影响变成丧失理智的恶灵。当初占据这座大厦的就是一群在阴气中狂暴化的鬼魂和被他们控制的人类以及妖怪。

宁汝馨看到月炎走进魔法阵,急忙招呼龙飞过来。后者这才放下手上的工作,穿过呆在原地的妖怪向魔法阵这边来。

莱提斯和娜丽希雅也从妖怪群里挤过来,和他们在一起的还有姆斯比尼。火精灵的身体发出耀目的白炽亮光,应该是受到空气中充斥的灵力影响才变成这样的。

"嘿,看来就要开始了!"娜丽希雅兴奋道。她手忙脚乱地架好摄像机,又给照相机换了个胶卷。

"看他们可笑的样子,连口水都流出来了!"虽然这么说着,姆斯比尼却一点也没有笑,反而显得忧心忡忡,"大概是因为被压抑太久了,这里的阴气比我预料得还要强,连我也几乎要迷失了……"

莱提斯表示同意,"这种力量太强大了,封印起来是明智的选择。"

姆斯比尼问宁汝馨:"狐狸,你觉得怎么样——对了,你怎么还没变成狐狸?"

经她提醒,宁汝馨才发现这里只有自己一个还维持着人形的妖怪,显得很有些格格不入。"我……觉得这样比较好。"

姆斯比尼显然很是奇怪,正想再问宁汝馨,就听到娜丽希雅道:"啊,开始了!"她刻意压低了声音。

月炎站在魔法阵中央,用一个银色的勺子从左手抱着的黑色陶罐里舀出些东西,然后轻轻撒向四周。她的动作很小心,好像生怕沾到自己身上。

娜丽希雅调整好采访机的话筒,"请问莱提斯先生,那个黑色罐子里装的是什么?"

"是冥河暗沙,"回答她的是龙飞,"那一罐里有五百克,德仁堂卖一百五十万,我就是从那里拿来的。对了,好像是挺危险的东西。"

"和地上那些点着的尸油烛一样,这些沙子也是 A 级管治道具"姆斯比尼接着道,"它们代表'生'与'死'的交界,如果不小心沾到身上的话,灵魂就要被带到冥河对岸去。看,那些鬼魂可不喜欢这东西。"果然正如她所说的,飘荡的鬼魂都远远地逃开,不过它们还是无法抗拒阴气的吸引力,在平台周围的空中徘徊不去。

说话间月炎已经把所有冥河暗沙都洒完了,她把那枚"真名之戒"放在魔法阵中央,走出魔法阵。将银勺和罐子放在地下,月炎双目微闭,向魔法阵平举双手,开始用一种奇怪的语言念诵咒文。

娜丽希雅继续她的工作:"这是什么语言?"

"汉语吧?"龙飞猜测道,不过他也拿不太准,"那本书就是用汉字写出来的。"

莱提斯道:"这是古代希伯来的语言,我见过一本魔法书也是用这种语言写成的。"

娜丽希雅接着问莱提斯:"能不能把她的话翻译过来?"看得出来,她对莱提斯的态度与别人很不同。

"我试试。"莱提斯仔细听着,小声道:"打开天堂之门,灵魂带走使徒的圣光;打开炼狱之门,灵魂带走烈火的热度;打开地狱之门,灵魂带走硫磺的臭气……听到死亡的歌声,然后才能给你重生的希望,看这里,血红的光辉将变成你的路标,指引你回到这个世界,回到这个世界……后面就是一直重复这句话。"此时月炎的确是在重复同一句话。

"大概就是这个意思,具体的用词上可能还得再斟酌。"虽然莱提斯自己觉得不太满意,其他人却已经佩服得五体投地了。能够顺畅地同步翻译出早已消失的古代语,这可不是谁都能做到的。由此可见,活得时间长就是有好处。

魔法阵变得越来越亮,地面上扭曲的红色线条逐渐向外凸出来,随着月炎的声音缓缓抽动着,就像一条条刚从肌体里抽出来的血管。

"这法术看起来有点恶心,和月炎小姐的形象不太合适吧?"不知什么时候,那个齐雨已经来到宁汝馨背后。受到阴气的影响,他身上笼罩了一层五彩光晕,青白色的流影微微漂浮在空中,配合着他高大雄壮的身躯,宛如天神降世般威风凛凛不可一世。现在还能保持清醒,说明他已经强大到足以抵制阴气带来的迷失。

"是么?"龙飞看得津津有味,"我倒觉得挺有趣的!"

"我是齐雨,"齐雨低头用他铜铃般的眼睛看着宁汝馨,"小姐面生的很,最近才搬来的?有这么一位法力高强的狐仙驾临本市,我们竟然到现在才发觉,实在是失礼得很。"

"我想您可能搞错了,"宁汝馨不知道他有何居心,但是对这个"前辈"不敢怠慢,"我的道行还浅,实在当不起'法力高强'的评语。"

"不用过谦,"齐雨挥挥爪子,一张烟盒大小的纸片凭空出现,平稳地飞到宁汝馨面前,"这是我的名片,如果有什么问题打电话过来,我会尽量帮忙。"然后向姆斯比尼和莱提斯略一点头,算是打过招呼。也没看到他怎样动作,齐雨庞大的身躯已经穿过拥挤的妖怪回到自己的位置。

姆斯比尼凑到宁汝馨身边,低声笑道:"他好像对你有意思哦!"

"开玩笑的吧。"宁汝馨希望如此。齐雨显然是过高地估计了她的实力,希望不要因此而产生更多的误会才好。总算他看起来没有恶意,这让宁汝馨略微感到安心一些。

此时魔法阵中的情形已经发生了变化:地上那些蜡烛的光苗上开始冒出缕缕黑烟,这些烟气不但没有四下飘散,反而在魔法阵中央上空聚集成一团。烟团越来越大,与此同时,地面上的"血管"里向这个黑色圆球射出无数根发丝般粗细的红色丝线,将两者牢牢地联系在一起。随着红色细丝的数量逐渐增加,烟团也渐渐变成血一般猩红的颜色。空气中充斥的阴气仿佛被它所吸引,飞快地向魔法阵中央集中过去,在空中形成一个无形的巨大漩涡。有些离魔法阵比较近的鬼魂躲避不及,被漩涡卷进去,空中充斥着它们凌厉的哀号,情景如同人间地狱。

这个情景实在太过诡异,娜丽希雅不禁打了个哆嗦,手中的相机掉在地上。她并没有去捡相机,而是抓住莱提斯的手。后者犹豫一下,反手握紧她的手。

宁汝馨问姆斯比尼:"我有种不祥的预感……没问题吧?"

这时龙飞口袋里发出一阵不合时宜的音乐声,听起来是《蝶恋花》的调子,在这种时间和地点很有些荒诞的感觉。

"四十和弦的。"娜丽希雅低声道。

龙飞掏出一个小巧的亮红色手机,毫不客气地打开接听。这台电话是属于月炎的，因为担心会对施法有影响，所以刚才交给他保管。

"喂？……啊，月炎现在很忙。……对，正在用——什么？哦，我知道了，这就告诉她！好的，再见。"说完，龙飞把手机合起来。

姆斯比尼问道："是谁？"

龙飞道："一个女人，也没说自己是谁。她说陈天鹰给我的蜡烛搞错了，那些不是尸油烛，而是一种叫做'魔油烛'的东西。"

"什么？！"姆斯比尼的火焰更加明亮，"你们刚才怎么没有发现！难道不知道尸油烛燃烧发出的是臭味，而魔油烛的味道是香的？！"看其他人茫然的神色，说明这些人真不知道这个"常识"。姆斯比尼自己不能分辨气味，所以一直到现在才发现这个错误。

经姆斯比尼一说，娜丽希雅注意到空气中弥漫着一种甜腻的香味，就像是廉价的化妆品发出的味道，她问道："如果搞错了，会发生什么事？"

"魔法失败！还能有什么结果？"火精灵大声道，"嘿，谁去告诉那个小丫头，不用白费劲了！"

宁汝馨把这个艰巨的任务接下来，"我去吧。"

"等等，"莱提斯叫住她，脸上露出专注的表情，"这个魔法还在进行，而且……有什么东西过来了！"

姆斯比尼显然也注意到了，不可思议道："不会吧，难道用魔油烛也行？"

莱提斯仔细捕捉着空中细微的波动。从那堆扭曲的红色魔法阵中传来一种熟悉的感觉，充满了危险的味道，尘封数百年的记忆猛地涌出来，他不由地喊出来："是处刑恶魔！"

宁汝馨奇怪道："那是什么？"

来不及解释，莱提斯抢上前去，想阻止法术继续进行，不过已经太晚了。

原本不断扭动的魔法阵现在一动不动，好像一座复杂扭曲的雕像。在这座雕像中心，隐约能看到一团血红色的光芒，忽明忽暗地闪动着。月炎停止咏唱咒语，向后退开几步，满意地看着自己的杰作。书上没说这个魔法会得到什么结果，大概现在就好了吧？她是这么想的。

莱提斯急忙道："离开那个东西！"

月炎本来是满心期待莱提斯对她感激涕零的，没想到却听到这么一句，不禁愕然道："这不是你要找的灵魂？"

莱提斯没有回答,而是伸出手抓住月炎,几乎把她提起来,将她拉开好远,一直退回到宁汝馨他们旁边。

妖怪中的大多数完全没注意到这里发生的事情,全身心地享受着阴气带来的快乐。不过其中几个最强大的妖怪显然感觉到什么,警觉地看着魔法阵中那团闪烁不定的红色光芒。

月炎还没弄明白发生了什么,莫名其妙道:"怎么了? 不对吗?"心想就算找错了灵魂也没什么大不了的吧?

"那不是灵魂,"姆斯比尼也感觉到了,"看来那些魔油烛招来了奇怪的东西呢……"

月炎疑惑道:"什么东西?"

莱提斯紧张地盯着魔法阵中央,低声道:"我感到恶魔的气息,确切地说,是处刑恶魔!"

月炎茫然摇头,表示自己不知道。

这时火精灵也没心情说她不学无术,解释道:"处刑恶魔是恶魔中的执法者,负责暗杀敌人或者追杀叛徒,在恶魔中的等级很高——也就是说,非常厉害!"

月炎一听也有些慌了,"那我现在就关闭通道,把它送回地狱去!"

"来不及了,"莱提斯目不转睛,低声道:"它已经出来了!"他的双手浮现出一层暗红色的光辉,缓缓流动着。这应该是吸血鬼的特技,血腥触摸。

魔法阵中,那团红色的光芒越来越暗,终于和周围的黑暗融为一体。"咔咔"声响中,空中交织的红色细丝碎裂成漫天粉末。

莱提斯双手紧握成拳,眼中似乎有一团冰冷的火焰。

红色的尘埃渐渐散尽,一个圆滚滚的物体出现在空中,大概比篮球稍大一点,表面披着银灰色的鳞片,在晦暗的月光下反射出点点亮光。圆球上有一对蝙蝠样的膜质翅膀,不过与身体比起来这翅膀实在小得可怜,只有不停地挥动,才能勉强把身体维持在空中。在这个圆球下面脱着一条细长的尾巴,灵活地扭动着。

看到这个"怪物",所有清醒着的人都惊讶得合不拢嘴,宁汝馨首先发问:"这就是'处刑恶魔'?"

"大概……不是吧?"莱提斯也拿不准。刚才他的确从这个魔法阵里感到了处刑恶魔身上特有的冷冽气息,不过眼前这个飞行的圆球却显然没有处刑恶魔应该有的力量,更谈不上什么压迫感。

"看起来好像很可爱，"娜丽希雅对这个奇异的生物很感兴趣，"真想抱抱看！"

　　姆斯比尼道："还是小心点好。不管怎么说，这家伙肯定是个恶魔。"虽然这么说，她也感觉不到这个东西有什么威胁。

　　"如果卖给那些有收集癖的富翁，肯定能换不少钱……"感觉到火精灵不太友善的目光，月炎哼了一声，"我当然知道这是违反规定的，开个玩笑还不行？"

　　正说着，圆球上有两片椭圆形的皮肤向旁边滑开，露出一双火红的眼睛，又圆又大，滴溜溜地转个不停。接着圆球的下半部分开始有规律地颤动，发出一种又细又尖的声调，节奏非常快。

　　"好像是在说话！"龙飞很感兴趣，"谁知道它在说什么？"

　　其他人纷纷摇头。姆斯比尼道："它说的好像是低阶恶魔之间的语言，我也不太清楚。"

　　脚下的地面轻轻颤动两下，沉闷的轰隆声从地底传来，随即恢复了平静。封印再次启动了。

第四章
同　学

　　封印启动之后，空气中充斥的阴气也随之逐渐消散。那些妖怪从失神的状态恢复过来，纷纷向月炎告辞离开，很快走个干净。因为过于幸福，有些妖怪离开的时候忘了隐藏自己的原形，在午夜宁静的大街上引起一点不大不小的骚动。看来用不了多久，关于这座大厦的恐怖传说又要更加丰富了。

　　妖怪们都离开之后，天台上显得有些冷清。那个"恶魔"还被困在魔法阵里，拼命呼扇着翅膀，发出一阵阵奇异的叫声。

　　娜丽希雅在它身上用掉了整个胶卷，终于心满意足地停下来，这才问姆斯比尼："请问，你知道它是什么吗？"相机的闪光似乎让那个小怪物有些紧张，发出的叫声更加急促了。

　　"天知道，"火精灵做了一个类似耸肩的动作，"比起这个，我现在更关心的是怎么处理这家伙！"

　　月炎倒是显得很轻松，打个哈欠，"我要去睡觉了，明天还有考试。"

　　"别想跑，"姆斯比尼叫住她，"把你弄出来的东西送回去再走！"

　　"明天再说吧，"月炎撇撇嘴，"考试之前要有充足的睡眠——你也不想柳月的成绩单上出现几个零蛋吧？据说这次是什么分班考试，考得太烂就会被分到差班，然后很可能因此考不上大学，结果就找不到好工作，然后柳月说不定就流落街头……"

　　"好了，够了！"火精灵被她这番话弄得昏头涨脑，只好认输，"你快去睡吧！"心想把她打发走也许还更好。

　　月炎露出胜利的笑容，"那，这个东西就交给你们处理了。"转身就走。

火精灵喊道："别忘了把小小封印起来！"

"知道了！"月炎头也不回地挥挥手，走下楼梯。

姆斯比尼无奈地叹了口气，然后飞到魔法阵旁，喃喃自语道："现在，得想办法把这东西送回去……"

"恐怕有难度，"说话的是龙飞，他还抱着那本《黑魔法集注》，正在翻着，"这上面没有说该怎么把召来的东西送回去。"

姆斯比尼道："看看召唤恶魔的章节，我记得上面应该有介绍的。"

"哦，在这里。"说着，龙飞把书翻到另一页，"上面说如果是召唤恶魔的话，只要不破坏或者改变魔法阵，并且也不与恶魔订立契约的话，用不了多久恶魔就会自己离开。"

娜丽希雅不解道："为什么？"

"谁知道？"龙飞摇摇头，"反正书上是这么写的。"

莱提斯解释道："因为一般召唤来的恶魔等级都不会太高，如果没有契约者提供魔力的话，在这个世界里很快就会因为衰竭而失去力量，所以如果不能达成契约的话，大部分恶魔都会尽快离开。"

娜丽希雅又问道："为什么不能破坏或者改变魔法阵？"

"因为魔法阵是连接恶魔的世界——也就是你们说的地狱——和这个世界的通道，如果通道被破坏的话，当然也就不可能回去了。"顿了顿，莱提斯继续道："据说有些人类会利用这一点，先用召唤魔法阵召来低等恶魔，接着将召唤魔法阵改成禁锢魔法阵，把召来的恶魔囚禁起来，等恶魔的力量差不多耗尽之后，再用药物或者法术进行控制，然后把它们当作宠物或者奴隶卖出去。"

娜丽希雅头一次听说这种事情，惊讶地合不拢嘴，"居然有这种事情？不可能吧？"

"啊，这是真的。而且不单是恶魔，其他的妖怪或者精灵也是他们的'商品'。"火精灵插进来道，"据说这种交易背后有一个组织在操纵，妖魔猎人协会一直想把他们挖出来，不过到现在为止还没有任何线索。"

娜丽希雅想了想才弄明白火精灵的意思，心想这可是很有价值的线索！

姆斯比尼有些不耐烦了，"这家伙怎么还不走？"

"我想……"宁汝馨忽然道，"会不会是因为魔法阵坏了，所以它回不去？"

"有可能,"龙飞表示同意,"这个魔法阵本来就不是召唤恶魔用的,更何况施法者的水平⋯⋯嘿嘿⋯⋯"说到这里他苦笑摇头,"我看出什么岔子也不奇怪!"

娜丽希雅忽然发出一声惊呼:"蜡烛!那些蜡烛要灭了!"众人这才注意到,魔法阵周围的蜡烛已经燃尽,仅存的烛芯在熔化的油脂里有气无力地燃烧着,随时可能熄灭。

姆斯比尼"嗯"了一声,"如果蜡烛熄灭的话,这个魔法阵就彻底报废了。哼,魔法阵都是些脆弱的东西。"

烛光闪了两下,终于熄灭。接着,流转在地面上的妖异红色光芒渐渐褪去,只剩下那个圆球扇着翅膀飘在空中。

"吱!"圆球发出一声充满喜悦的尖叫,晃晃悠悠地向娜丽希雅飞过来。当它飞行的时候,圆滚滚的身体在空中一沉一浮,看起来十分笨拙,而且速度实在令人不敢恭维。其他人这时才注意到,在这个滚圆的身体后面有一根又细又长的尾巴,灵活地卷曲扭动着,好像一条小蛇。在尾巴三角形的末端上挂着一个小东西,正是那枚月炎用来召唤的"真名之戒"

宁汝馨道:"小心!"虽然这么说,她也看不出眼前这个东西会造成什么威胁。其他人的想法和她大概相同,都想看看这个"恶魔"想做什么,也就没有阻止那个圆球。

圆球飞到娜丽希雅面前,绕着她上下飞了好几圈,发出一连串"呜呀——呜噢——"的声音,看样子似乎很兴奋。

娜丽希雅大着胆子伸手摸了摸它。和想象中不同,表面的鳞片并不像爬行动物一样冰凉(比如巨蜥),而是暖暖的,摸起来很舒服。

圆球更加兴奋,发出"呼呼"的声音,使劲向娜丽希雅怀里拱着,尾巴在娜丽希雅胳膊上缠了好几圈。

娜丽希雅被它弄得很痒,发出一阵"咯咯"的笑声。

宁汝馨笑道:"看来它很喜欢你呢!"

"是啊,"娜丽希雅双手抱住那个圆球,"我也很喜欢它!"接着问姆斯比尼:"我可以养它吗?"眼中都是渴望的神情。

"你想收养这家伙?"火精灵想了想,"嗯,首先应该确定它对别人没有危险,还得征得它本人的同意,另外需要办一些手续⋯⋯这个我也不太清楚。等柳卓群回来,你问她吧。只要她点头,你养恐龙都行!"说着打了个哈欠,"无聊死了,我回去了!"火焰构成的身体闪了两下,消失在娜丽希雅问宁汝馨："柳卓群？是不是月炎小姐的祖母？"

"对，她是这里妖魔猎人协会的会长。"

"哦，我等她回来！"娜丽希雅真的很喜欢这个小怪物，忽然发现它身上粘了不少血耀石的粉尘，"我带它去洗个澡！"把圆球捧在手里，"来，宝贝洗澡喽！"

宁汝馨道："我来帮你。"看来不论人类还是妖怪，女人对可爱的东西都没有多少免疫力。

于是两个女人带着那个怪物匆匆走了。

莱提斯正要下楼，龙飞忽然笑道："看来你又得在这里住一阵了。"

"是啊，"莱提斯苦笑，"我想还得打扰一段时间。等柳卓群女士回来，我想请她为我寻找奈亚的灵魂。"看来月炎这个二流魔法师恐怕是不能指望了。

龙飞点点头，"你说的奈亚，是个恶魔？"

"嗯，"莱提斯不知道他想说什么，反问道："你怎么知道？"

龙飞笑了，举了举手中的《黑魔法集注》，"这上面有关于真名之戒的记载，我也是刚看到。"顿了顿，又道："寻找一个恶魔的灵魂，就算是对招魂大师来说也是个艰难的挑战吧？"

"我知道，"莱提斯神色一黯，"不过，值得试一试。"与其说是对龙飞说，不如说他是在对自己说话。

龙飞道："你怎么知道月炎召唤来的不是你要找的灵魂？"

莱提斯先是一愣，接着摇头道："那不是奈亚的灵魂，我能感觉出来。"

"哦，原来是这样！"龙飞露出恍然大悟的表情，"那就当我没说！"

第二天清晨，月炎床头的闹钟里传出电子合成的鸡叫声。

"嘭！"一团火球砸在闹钟上，把它熔化成一团歪七扭八的塑料。

又过了一会，月炎才从床上爬起来，睡眼惺忪地走到穿衣镜前，看着镜子里面的自己发了一阵呆，发出一声呻吟："为什么今天还是我？"

换好衣服，月炎走出房门。宁汝馨正在张罗早饭，见她出来，道："睡得好吗？"

"将就着吧。"月炎看看放在电梯门旁边古色古香的落地钟，忽然脸色一变，"已经这么晚了?!"一下子慌了手脚，连饭也顾不得吃，抓起书包就向外跑。

"等等!"宁汝馨想叫住她,"娜丽希雅有事情要问你!"

月炎头也不回,"等我回来再说!"出门拦住一辆出租车钻进去,绝尘而去。

当她赶到学校的时候,老师已经开始发试卷了。看到月炎进来,监考老师示意她到座位上坐下。

等到考试结束已经是时近正午,从考试中解脱的学生们从教室里走出来,好像得到大赦的囚徒。校园里的气氛活跃起来。

站在教学楼前的空地上,阳光有些刺眼,月炎伸了个懒腰,长舒了一口气,"呼,总算考完了!"心想现在时间还早,不如去妖魔猎人协会看看,说不定会有几个赚大钱的工作等着她呢。

忽然有人喊道:"总算找到你了,柳月!"

三个女生走过来,显然她们是把月炎错认成柳月了(其实也不算认错)。其中一个最高的女生问道:"你考得怎么样?"

月炎含含糊糊道:"还可以吧。"她不想让柳月的秘密被拆穿,让柳月过普通人的生活,这是她们之间心照不宣的约定。

"那就是很好了……"另一个梳马尾辫女生叹了口气,"我可是考砸了,数学的大题连一半都没做出来!看来我铁定要被分去文科班,咱们就此永别了……"说到这里,她夸张地抹了抹眼泪,然后吐了吐舌头做了个鬼脸。

"行了吧,你!"另外那个短发的女生笑着推了马尾辫一下,接着问月炎:"你的胃病好了吗?"看得出来,她的确很关心。

月炎道:"已经好多了。"月炎忙着赚钱,当然不可能总是来学校替柳月上课,因此常常用生病作为借口请假,像这次伦敦之行,交给老师的假条上就带了一份"胃溃疡"的住院病例(顺便一提,替月炎"伪造"病例的是本市中心医院货真价实的主任医师)。长此以往,同学和老师眼中的柳月自然成了一位弱不禁风的"林黛玉"。

马尾辫道:"你的身体也太差了吧?整天不是胃疼就是感冒,这次居然请一个多星期假,我们还以为你没法参加这次考试了呢!"

月炎心想:我还不想参加呢!嘴里道:"如果没事的话,我要回家了。"

短发女生急忙道:"那怎么行!"她怀疑地看着月炎,"难道……你忘记今天是什么日子了?"

月炎反问道:"什么日子?"

　　马尾辫不可置信地看着她:"不会吧,你真的忘了? 'SHARE'乐团的演唱会啊! 你不是早就在盼着这一天的吗? 林娜她爸好不容易才弄到票的呢!"

　　月炎笑道:"啊,我差点忘了!"乐团、明星、演唱会,这些名词好像和她所在世界格格不入似的,"SHARE"更不知道是何许人也,这就是柳月的世界吧?"我们现在就去?"

　　高个女生怀疑地看着她,"你开玩笑的吧? 演唱会晚上七点才开始呢!"

　　马尾辫建议道:"难得有空,不如咱们去卡拉 OK? 华隆路西头新开了一家 KTV,我哥哥去过,好像不错。"

　　另外两个女生立刻附和:"赞成——这次该你请客!"不由分说拉起月炎就走。月炎只有心中苦笑,看来今天是别指望有机会赚钱了。

第五章
恶　魔

　　因为是假日,妖魔猎人协会的办公楼里显得有些空荡荡的,正午的阳光从窗户里射进来,连空气中似乎都带着慵懒的味道,让值班的警卫有些昏昏欲睡。

　　值班室里清脆的电话铃声打破了这份闲适的宁静,警卫打了个哈欠,"哪个该死的这时候打电话来……"不满地嘟囔着,警卫拿起电话,漫不经心道:"喂?"没有人说话,电话里传来嘈杂的"嗡嗡"声,好像有一大群蜜蜂要从听筒里冲出来。

　　听不出个所以然,警卫骂骂咧咧:"他妈的,有毛病——"他的声音好像被人从中间掐断一样戛然而止,脸上的肌肉不自然地抽动着,眼神变得呆滞起来。他放下电话,向门外走去,动作僵硬。

　　出门之后,警卫迎面碰上来接班的同事,后者见他的眼神有些异常,关心道:"你没事吧?"

　　警卫含含糊糊道:"我……很好。"然后头也不回地走了。

　　"看来这家伙又在工作时间喝酒了。"这是老毛病了,同事叹了口气,也就没理他。

　　该警卫一路来到楼顶的储藏室,打开门走进去,然后又把门关上。他把地上乱七八糟的杂物挪在一边,清出一大块空地,接着又用几只箱子把窗户堵上。

　　做完这一切之后,警卫咬破自己的手指,鲜红的血液流出来。他面无表情地蹲下,开始用血在地上画出许多复杂的线条。伤口很快就凝固了,不再有血流出来,他就咬破另一根手指,继续在地上画着。有几处伤口太深,露出白森森的骨头,与地面摩擦发出刺耳的"吱吱"声,但是那名警卫的脸上却依旧只是漠然的表情,好像丝毫感觉不到指尖上传来的剧痛。

过了半个多小时,因为失血过量,警卫的脸上已经苍白到没有半点血色,不过他的工作也有了显著的成果:一个直径两米多的魔法阵出现在地上,污秽的干涸血液组成的线条在地面上纵横交错,好像无数丑陋的毒蛇构成了一个庞大的黑色五芒星阵,空气中弥漫着浓重的血腥味。

没有任何征兆,黑色的五芒星开始发出幽暗的红光,虽然有了光线,周围的空间反而显得更加暗了。空气温度迅速降低,在空中凝结起一层淡淡的雾气,墙壁和地面上开始出现灰白色的寒霜。

一股涓涓细流从魔法阵中央涌出来,欢快地跳动着流向空中,完全无视重力的束缚。这些液体在魔法阵上空聚成一个水滴,凝而不散。水滴越来越大,逐渐形成一个简单的人形,在半空中悠然自得地缓缓舒展着几乎是透明的肢体,此时地面上不再有水流出,魔法阵也不再发出妖异的光芒。接着液体开始逐渐凝结,变成晶莹剔透的冰块。很快,一个有透明的冰块构成的人从空中缓缓落在地下,他的身上披着水晶般华丽的冰晶铠甲,眼睛里好像有两团红色的火焰在熊熊燃烧。

看看四周,冰人开口道:"你干得不错,以人类这种低贱的生物来说。"他的声音比构成他身体的冰块还要冰冷。

警卫谦卑地躬身道:"能为处刑恶魔服务是我的光荣。"他的身上脸上都覆盖了一层厚厚的霜冻,好像长了一层白色的容貌。

被称作处刑恶魔的冰人并不领情,冷然道:"我警告过你,别提那个词!"话音未落,他一抬手,半月形的冰刃飞出,干净利落地把警卫的左臂砍下来,断壁落地之后,伤口的血才喷溅而出,在墙上留下一片狰狞可怖的印记。

即使失去了一条手臂,伤口还在不停地流血,警卫还是没有一点惊慌和痛苦的表情,"抱歉,是我忘记了,凯恩先生。"他用右手按了按左肩仍在流血的伤口,"我的魔法就要失效了,这个身体支持不了多久。很抱歉,现在我只能帮您到这一步了。"

凯恩哼了一声,显得有些生气,"你可以滚了!"

"那么我先告辞了。"顿了顿,他又补充道:"如果可能,我会尽快坐飞机赶来。"警卫忽然不再说话,睁大眼睛茫然地看着四周,当他发现自己的胳膊掉在不远处的地上时,脸孔因为极度的恐惧而扭曲,接着发出一声撕心裂肺的尖叫："啊——"

尖叫声戛然而止，凯恩的左手化作一把锋利的冰制长刀，从警卫的下颚刺进去，再从头顶穿出，把他挑了起来，警卫的身体猛地挣扎几下，就再也不动了。

看着警卫可怕的死状，凯恩自言自语道："这个身体也许可以利用一下。"冰晶构成的身体瞬间崩溃，化成无数细小的水珠从伤口涌进警卫体内。警卫的身体迅速膨胀起来，好像一个被吹大的气球，接着慢慢缩回原状。如果仔细看，就会发现他的瞳孔是一种昏暗的红色。

伸手摸摸自己的脸，"警卫"点点头："这个还算不错。"正要出门，忽然想起什么，"啊，还有这个！"他拿起掉在地上的手臂，按在肩上的伤口处，伤口里伸出无数银白色的细丝，把手臂固定住，他举起左臂挥了挥，满意道："这样就对了。"

开门出去，迎面碰上一个留下来加班的妖魔猎人，"警卫"身上破烂的衣服和斑斑血迹引起了对方的注意，拦住他问道："你这是怎么了？"

"我很好，""警卫"冷笑道，"低贱的人类。"

发觉情况不对，妖魔猎人警觉起来，厉声喝问道："你到底是谁？！"

"你可以叫我凯恩，用你们的话来说，我是'恶魔'。"

妖魔猎人将信将疑，"你——"

凯恩打断他，"该我问问题了，"他举起右手放在那个妖魔猎人面前。

妖魔猎人本能地想躲开，却发现自己没法挪动半步，甚至连眼前的情景也模糊起来，恐惧迅速占据了他的心灵，同时听到耳边传来凯恩的声音："告诉我，帕斯特在哪里？"

"你说什么？我不知道什么帕斯特！"惊慌之下，妖魔猎人几乎是喊出来的。

"是吗？那就算了。"凯恩微微一笑，"对了，你的衣服不错，借给我吧。"他伸出手指在那个妖魔猎人额头上点了一下。随着一阵清脆的碎裂声，那人的身体塌了下去，变成无数细小的冰碴。

"我会记得还的，嗯，也许不记得。"凯恩拿起散落在地上的衣服，把上面的碎冰抖掉，从容地穿在自己身上。然后，他走到窗边，看着窗外这座繁华的城市，露出一个冷冷的笑容："我的小羊羔，你在哪里？别担心，我很快就会找到你的！"他好像发现了什么，露出专注的神情，自言自语道："看来还有些意外的收获呢，真是个倒霉的小东西……"他举起右手到面前，食指逐渐伸长，变成一把锋利的暗红色冰刀，在阳光下折射出异样的红芒，"该怎么处理呢?"一个冷酷的笑容从他嘴边浮现,冰刀逐渐变回手指,"对了,也许它还有点用处。"

离开妖魔猎人协会,凯恩没有引起任何注意。悠闲地走在繁华的大街上,他来到一家豪华的五星级酒店门前,自言自语道:"在这里。"

电梯停在七楼,凯恩刚出电梯,就被一个酒店警卫拦住,礼貌道:"先生,这里不允许无关人员进入。"

"是吗?"凯恩缓缓抬头,盯着对方的眼睛,"我可以进去,你会服从我,你的灵魂会服从我,对不对?"

酒店警卫好像着了魔一样,直愣愣地看着凯恩,喃喃道:"是的,我服从您,我的灵魂属于您,请进……"他退到走廊旁边,那种恭敬的神态好像忠诚的臣子在迎接他的国王。

凯恩不再理他,径直走进去。来到一间房间门前,他推开门走了进去。房间里,几个人正在高声谈笑着,看到凯恩近来,他们全都愕然看着他。

其中一个四十多岁,化着浓妆的中年妇女首先反应过来,愤怒地大声道:"你是谁? 谁让你进来的? 现在不接受采访,你快出去!"

凯恩好像根本没听到她的话,冷冷的目光在这些人脸上扫过,最后停在一个年轻姑娘身上。这个姑娘有一头茶红色的长发,散发着青春特有的美丽气息的脸上现在只有惊慌失措,极力想避开那冰冷的目光。凯恩露出一丝邪恶的微笑,"我找到你了,小东西。"

"你在胡说八道什么?"中年妇女更加愤怒了,"出去,不然我叫警察了! 听到没有?!"她越说越气,伸手就要去推凯恩。

那个姑娘猛地站起来,大声喊道:"等等!"其他人都被她吓了一跳,中年妇女缩回手,莫名其妙地看着她,"艾妮,你认识这家伙?"

被称作艾妮的姑娘抿着嘴唇,双手紧握成拳,用颤抖的声音对其他人道:"我有事情要和这位先生单独谈谈。"在其他人惊愕的目光中,她走到凯恩身边,低声道:"我们到隔壁去,好吗?"她的声调几乎是在哀求。

凯恩冷笑道:"你有这个资格吗?"他扫了其他人一眼,哼了一声,转身走了出去。艾妮跟在他身后,好像被黄鼠狼抓住的小鸡。

他们出门之后,其他人好一会才回过神来,中年妇女面如死灰,一个劲地嘟囔着:"丑闻啊,这肯定是丑闻! 上帝保佑,千万别让那些记者知道!"

其他几个年轻人议论纷纷。其中一个惊慌失措地搓着手,"我看还

奇幻四公子

第六章

迷　乱

在 KTV 里泡了整整一个下午,那些女生玩得相当尽兴,如果不是还记得要去看演唱会,她们说不定会在这里一直唱到晚上。

从对话中,月炎知道了这三个女生的名字:短发的女生叫李英,马尾辫的名字是王若羽,那个高个女生就是刚才她提到的林娜,她们都是柳月的好朋友。通过不经意般的旁敲侧击,月炎发现这三个女孩都算得上是有钱人家的小姐(虽然没有月炎的财产这么夸张):李英的父亲是某家房地产公司的老板,王若羽的父母都是大医院里的主任医师,林娜的父亲是一家演艺公司的经理兼董事长,而且她们都是家里的独生女,伸手要钱的话,父母绝对不会有半个"不"字。不过这些女孩似乎并不幸福,虽然兴高采烈地唱歌,月炎还是能在她们眼中看到偶然闪过的与这个年龄不相称的忧伤和疲惫,就像是在镜子中看到的自己一样。也许就是这个原因,柳月才会和她们成为朋友吧?

"时间差不多了,咱们得早点过去,说不定还能在后台看到‘SHARE’的成员呢!"李英是"SHARE"的忠实歌迷,因为即将见到心中的偶像,她显得很兴奋,"林娜,你爸爸已经安排好了,对不对?"

林娜笑了笑:"应该是吧,我们直接过去就行。"月炎注意到她的笑容有些勉强,似乎不愿意提起自己的父亲。

李英兴奋地尖叫起来:"我要和格兰德·沃夫曼合影留念,还要他在照片上签名!"月炎刚才才知道,这个格兰德是"SHARE"乐队的主唱,也是最近人气正旺的摇滚歌星。

当她们四人兴冲冲地赶到举办演唱会的体育馆时,却得到消息:

"SHARE"乐队的经纪人宣布,因为乐队成员旅途劳顿,现在还需要休息,因此演唱会推迟到明晚同一时间举行。对于因此对歌迷造成的损失,乐团感到非常抱歉。如果需要的话,已经购票的歌迷可以全额退票。因为主办方的态度还算不错,乘兴而来的歌迷虽然失望,不过都还能理智地接受这个事实,当然抱怨是少不了的。退票的人寥寥无几,因为"SHARE"的知名度,这次演唱会的门票很久之前就已经销售一空,最近更被"黄牛党"炒到原价的三倍以上,谁要去退票那才是不折不扣的傻瓜!

"这是怎么搞的!"李英脸上满是失望的神色,"还要等明天啊?"

"明天就明天好了,"王若羽有些生气,"明星就是这样,有点头痛脑热就撂挑子,反正不怕没人捧场。"

有声音传来:"嘿,那不是月炎吗?"

循声望去,月炎看到娜丽希雅正在向她招手,全然不在乎周围人惊讶的眼光。另外三个女孩也注意到了,李英讶然道:"你认识那个外国人? 她是在叫你吗?"

"小名,是我的小名。"月炎慌忙搪塞道,正在说着,娜丽希雅已经跑过来,"你怎么在这里?"月炎道:"我还想问你呢!"

"当然是来参加演唱会啊!"娜丽希雅道,"我可是'SHARE'的忠实歌迷,他们在伦敦的演唱会一场都没有错过! 没想到这么巧,我在这里,他们就在这里举行演唱会! 一定是上帝看到我对他们的热爱,才赐给我这个机会!"

月炎还没反应,李英来了精神:"你看过'SHARE'的伦敦演唱会? 我只是在影碟上看过! 当时现场的情况一定很热烈吧?"

娜丽希雅点头道:"当然! 几乎可以说是疯狂!"说完之后,这才想起来问道:"你们是月炎的朋友?"

月炎道:"叫我柳月!"

娜丽希雅一愣,马上反应过来,对三个女孩微笑道:"我是娜丽希雅,你们好!"不着痕迹地岔开了话题。

"我是李英,她是王若羽,她是琳娜。"李英介绍一下,然后道:"你是英国人? 汉语说得真好!"

娜丽希雅微笑道:"谢谢!"

月炎问娜丽希雅:"你自己来的?"

"莱提斯也来了,他到售票处那里,看看有没有人要退票,或者找个票贩子——你们叫他们黄牛？真有趣。多亏演唱会推迟了，要不然我还真不知道该怎么办呢！"她刚知道演唱会的消息，当然不可能预先订到票。

"小宁和龙飞呢？他们没来？"

"他们被妖魔猎人协会的人叫去帮忙了，那里似乎发生了什么事情。"娜丽希雅摇摇头，表示并不清楚，"他们没叫你？"

月炎这才想起来，自己的手机还放在龙飞那里，猎人协会的人当然不可能找到自己。不过一般来说，紧急的事情都是没多少油水的事情，所以她也不太在乎。

那边娜丽希雅和三个女生谈得很投机，因为都是"SHARE"的歌迷。莱提斯过了好一会才找过来。他拿着四张票，据说是原价买到的，而且位置不错，不知道是他的运气好还是用了一点吸血鬼特有的小伎俩。

后来娜丽希雅请客，他们在附近的西餐厅吃了一顿，也不知道该算晚饭还是夜宵。席间这几个歌迷大有相见恨晚的意思，约定第二天一起来听演唱会。

等到月炎和莱提斯，还有娜丽希雅回到"月炎大厦"的时候已经是夜里十点多钟。大楼里没有灯光，大概龙飞和宁汝馨还没有回来。东方剑中午曾经来过电话，说这个周末都会在老师家里补习，所以这两天就不回来了。开门进去，月炎正要开灯，莱提斯忽然低声道："等等，好像有人！"

娜丽希雅压低声音："有小偷？"

月炎毫不在意，一边伸手打开灯，一边道："如果是小偷的话，他一定是个新手，要不然就是外地来的。"除了先进的防盗装置，这座大楼里还设有很多魔法陷阱之类的机关，曾经让敢于闯进来的小偷大盗们吃尽了苦头，没过多久，这里就成了这座城市里的贼偷们相互提醒一定不要光顾的"禁地"之一。

"小小！你在哪里？"月炎叫着她的宠物。这只巨蜥比看门狗更聪明，而且更有威慑力，对小偷来说，那分叉的火红舌头简直是可怖的噩梦。

不过现在这只"怪物"似乎没多少精神，懒洋洋地趴在沙发上，对月炎的呼唤只是摆摆尾巴，就算是打过招呼了。看米就算是有人在身上踩两脚，它也懒得爬起来。

月炎想起来它正在休眠期，而昨晚上又解开一次封印，再次封印的过程中消耗了不少能量，所以巨蜥没进入假死状态就很不错了，更别指望它能看家护院。正在这时，一间房间里传来一阵声音，娜丽希雅惊呼起来："是我的房间！球球在里面！"

月炎莫名其妙："什么球球？"

"就是昨晚你召唤出来的那个'恶魔'，我给它取的名字！"月炎这才想起来，还有这么一回事。

娜丽希雅要去开门，莱提斯拦住她，"等等，我来。"示意娜丽希雅后退，然后伸手轻轻打开房门。

里面很黑，不过并不会阻止莱提斯的视线，飞快地扫了一眼，发现屋里一片狼藉，墙壁、家具甚至天花板上到处都是巨大的爪痕。对面的墙上破了一个大洞，透过巨大的空洞可以看到外面大街上的情景，有几个路人正在那里，好奇地向里面窥探。大概"小偷"就是从这里进来的。

月炎打开灯，眼前的情景让她差点背过气去，"天啊，这是怎么回事？"

娜丽希雅走进去，把手放在墙上的爪痕上比划着，兴奋道："我见过这种痕迹！是狼人留下来的！"大概在一年之前，在苏格兰北部小城莱尔格附近的一座农庄里发生过牲畜被大规模屠杀的事件，当时就在案发现场附近发现了许多利爪的痕迹，当地居民们都相信这是狼人作祟，不过警察却认为是罪犯制造出来的假象，但是他们也找不到罪犯，在保险公司赔偿之后，这件事也就不了了之了。

莱提斯忽然做了个噤声的手势，向里面房间的黑暗中一指，低声道："他还在那里！"

"真的？"月炎来了精神，"一定要抓住这家伙，我要他赔……"话音未落，一个狼头人身的怪物从房间里走出来，见到有人，它龇起牙，上身前倾发出一阵威吓的咆哮。在他的爪子里抓着一个圆圆的东西，好像攥在手里的保龄球。

娜丽希雅一声惊呼："球球！"被抓住的正是月炎召唤出来的那个"恶魔"。狼人和他们对峙着，忽然大吼一声作势欲扑，然后猛地转身，向墙上的破洞冲过去。

莱提斯的动作更快，闪身来到怪物背后，伸手抓住它背上的鬃毛。狼人动作一顿，接着猛地一挣，"兹"声轻响，莱提斯手上留下一大把黑硬的鬃毛，连着一块鲜血淋漓的皮肉。莱提斯没想到会变成这样，一时间愣在那里。

外面传来哭爹喊娘的惊叫声，显然是路过的行人看到了那个怪物。

月炎急道："快追！"说着从破洞里窜出去，看到那个狼人正沿着街斜对面大楼的墙壁向上攀爬，引得不少人在下面围观。

莱提斯回过神来，拦住正要用魔法轰过去的月炎，"我去和它谈谈。"不等月炎回答，他已经闪身沿着对面大楼旁边的阴影向上滑行，好像没有实体的幽魂，没有引起任何注意。就在此时，狼人已经爬到楼顶，翻身跳上天台，消失在下面众人的视线里。

莱提斯紧随其后，轻飘飘地落在大楼的天台上。注意到他的存在，狼人转向他发出一阵愤怒的吼叫。

"别紧张，"莱提斯举起双手，示意自己没有恶意，"我知道你能听懂我的话。告诉我，你想用那个东西交换什么？"刚才抓住狼人的时候，莱提斯试着用一个小法术窥探它的内心，发现其中并没有恶意，反而充满了焦虑和担忧的情绪，似乎它是要用那个恶魔和某人交换某种对他来说非常重要的东西。

狼人没有答话，向莱提斯威吓地吼叫着，似乎是让他不要靠近。

"你可以相信我，就像你的祖先那样。"莱提斯不再隐藏自己的力量，身上开始发出淡淡的暗红色光辉，散发着吸血鬼特有的那种妖异魅力。

狼人安静下来，血红的眼睛紧盯着莱提斯，用夹杂着呼啸的沙哑声音道："你是……吸血鬼？"

莱提斯点点头，"我认识很多狼人，我相信他们应该是你的祖先。"说着，他向狼人的方向跨出一步。

狼人警觉地后退一步，吼道："别过来！你这个怪物！"这么说的时候，他大概全没考虑到他自己才更像个怪物。

莱提斯并不想激怒他，依言停下脚步，"我曾经和你的祖先并肩战斗过，所以我很清楚你们这个种族都是勇猛的战士——"

"别对我提起这个该死的种族！"狼人吼叫着打断他的话，"我恨他们！这个被诅咒的血统！"

"你认为这是诅咒？"莱提斯摇摇头，"你有没有尝试过去保护什么东西？在那时候你就会感谢赐给你力量的血统了。"

狼人先是一愣，然后咬紧牙关，白森森的牙齿发出"咯咯"的声音，咬牙切齿道："没错……只有这次，我希望身体里那些该死的血能给我更强大的力量，可是它却不能！"

莱提斯很想知道这个狼人身上发生了什么事情，不过他没有直接问出来,而是想先缓和一下现在的气氛,"我是莱提斯,你呢?"

狼人从牙缝里挤出一串音符:"格兰德。"接着咆哮道:"够了!这里的事情跟你无关!我'请'你马上离开!"他在"请"字上加重了语气,与其说是客气倒不如说是威胁。

莱提斯以退为进:"既然这样,我'请'你把那个恶魔还给我们。"

"还给你们?为什么?"这句话却不是格兰德说的。不知什么时候,一个人影出现在狼人身边,伸手抓住"球球"上的两只翅膀,把它从狼人手里拽过来。球球发出一阵尖厉的吱吱声,拼命挣扎着,却没法从那只手里挣脱出来。那人看起来很满意,"看来低等的废物偶尔也能有点用处。"

格兰德向那个人咆哮道:"你已经找到要找的东西,现在把艾妮和其他人放了,然后离开这里!"

那人露出一个冷酷的微笑,"哦?我有这么说过吗?"笑容敛去,冷然道:"什么时候你可以命令我了?"话音未落,格兰德被一股无形的力量举起到空中然后甩出去,重重地摔在地上滑出好远。

"站起来!"那人淡淡道,"如果你能把那个讨厌的吸血鬼杀掉,说不定我会考虑你的建议。"

莱提斯也回敬道:"想杀我的话,为什么你不自己来试试?"虽然这么说,他还是看不透眼前这人的底细。对一个活了近千年的吸血鬼来说,这是很不寻常的事情,不过可以肯定的是:这家伙相当危险!

那人冷冷地看了莱提斯好一会,忽然笑了,"以吸血鬼来说,你算是很难得,"他摇摇头,"我可以杀掉你,不过得认真起来才行。"

莱提斯冷然道:"你可以试试看。"

那人还是摇头:"如果我认真起来,这座城市里的人类恐怕剩不下多少,那就有些麻烦了……"这时狼人想从背后偷袭他,却被地面上卷起的一阵寒风挡住,转眼间寒风凝成一把近两米长的冰晶砍刀,顺间连挥四下,把狼人的四肢生生砍下来,接着夹带寒风,向莱提斯迎头斩下来。莱提斯毅然不惧,伸手向锋利的刀锋迎去,就在他抓住刀身的那一瞬间,冰刀突然爆开,炸裂成满天冰尘,挡住莱提斯的视线。

"游戏就到这里吧,还有更重要的事情必须去做。很快,那个碎片就是我的了……然后就是灵魂,我的灵魂!"冰尘中,那人拍拍"球球","你说对不对,我的小羊羔?"

第七章
明 星

好不容易把闻讯赶来的警察打发走,月炎总算松了口气,回到屋里,看到莱提斯还在忙活,问道:"这家伙怎么样了?"

莱提斯道:"死不了!"他正在处理狼人被切断的四肢,将切口处冻伤的部分清理掉,接着把处理好的肢体接在同样处理过的躯干断口处,再用针线把伤口缝合。娜丽希雅在一旁给他帮忙,能这么近距离观察传说中的狼人,这让她很是激动,多少能让她不再想起被抢走的"球球"。

很快,狼人的四肢都和身体缝合在一起。如果靠近一点观察,就会发现伤口处的肌肉、血管以及神经和皮肤都在以不可思议的速度接续、生长。照这样看来,大概十分钟之后他就能拆线了。

娜丽希雅发出一声惊叹:"太神奇了! 这就是狼人的生命力?"

莱提斯一边摘下橡胶手套,一边点点头:"他们的生命力很顽强,除了大脑和心脏之外,其他器官基本上都可以再生。"

月炎悻悻道:"希望这家伙的钱包也拥有这样的再生能力!"她对狼人在墙上开洞的行径还是耿耿于怀,已经打定主意要他赔偿——如果敢说没钱的话就把他放到动物园去展览!

娜丽希雅问莱提斯:"他什么时候能醒?"从刚才莱提斯把他弄回来之后,狼人就一直昏迷不醒。

莱提斯翻开狼人的眼皮看了看,"应该很快就能醒过来。"

这时宁汝馨回来了,带回来一个坏消息:妖魔猎人协会被不明身份的人袭击,一名警卫以及一名妖魔猎人失踪,在顶层储藏室里发现了用血画成的魔法阵,用途不明。为了应付这次突发事件,协会紧急征调妖魔猎人参加调查,同时加强总部的警戒,所以龙飞被留在那里,大概要到明天早上才能回来。

月炎摇头:"留他在那里能干什么?"

娜丽希雅注意到宁汝馨带回来一张纸,上面分开印着两张放大四倍的大头照,看起来相当模糊。"这就是失踪的人?"

莱提斯也看到了,大吃一惊道:"就是他!"

宁汝馨莫名其妙:"谁?"

莱提斯指着其中一张照片:"我刚才在对面楼顶上看到的就是这个人!"接着把刚才事情的经过说了一遍。

听完之后,宁汝馨怀疑道:"不可能吧? 这个人是那个失踪的警卫!"

莱提斯若有所思,"如果是某种东西占据了他的身体,那么一切都说得通了……"

狼人发出一阵重浊的喘息声,用低沉的声音勉强道:"是恶魔……地狱来的恶魔……艾妮……艾妮! 艾妮!!"狼人大叫着猛地坐起来,莱提斯急忙把他按住:"别乱动,你的伤口还没完全愈合!"

"放开我!"狼人挣扎着大吼道,"艾妮和其他人还在他手里,我要去救他们出来!"

"冷静点!"宁汝馨在他身上用了一个小法术,帮助他冷静下来,"告诉我们发生了什么,我们可以帮你!"

狼人平静了一点,正要说话,他的身体忽然开始变化,浓密的毛发迅速脱落,身体逐渐恢复成人类的样子。大概是因为宁汝馨的法术,他解除了狼人的变身。

娜丽希雅一下认出眼前这个人,发出一声惊呼:"天啊! 你是格兰德·沃夫曼!"

月炎想起来:"那个乐队的主唱? 没想到会是个狼人。"

"你一定要给我签个名!"娜丽希雅这就要去找纸笔。

格兰德急忙道:"能不能给我一件衣服?"他的衣服早已破烂不堪,剩下的几缕布条只能勉强遮住重要部位,偏偏这里又有许多女士,也难怪他急着要衣服了。

月炎去拿了一套龙飞的衣服,他们的身材相差不多,穿起来还算合适。穿上衣服,格兰德脸上的表情平静了一点,向月炎点头道:"谢谢。"

"不用谢,我会把这些算在账单里的。"既然这狼人是大明星,月炎松了口气,至少不用担心他没钱付修理费了。

莱提斯道:"我们会尽力帮你……"

月炎把他的话接下去:"没错,以合理的价钱!"她敏锐的直觉告诉自己,能在这家伙身上捞一笔! 至于是不是"合理",大概必须以月炎自己的标准来判断了。

对月炎的话,莱提斯只有苦笑,继续道:"不过我有几个问题,希望你能回答……"

"你的童年是怎样度过的? 进入歌坛之后有没有人知道你的特殊体质?"这次说话的是娜丽希雅,她已经打开录音机,摆出一副采访的架势。看她这个样子,大概是想做一期"妖兽歌星"的专访。

莱提斯把她的录音机关掉,"现在不是说这个的时候,以后总有机会。"

娜丽希雅想了想,露出一个坏坏的笑容:"好吧! 如果日后我去采访,可不能把我拒之门外!"

格兰德无奈地点点头,添添嘴唇:"嗯……可以给我点东西喝吗?"

月炎拉开靠在墙边的大型玻璃冰柜,从里面拿出几个血袋,"你喜欢A型还是O型?"这是莱提斯的"粮食",从采血站里买来的。

格兰德瞪大了眼睛:"你们都是吸血鬼?"

"她是开玩笑的,"宁汝馨从屋角的吧台下面拿出一瓶威士忌。

格兰德接过酒瓶,拧开盖子仰头就灌了一大口,长长舒了口气,感激地对宁汝馨道:"谢谢,这正是我需要的!"

月炎撇撇嘴:"我倒觉得你应该补充点新鲜的蛋白质。"说着把血袋扔回冰柜里。

莱提斯示意格兰德坐下,问道:"第一个问题,他是谁?"

"我不知道,"格兰德紧紧握着酒瓶,似乎是要从上面得到依靠,"他说自己叫'凯恩先生',艾妮很怕他,对了,她好像称他为'处刑者'!"

"处刑者?"莱提斯的脸色变了,"你指的是处刑恶魔?!"

"也许是吧。"格兰德拿不太准。

"处刑恶魔?"娜丽希雅记得姆斯比尼提起过关于这些恶魔的事情,不过当时并没有仔细说清楚,"他们到底是什么?"

"他们是恶魔中的恶魔!"莱提斯的脸色凝重,"他们的力量直接来自恶魔之王——撒旦,在地狱里,除了撒旦之外,处刑恶魔的地位和力量仅次于被称作撒旦左右手的沙尔达和达亚德,是所有恶魔的监督者,也是处死'叛逆恶魔'的刽子手!"对于处刑恶魔,莱提斯的了解要比姆斯比尼多不少，不过他并不愿意回想起那些往事。

月炎奇怪道："这么厉害的家伙怎么会出现在这里？而且还大摇大摆地四处招摇！难道撒旦准备发起总攻了？"

回想在召唤仪式时感觉到的压力，莱提斯对月炎道："他的目的是你召唤来的那个恶魔，而且当你召唤的时候，他就在那个恶魔附近！大概因为那个魔法阵每次只能通过一个物体，他才没有通过魔法阵来到这里。"

"真的？"想到自己差点召唤到一个"恶魔中的恶魔"，月炎也不禁有些后怕。而且按照现在的说法，处刑恶魔之所以会出现在这里，这个责任大概也得算在她头上。

短暂的沉默之后，莱提斯又问道："他让你做什么？"

大概是因为酒精的作用，格兰德看起来好了一些，原本苍白的脸上有了一些血色，"他给我一小片东西，好像是一块蛋壳，让我找到一个有同样味道的生物。"他看看其他人，"你们知道我说的是什么。"

娜丽希雅摇头道："我没闻到球球身上有味道。"

"我知道！"月炎抢着道，"狼人的嗅觉比警犬还要强几百倍，大概那个恶魔也知道这点，才想让他做苦力吧！"

宁汝馨问道："你为什么要服从他？"

"我没有选择！"格兰德的脸上露出痛苦的神色，"如果我不照他说的做，他会杀死艾妮，还有所有人！"

莱提斯道："艾妮是谁？"

回答他的是娜丽希雅："艾妮·莉斯，她是'SHARE'乐队的贝司手。"她接着问格兰德："你们是恋人，对不对？"

"是的，从'SHARE'建立之前就是。"

宁汝馨问道："她怎么会和处刑恶魔扯上关系？"

格兰德露出犹豫的神色，然后好像下定决心，道："因为她也是个恶魔，吸精夜魔。"

娜丽希雅发出一声惊呼："哇噢！这可是个大新闻！"不过仔细想想，既然格兰德都是狼人了，那么艾妮是吸精夜魔也没什么好奇怪的。

月炎侧头道："吸精夜魔……让我想想，好像是潜入梦里吸取精气的魔鬼，在恶魔中的等级相当低，一般不会造成什么大的破坏……对了，她怎么会在人界？一般来说，吸精夜魔不是只出现在梦里吗？"

格兰德答道："艾妮是逃出来的，从他们手里逃出来。她不想再干那种肮脏的事情,她渴望有自己的生活!"

娜丽希雅有些意外:"以一个吸精夜魔来说,有这种想法真的很不寻常。"她知道一些关于这种魔鬼的事情。吸精夜魔会化作俊男美女,进入人类的睡梦中勾引他(她)们,从而吸收人类的精气,可以说是肉欲的魔鬼。

"她不是为了别人而存在的!"格兰德激动地站起来,"她有自己的思想! 她有灵魂! 她是自由的! 她应该有自己的生活,而不是为了别的什么理由活着!"说到这里,他挥手猛砸在面前的茶几上,发出巨大的声响。

"嘿!"月炎叫起来,"你冷静一点! 小宁,再给这家伙的脑袋降降温!"

格兰德摆摆手:"不用了。"喘了几口气,表情平静下来,"对不起,没有艾妮在身边,我的情绪很容易失控,"他自嘲地笑了笑,"大概是因为我身体里流淌着的受诅咒的血吧?"

"也许!"月炎道,"照你的说法,这个艾妮应该算是恶魔中的叛逆者了,说不定那个处刑恶魔就是来找她的?"

莱提斯忽然问格兰德:"处刑恶魔——凯恩,他没有立刻杀死艾妮?"

格兰德摇摇头:"没有,他把艾妮封在一块冰里,让我用'帕斯特'——就是你们的那个恶魔——交换她,"他咬紧牙关,"但是他毁约了!"

莱提斯皱起眉头,自言自语道:"奇怪,这并不是处刑恶魔的作风……"

格兰德忽然站起来道:"我得回酒店去,我的同伴还在那里! 那个恶魔说不定会对他们不利!"

月炎道:"就算你去了,又能做什么?"

格兰德凄然一笑:"至少可以死在一起吧?"

莱提斯站起来,沉声道:"我和你一起去。"

宁汝馨也道:"我也去,说不定能帮上忙。"

"好吧,"月炎把手一挥,"算我一个。喂,夜班可是要加钱的!"最后这句话是对格兰德说的。

娜丽希雅也跃跃欲试,不过莱提斯考虑到可能发生的危险,好说歹说总算让她留下来。

当他们赶到酒店的时候已经是凌晨一点多,酒店的大堂里空空荡荡的。

总台上值班的服务员见到格兰德，迎上来道："格兰特先生，您总算回来了！我马上打电话给法曼夫人他们！"法曼夫人是"SHARE"的经纪人。

格兰德急不可待地问道："他们都没事吧？"

服务员对他的话感到奇怪，"他们很好，不过都很担心您！不是我说，不过您出门的时候还是应该告诉他们一声……"这时他看到宁汝馨，一阵惊艳之后，露出恍然大悟的神情，当下不再多嘴，拿起总台上的电话按了几个号码，就听他对电话里说道："是的，他回来了，对，很好……好的。"他放下电话，再抬头的时候发现格兰德等人已经走进电梯了。

电梯停在七楼，电梯门打开，几个人站在外面，其中一个中年妇女大声喊道："格兰德，你跑到哪里去了？怎么到现在才回来，我们一直在等你！"

格兰德黯然道："艾妮……我没能把她带回来。"

那些人露出莫名其妙的表情，其中一个讶然道："艾妮就在这里啊！她一直和我们一起等你，不过刚才去洗手间了。"

"格兰德！你回来了！"随着声音，一个二十岁左右的姑娘从房间里跑过来，穿着一身充满活力的牛仔装。看到格兰德身后有不少人，她的表情有些惊讶，当发现其中的宁汝馨时，她的脸色阴沉下来，冷冷道："他们是谁？"眼见可能有暴风雨来临，乐团的其他人都识趣地悄悄离开。

格兰德几乎难以接受眼前的事实，精神一时间有些恍惚，走上两步伸手去摸艾妮的脸，好像要确定她是不是真的存在。

艾妮把他的手推开，柳眉竖起喝道："你干什么？"

格兰德喃喃道："你……还好吧？"

"我当然很好！"

"他呢？他在哪里？"

"谁？"

"那个恶魔，处刑者！"

艾妮的脸上闪过一丝慌乱，看了看莱提斯等人，这才压低声音对格兰德道："你在说什么？"

第八章
失 忆

"你说有处刑恶魔来到这里,把我作为人质,要挟你去找一个叫'帕斯特'的小恶魔?"

"就是这样!"

"得了吧,撒谎也不找个好点的理由!"艾妮面带鄙夷地看着格兰德,"是那些人告诉你关于处刑者的事情吧?"

格兰德急得几乎吐血,大声道:"是你亲口告诉我的!"

艾妮冷冷道:"我要回房间了,你自己好自为之!"说完用充满敌意的眼神瞪了宁汝馨一眼,头也不回地走进自己的房间,"砰"地一声关上房门。

月炎幸灾乐祸地拍着格兰德的后背,揶揄道:"嗨,她生气了!"

宁汝馨道:"我想她是有些误会。"

月炎笑道:"不怪别的,因为我们家小宁太标志了!"

格兰德根本没听到她们的话,懊恼地揪着自己的头发,"难道这一切都是我想象出来的,其实什么都没发生过?"

莱提斯道:"不是这样,你应该知道……"

格兰德粗暴地打断他的话,"不要说了! 艾妮和大家都没事,肯定是什么都没发生过!"他大口大口地喘着气,情绪激动。

月炎可不能答应这种说法,"没发生过? 难道我家墙上的洞是我开的?"

"你把账单送来,我会给钱!"格兰德抱着头,几乎是在呻吟,"现在请你们离开,我想一个人待一会!"不等月炎反应过来,他已经冲进自己的房间，随手把门关上。

月炎对格兰德的房间做了个不太雅观的手势，"这家伙一定是 O 型血，容易激动。"

莱提斯摇头："我想我可以理解他的心情。"

"希望他看到账单的时候能有个好心情！"月炎打定主意要给格兰德一点"惊喜"，接着打个哈欠，"既然他们自己都想当作什么都没发生过，咱们也没必要去凑这个热闹吧？现在惟一的问题是那个处刑恶魔……"她用一种奇怪的眼神看着莱提斯，"你确定他不是你的幻觉？"

莱提斯相当肯定："我保证他和我一样真实。"

"那就没办法了，"月炎失望地撇撇嘴，"你跟我去妖魔猎人协会一趟，把这件事向他们说清楚。"对宁汝馨道："小宁，你也一起来吧？"

宁汝馨道："我想去和艾妮小姐谈谈。"

"那个吸精夜魔？"

宁汝馨点点头，"她对我有些误会，我想有必要解释一下，而且……"秀眉微蹙，"……这件事实在太蹊跷了。"

月炎道："你指什么？"

"我想，他们的记忆大概是被人改动过。"

月炎不可置信地瞪大了眼睛："那个恶魔有这种本事？"

"我也不太确定，所以才想确定一下。"

月炎点头道："那就麻烦你了，完事之后你就回家吧。"

月炎和莱提斯离开之后，宁汝馨走到艾妮的房间门外，在门上轻轻敲了两下。

艾妮的声音响起："谁？"声音里还带着明显的怒气。

"艾妮小姐，我有些事情想和你谈谈，可以开一下门吗？"

里面静了一会，门被猛地拉开，艾妮满面怒容："你想干什么……你……你是什么？"她脸上的表情由愤怒变成惊讶，瞪大了眼睛看着宁汝馨身后毛茸茸的尾巴。

宁汝馨笑了笑，把尾巴收起来，"我可以进去吗？"

艾妮犹豫了好一会，终于作出了让步，低声道："进来吧。"

房间里没有开灯，外面的月光透过窗帘照进来。

"你是怪物，嗯，按照中国的说法，应该是妖怪？"

宁汝馨点头道："是妖狐，我叫宁汝馨。"这么说的时候，她在黑暗中仔细观察着眼前这个女孩。她的外表显然经过精心的修饰，头发的颜色应该也是染过的,不过和一般女性化妆的目的不同,她并不是为了让自己更美丽,反而是为了让自己显得不那么与众不同。即使这样掩饰,从她身上还是流露出一种特殊的诱惑力,能够轻易激起异性心底深处隐藏的欲望。正如她在一本时装杂志客串模特时,那本书上说的——"可以让上帝堕落的夏娃"。(宁汝馨对流行歌曲没有多少兴致,所以在今天之前,她对这个当红女歌手的了解仅限于时装杂志的介绍。)

"你知道我的名字,"艾妮并没有表明自己的身份,而是警惕地看着宁汝馨,"我只想做一个普通的人类,不想和妖怪有任何关系!还有,你也不要缠着格兰德!"

"我想有必要说明一下,我是妖魔猎人,"宁汝馨微笑道,"虽然只是三级下位的新手。"刚取得资格的妖魔猎人都是三级下位,然后按照工作业绩晋升。

艾妮不相信宁汝馨的话,"你是妖怪,怎么可能是妖魔猎人?而且……"她疑惑地打量着宁汝馨,"现在的你根本就是个人类!告诉我,你是怎么做到的?"

宁汝馨苦笑:"我也不太清楚。"

艾妮有些失望,想了想之后又道:"所以你才能和那些妖魔猎人在一起?如果他们知道你是个妖怪,一定会立刻杀了你!"

"在这里,妖魔和人类的关系并不像欧洲那么紧张。"宁汝馨不想再在这个问题上纠缠下去,"艾妮小姐,你真的不记得任何关于处刑恶魔的事情了?"

听到"处刑恶魔"这个词,艾妮的脸色立刻变得很难看,"你想说什么?"

宁汝馨把她所知道的事情经过大概说了一下,"格兰德先生说,他之所以会去寻找那个小恶魔,是因为一个叫凯恩的处刑恶魔把你抓住作为人质,对他进行威胁。"

艾妮的表情变成极度的惊讶,"不可能!今天从中午开始,我们乐团就在一起讨论演唱会的事情,谁也没离开过酒店,也没有人来过!倒是格兰德自己偷偷溜出去,我们一直在等他,结果连今天晚上的演唱会也只能推迟到明天!"

"但是,我的朋友的确见过一个好像处刑恶魔的人,格兰德先生被他打成重伤……"

"什么?"艾妮焦急起来,"他怎么样了?"忽然想起来,"不对,我刚才才见过他！"

宁汝馨道："当时他是变身的状态。"

"哦，"艾妮显然很清楚宁汝馨在说什么，"即使你这么说，我还是不能相信有个处刑恶魔来过。"

"为什么？"

"因为我还活着！"艾妮自嘲一笑，"如果真的有处刑恶魔来过，我的肉体和灵魂早就被撕成碎片了！"

"我不明白。"

"你没听过关于处刑恶魔的传说？"不等宁汝馨回答，艾妮自己接着道："你当然没听过，因为你不属于地狱……你想听吗？"

"当然。"

艾妮道："处刑恶魔是地狱里的审判官，也是刽子手。甚至在地狱很多的地方，'处刑恶魔'这个词和'撒旦'一样，都是绝对不能提起的禁忌。你知道我刚才为什么会有那样的反应了吧？"

宁汝馨点点头，"处刑恶魔和撒旦有什么关系？"

"根据传说，处刑恶魔诞生的地方，就是在地狱的最深处，大魔王撒旦沉眠的地方。在那里，撒旦的伤口里流出来的脓血凝聚在一起，被魔王的呼吸赋予了生命，所产生出来的，就是处刑恶魔，地狱里的刽子手。"

"等等，你说撒旦在沉眠？身上还带着伤口？"

"这是另外一个传说，撒旦在六百多年前的一次战斗中身受重伤，然后就一直躲在地狱的深处休眠，等待着恢复力量的那一天。当然这只是传说而已，地狱最深处是禁地，像我这样低级的恶魔根本不能靠近。"

宁汝馨表示明白。

艾妮继续道："作为撒旦的脓血，处刑恶魔继承了大魔王撒旦一部分的力量，也得到了冷静理智到可怕的优秀头脑，但是他们却没有灵魂，而且生命非常短暂。所以他们非常嫉妒其他恶魔悠长的生命和纯粹的灵魂，限于撒旦的意志，他们并不能随便攻击其他恶魔，但是一旦发现某个恶魔有哪怕是最微小的背叛行为，他们都会用尽一切手段抓住这个背叛者，然后用最残酷的手段把他杀死！那种情景……"说到这里艾妮不由自主地打个寒颤，宁汝馨觉得可能她曾经亲眼见过。

艾妮深吸一口气，平静下来，"所以，我还活着，这就足以说明根本没有什么处刑恶魔来过！"

"我也希望如此，但事实恐怕不是这样。就在今天中午，本地妖魔猎人协会总部里发现了一个用血画成的魔法阵,有一个妖魔猎人和一个警卫失踪了。这件事很可能和处刑恶魔有关……"

艾妮没让她说下去,大声道:"也可能根本没有关系! 随便什么人都能用血画魔法阵,那两个人也可能在哪里迷路了!"

宁汝馨无奈道:"如果这是你的想法,我也没有办法。不过我怀疑你的记忆被做过一些改动。"

"你指什么?"

"可能有人把你遇到处刑恶魔的那段记忆抹去,换成现在的记忆。如果可以的话,我想检查一下你的记忆——"

艾妮断然道:"不可能!"然后冷笑道:"好吧,就算真的有处刑恶魔在这座城市里,你准备怎么办? 你知道处刑恶魔拥有多大的力量? 只要他愿意,随时可以把方圆百里所有生物都杀光! 你们用什么来对付他? 手枪、坦克还是核弹?"

宁汝馨道:"妖魔猎人会阻止他。"

"妖魔猎人? 别开玩笑了! 一群老鼠能打倒狮子吗? 除非是具有座天使以上神格的天神,才有和处刑恶魔一战的能力! 这座城市里的人类——或者像你这样的妖怪——有这种力量吗?"根据《圣经》的记载,天使分为九个等级,座天使仅次于六翼炽天使和智天使,位于上位三阶天使的末席。

宁汝馨皱起眉头:"总会有办法的。"

艾妮不屑地哼了一声,"不用担心,处刑恶魔只会追杀恶魔中的叛逆者,只要人类或者你这样的妖怪不会傻到去激怒他,他完成任务之后自然会回到地狱。而且如果你刚才说的都是真的,那么至少他的目标不是我!"

"你准备怎么做?"

"你们中国有句老话:'是福不是祸,是祸躲不过。'如果世界末日真的要来临,为什么不在第一个天使吹响号角之前好好生活呢?"

"你不打算离开?"

艾妮斩钉截铁道:"当然不!"

宁汝馨无可奈何,"好吧。"她站起来,"既然这样,我就不打扰了。"

艾妮也站起来,"我母亲曾经给我一个忠告,现在我送给你:永远不要去接近处刑恶魔,离他越远越好!"

宁汝馨点头道:"谢谢你的忠告,我会记住的。嗯,祝你们明天的演唱会圆满成功……哦,应该说是今天才对。"

"谢谢。"

这时传来敲门声,艾妮走过去开门。

格兰德站在门外,脸上的表情很复杂,双手握在一起不停地搓着,"艾妮尔(艾妮的昵称),我……"

艾妮看着他的眼睛,"什么都不用说,不管发生过什么,我们都当做没发生过就行了。重要的是你、我,汤姆、杰瑞还有法曼阿姨他们都在这里,完好无缺。"

听了她的话,格兰德脸上紧张的神色渐渐消失,取而代之的是无限的温柔,轻声问道:"你饿了吗?"

艾妮点点头:"嗯。"她主动送上香唇,两人激烈地热吻在一起。

宁汝馨看得面红耳赤,再也待不下去,悄悄退了出去,随手替他们关上门。她曾经听说过吸精夜魔可以通过接吻来吸取异性的精气,无论是在梦中还是现实世界都一样。看来格兰德也很清楚这一点,才会问艾妮是不是"饿了"。反正格兰德的体质本身就是精力过剩,给她吸一些也没什么大碍,反而能控制他变身的冲动,如果是普通人的话,恐怕早就被吸成人干了。这样看来,他们的确是"天生的一对"。

刚走几步,乐团的经纪人法曼夫人不知从哪里冒出来,拦住宁汝馨:"小姐,关于今晚你看到的事情,请务必向媒体保密!哦,这些钱请你收下!"说着把一叠不算薄的钞票递给宁汝馨。

宁汝馨没有接,"放心,我会保密的。"娜丽希雅大概会把这件事写成文章,刊登在她所属的《超自然》上面,不过这本杂志的销路并不太好,上面登出来的东西有多少人会相信就更难说了。

见宁汝馨不要钱,法曼夫人又道:"对了,你叫什么名字?要不要进入娱乐圈?以你的形象肯定能红!"

宁汝馨笑着摆摆手,当她走进电梯的时候,还能听见法曼夫人的声音:"我可以介绍最好的导演给你!"

电梯里,宁汝馨自言自语:"明星?我?"她摇摇头,笑了。

第九章
魔法阵

　　月炎和莱提斯坐出租车在城里绕了一个大圈，终于停在妖魔猎人协会总部前。那个出租车司机显然对这两位客人的要求感到很奇怪，不过多出来的那张百元大钞足以让他把所有的问题都吞回肚子里。

　　下车之后，月炎问莱提斯："有没有感觉到那个处刑恶魔的存在？"

　　莱提斯摇摇头："没有，像他这种等级的恶魔很善于隐藏自己的气息，除非他想让别人知道，或者正在激烈地战斗，否则根本不可能发现。"

　　月炎叹了口气，她早就猜到会这样。

　　妖魔猎人协会总部的院子里灯火通明，大门两侧各有一个人在站岗，都是月炎没见过的面孔，大概是临时征召来的妖魔猎人。

　　见到月炎和莱提斯走过来，其中一个道："站住，你们找谁？"这家伙穿着一身土黄色的道袍，头上还顶着个道冠，站在那里显得有些不伦不类。他的同伴也差不多，不过是披散着头发。

　　月炎一言不发拿出证件在他们面前晃了一下。

　　那个道士点点头："哦，请进吧。"

　　院子里也能看到不少的岗哨，还有巡逻队往来巡视。这些人穿的衣服可谓五花八门，从西装革履到缁衣芒鞋一应俱全，就像一个"怪异服装博览会"。

　　月炎自言自语道："不知道龙飞在哪里？"不过现在没时间去找他了。

　　莱提斯提出想先去看看宁汝馨说的那个用血画成的魔法阵，于是月炎找了个工作人员为他带路，自己则直奔会长办公室。因为柳卓群会长不在，现在应该是由副会长——一级猎人袁虎雄暂时代替她行使会长的职责,今天在协会总部发生了这种事件,他肯定得留在这里处理相关事情。

来到会长室门前,月炎刚要敲门,忽然听到里面传来争论的声音,其中一个是袁虎雄粗豪的声音,另一个人的汉语发音听起来有些怪怪的,似乎是个外国人。

月炎使劲敲了敲门,里面的争吵声停了下来,接着是袁虎雄的声音道:"进来!"

月炎推门进去。除了袁虎雄之外,屋里还有一个中年外国人。

见到是月炎,袁虎雄笑道:"是柳丫头啊,这时候来有什么事?"这位一级猎人是个头发斑白的老人,和他的名字给人的印象不同,他的身材相当矮,手脚却不成比例得大,看起来相当怪异,虽然其貌不扬,不过这位老人的性格却是出了名的刚正不阿,在本地的妖魔猎人中拥有很高的威望。论辈分,他还是柳卓群的长辈,是看着月炎从小长大的,对这个精灵古怪的小姑娘相当疼爱。

"啊,是柳小姐!"那个外国人站起来微笑道,"我们在伦敦见过面,我是杜蓬·沙科斯,还记得吗?"他的外形相当平淡,是那种不会给人留下多少印象的类型。

月炎不记得见过他,不过这个名字是听过的,知道他是英国妖魔猎人协会的会长,柳月在伦敦的时候曾经见过他。"啊,是杜蓬会长。你在这里做什么? 关于那次事件的调查怎样了?"

"调查还在继续,不过进展不大。"杜蓬道,"我来这里是为了另一件事,一个委托。"

袁虎雄重重地哼了一声,"多说无益,我对你的提议没兴趣!"

杜蓬惋惜地叹了口气,道:"是吗? 那就太遗憾了。"他拿出一张名片在上面写了几个数字,把名片放在面前的茶几上,"我还会在这里住两天,如果你改变主意的话,可以打这个电话找到我。"然后对月炎点点头,走出门去。

杜蓬离开之后,月炎好奇地问道:"他想要干什么?"

"他要我动员所有人手,帮他找一个'处刑恶魔'!"

"哦?"月炎大感兴趣,"你为什么不答应他?"

"我这里正忙得焦头烂额,哪里有工夫去搭理他? 对了,你来这里有什么事?"

"啊,没什么事,我过来看看有没有什么可以帮上忙的。"

"这里的人手现在是够了,如果需要的话我会叫你,到时候不许偷懒啊!"

"是——"一边答应着,月炎装作漫不经心地在茶几那张名片上扫了一眼,把那个手写的电话号码记在心里,然后才道:"我要走了啊!"

"去、去!"袁虎雄对她挥挥手,"回家睡觉去! 小孩子不要熬夜,不然白天怎么上课!"

从办公室里出来,月炎没有回家,而是乘电梯来到顶楼。刚出电梯,就看到龙飞在那间用血画着魔法阵的储藏室门外,悠闲地坐在一张椅子上,手里还拿着那本《黑魔法集注》,看来他是把这本书从家里带来了。

见到月炎,龙飞合起书,笑道:"你也来了? 那个吸血鬼在里面。"说着向屋里一指。

月炎进去的时候,莱提斯正蹲在地上,伸出手指在已经变成黑色的魔法阵上比划着,神色凝重。

月炎问道:"有什么发现?"

"这是个远距离传送魔法阵,属于黑魔法的一种,可以从地球上任何角落把一个人或者别的什么送到这个魔法阵里,不过现在已经没用了。你看这里,这里还有这里,都已经被传送时产生的魔法逆流毁掉了。"说着,莱提斯在魔法阵上指出几个点,如果仔细观察就能发现,那里的血迹已经变成一层黑灰,"这样看来,这个魔法阵的另一端大概是在相当远的地方,而且使用它的人对自己的能力相当自信。"

月炎好奇道:"你怎么知道的?"

"像这种传送魔法阵,起点和终点之间的距离越远,运作时产生的魔力逆流就越大。从这个魔法阵的情况看来,我只能估计,它的起点最少在五千公里之外。在这种距离上使用传送魔法的风险是非常大的,使用者不但需要有强大的魔力支持魔法阵的运作,还要有精确的控制能力,才能准确地控制两个魔法阵之间连接的稳定,稍有差错,就可能被传送到地球上任何一个角落。所以我才说,使用这个魔法阵的人对自己的能力很有自信。"

龙飞走进来,道:"书上没有这个魔法阵,也没有关于远距离传送魔法的介绍。"

月炎道:"那是当然的! 据我所知,人类现在掌握的传送魔法两点间距离最多不超过五十公里,还要借助比这个庞大复杂好几倍的魔法阵才行——比如这里地下室那个,你和小宁也用过了。"

莱提斯表示赞同，"所以我想，使用这个魔法阵的不是人类，很可能就是我见过的那个处刑恶魔。事实上，这个魔法阵本身就是恶魔的知识。"

月炎皱起眉头，"不过如果是恶魔的话，应该可以直接用召唤魔法阵吧？用得着这样大费周章吗？"

"普通的召唤魔法阵根本无法承载高阶恶魔的力量，就像大象无法钻进狭窄的老鼠洞一样。"顿了顿，莱提斯继续道："我想，在那天晚上你把小恶魔召唤来的时候，那个处刑恶魔就在不远的地方，他也曾经试着穿过召唤魔法阵来到这里，所以我才会感到那种力量。"

被提到自己的臭事，月炎不禁脸上一红，道："那他是怎么来到人界的？"

"应该是通过人界和下界之间天然的裂缝，只有拥有强大力量的个体才能通过这个方法来到人界。不过这些裂缝的出口是固定的，所以我想，他是来自一个相当远的地方，必须通过远距离传送魔法来到这里。"

龙飞饶有兴致地问莱提斯："你对这个什么传送魔法清楚得很，对不对？"

莱提斯没有否认，"我曾经用过这个魔法，不过是很久之前的事情了。"

月炎好奇道："如果是你，用这种魔法能传送多远？"

略一思考，莱提斯才道："在我还很年轻的时候，曾经用这个魔法传送过……大概二百多公里吧？如果是现在的话，能保证成功的距离大概在一千五百公里左右。"

"这么说的话，用这个魔法阵的人——那个处刑恶魔，比你还要厉害好几倍？"

"哦，这倒不至于。如果非要进行比较的话，嗯……"莱提斯停下来想了想，接着道："可以这么说，魔力以及对魔法控制力的综合能力和远距离传送魔法成功的距离之间的关系，可以看成一条三次指数曲线，在离坐标原点远的地方，X 坐标上的微小变化就会引起 Y 坐标的剧烈变动。"

月炎听得一头雾水，"能不能说得更简单一点？"

龙飞笑道："简单地说，那个处刑恶魔比起这个吸血鬼强得也不是太多。"

莱提斯点点头，"就是这个意思。而且魔力和魔法控制力并不代表一切,战斗的结果可能由很多因素来决定。我想,我有与那个处刑恶魔一拼的能力。"他并不是自夸,凯恩也曾经承认,他需要"认真"对付这个吸血鬼。

月炎急忙摆手道:"最好别!要是你们俩在这里演一场'奥特曼大战哥斯拉',这方圆几十里之内恐怕只有超人和蟑螂能活下来了!"虽然说得夸张,不过这恐怕就是事实。两个这种等级的怪物在城市里"火力"全开的话,产生的破坏大概比从天上掉下一颗核弹来还要大!

莱提斯苦笑:"我也不希望发生这样的事情。"

月炎用不信任地眼神看了他好久,这才道:"既然这个魔法阵已经没用了,那我们也不要在这里浪费时间,早点回去睡觉吧。"说着打了个哈欠。这两天她一直没睡好,熬夜到现在已经很困了。

莱提斯点头道:"你先回去,我还有点事情要确认一下。"

月炎问道:"确认什么?"

犹豫一下,莱提斯还是说出来:"血族特有的魔法里,有一种魔法叫作'亚博的轨迹',可以通过目标留下的血液来进行追踪。我想试试看,能不能通过这些血找到他。"和其他魔法不同,吸血鬼的魔法自成一个体系,这些魔法的施展往往和血液有关,在外人看来充满了神秘和诡异的味道。

月炎很感兴趣:"既然有这么方便的魔法,为什么不早说?"

"因为这个魔法需要很长的时间进行准备,而且成功率不是很高。"

"有百分之一的希望也要试试看!"月炎毫不犹豫道,"要多长时间?"

"不知道,大概得到明天早上才能有结论。"

"这么长时间?"月炎有些失望,看看表又打了个哈欠,"如果找到那个处刑恶魔的话,一定要首先通知我!"

莱提斯奇怪道:"你想干什么?"

月炎神秘一笑,"说不定我可以用这个消息换点钞票!"

莱提斯愣了一下:"什么?"

月炎不再多说,而是笑着挥挥手,走了。

又发了一会呆,莱提斯忽然问龙飞:"她不会是认真的吧?"

龙飞苦笑摇头:"谁知道?"

第 十 章
委 托

第二天,又是一个清爽的早晨。月炎从睡梦中醒来。柳月还是没有出现,不过今天月炎可是不会抱怨了。

当月炎走出房间的时候,莱提斯已经在客厅里了,娜丽希雅也在,正兴高采烈地问他关于那个魔法阵的事情。在莱提斯面前的桌子上,放着一个乒乓球大小的黑色圆球,好像黑耀石雕成的工艺品。

月炎左右看看,没见到宁汝馨,问道:"小宁呢?"

娜丽希雅道:"她说去买早饭。"

月炎"哦"了一声,然后问莱提斯道:"找到那个处刑恶魔了?"

莱提斯没有回答,拿起那个黑色圆球递给月炎,"你先看看这个东西。"

月炎接过来,触手冰凉。放在眼前仔细看了半天,她发现在黑色的表面上散布着许多针尖大小的红点。放下圆球,月炎莫名其妙道:"这是什么?"

"'亚博的轨迹',简单地说,这是一个追踪器,我用魔法做出来的。看到里面那些红点了?那是从魔法阵残骸里提取出来的血细胞。"

"哦……"月炎闭起一只眼睛,把那个圆球放在眼前,"你说这是个追踪器?该怎么用?"

娜丽希雅抢着道:"这些血细胞会聚集在圆球表面,形成一个红斑,那个方向就是它们原来的主人所在的方向!"

月炎怀疑道:"我怎么没看到什么红斑?"

莱提斯道:"这个魔法在太阳落山之后,过一段时间才有效。"吸血鬼是属于黑暗的生物,虽然太阳的光线并不能像传说中一样把他们变成灰尘,却可以削弱他们的力量。吸血鬼的魔法也受到这个特性的影响,在白天的效力会大打折扣,甚至变得完全无效。

月炎点点头,把那个黑色圆球放回桌上,对莱提斯道:"你确定这些血是那个处刑恶魔的?"

莱提斯道:"我想这是那个被他占据身体的人类的血,因为有相同的味道。如果找到这个人类,也就找到了处刑恶魔。"

"好!"月炎满意地点点头,"可以把它借给我用用吗?"

莱提斯奇怪道:"你想干什么?"

"我想用它作诱饵,看看能不能钓上一尾大鱼来!"月炎露出一个坏坏的笑容,然后拿起电话按了一串号码。

"喂,是杜蓬先生吗? ……嗯,没错,是我……是这样,关于昨天你在袁爷爷那里提到的事情……对,就是那件事情,我有些线索,可以找到那个处刑恶魔……你们什么时候过来? ……好的,我等你们。"说完放下电话,得意地笑道:"大鱼开始咬钩了!"

"杜蓬?是那个英国的妖魔猎人?"莱提斯还记得这个人,"他怎么会在这里?"

"他是英国妖魔猎人工会的会长,来这里好像就是为了那个处刑恶魔。"

莱提斯讶然道:"他怎么会知道处刑恶魔的事情?"

月炎耸耸肩:"那只有问他才能知道了。"看看表,"他说十点钟过来,到时候就可以问他了。"

过了一会,宁汝馨回来了,和她在一起的还有龙飞,有人去接了他的班,所以他可以休息了。

到了十点,杜蓬如约而至,和他一起来的还有一个人。这个人看起来大概五十岁左右,矮矮胖胖的身躯配上有些谢顶的脑袋,再加上似乎永远带着的温和笑容,让他给人留下和蔼可亲的印象。莱提斯和娜丽希雅不想和他见面,所以留在房间里。

杜蓬首先介绍道:"这位是卡尔登先生,他不会说汉语,所以由我来替他进行翻译。"卡尔登先生略一鞠躬,没有说话。

分宾主坐下之后,杜蓬首先问道:"请问柳小姐,你有什么线索可以告诉我们?"他称呼自己时用的是复数,大概是为了表示对卡尔登先生的尊敬。

"当然是关于那个处刑恶魔的行踪。对了,他叫凯恩,是不是?"

杜蓬和卡尔登一齐动容,两人交换一个眼色,杜蓬道:"是的,那正是我们在寻找的处刑恶魔,而且我们有理由相信,他已经来到这座城市里。如果你有什么线索的话,请告诉我们。"说着,他从口袋里掏出一张支票放在面前的茶几上,推到月炎面前。

月炎也不客气,拿起支票看了看,吹了个口哨,"很诱人,"出乎所有人的意料,她又把支票放回茶几上,"不过我还有些疑问。"

杜蓬看了看卡尔登,后者点点头,于是杜蓬道:"我会尽量回答你的问题。"

"那么,你们为什么要找那个处刑恶魔?"

"因为他是个'叛逆者',不久之前从地狱里逃出来的。在他逃亡的过程中,不少恶魔都死在他手上。所以无论对谁来说,他都相当危险。"

月炎讶然道:"你是说,那个处刑恶魔成了叛逆者?"

杜蓬点头道:"就是这样。处刑恶魔凯恩来到人界之后,地狱里派出使者找到我进行交涉,要求协助寻找这个叛逆者。我考虑到如果这个等级的恶魔在人界胡来的话,肯定会造成很大的破坏,所以就同意了他们的提议。"

月炎问道:"什么提议?"

"我帮他们找到凯恩,然后由地狱进行处理回收。"

龙飞笑道:"这么说就好像是收废品的。"

月炎和宁汝馨也笑了,杜蓬也陪着干笑两声,那位卡尔登先生还是微笑着,没有什么反应。

月炎道:"那么说,这位卡尔登先生应该就是地狱派来的人……哦,是恶魔?"

杜蓬没有否认,"我想现在我们没有必要为了狭隘的种族问题浪费时间,尽快对凯恩进行回收才是最重要的。"

"我没有说恶魔不好啊!"月炎笑道,"据说我身上还有点恶魔的血统呢。"

杜蓬也笑了:"是吗?那就太好了。"

宁汝馨忽然问道:"那个凯恩为什么要背叛地狱?和那个小恶魔有什么关系吗?"

杜蓬没有立刻回答,而是用一种奇怪的语言向卡尔登说了几句话,卡尔登也用同样的语言回答他,接着杜蓬才道:"凯恩背叛地狱的原因到现在为止还不太清楚,至于你说的'小恶魔',是不是一个带翅膀的圆球?"见宁汝馨点头,杜蓬继续道:"关于这个恶魔的事情那是地狱的最高机密,我惟一知道的就是它的名字——帕斯特。凯恩从叹息深渊里把帕斯特偷出来,后来在与追兵战斗时,帕斯特被某种召唤召到人界,所以他才会来到这里,目的应该是为了寻找帕斯特。"

"原来有这种事?"月炎一脸无辜,好像这一切都跟她无关,"如果他找到那个什么'帕斯特',是不是就会乖乖回地狱去了?"

杜蓬又和卡尔登交谈几句,然后道:"这一点恐怕只有他自己知道。嗯,我想我已经说的够多了,我想问柳小姐,你有什么线索可以告诉我?"

"我有件东西,可以找到那个处刑恶魔。"说着,月炎拿出莱提斯的黑色圆球递给杜蓬。

杜蓬看了看,然后交给卡尔登,后者放在眼前仔细观察了一会,然后低声说了一句什么,又把黑球交给杜蓬。

杜蓬把它还给月炎,"很有趣的小东西,不过要怎么使用?"

月炎狡黠一笑,"这就是我的秘密了。"

"你有什么要求?"

"很简单,由我来寻找凯恩,然后通知你,由你们来进行'回收'。"

这句话让包括宁汝馨和龙飞在内所有人都大吃一惊,没想到她会把这么危险的差事揽到自己身上。宁汝馨正想说话,却被月炎用手势阻止了。

杜蓬皱起眉头,和卡尔登交谈了好久,这才对月炎正色道:"你应该知道,即使凯恩是叛逆者,但是处刑恶魔就是处刑恶魔。对人类来说,他实在是太危险了……"

"这个我很清楚,"月炎笑道,"我又不是去找他打架! 只要发现他的行踪,我会立刻告诉你们。"

"那么,请你一定小心。"杜蓬指了指茶几上的支票,"这个作为定金。如果发现凯恩的行踪,请一定尽快打电话给我!"然后他和卡尔登一起站起来告辞。

他们离开之后,宁汝馨皱眉道:"我想,这件事还是交给他们比较好。"

月炎撇撇嘴,"我不信任他们。特别是那个叫卡尔登的家伙,明明懂汉语,偏偏装作什么都不知道的样子!"

龙飞笑道:"你也发现了?"

月炎气呼呼地道:"当然!我说自己有恶魔血统的时候,他立刻明显地愣了一下!想把我当三岁小孩骗?哼!"

娜丽希雅和莱提斯从房间里出来,加入了讨论。

月炎道:"虽然我不知道他们要怎么做,不过'回收'处刑恶魔绝对不是一件简单的事情,至少也需要同样等级的处刑恶魔才行吧?"

莱提斯点点头:"所以我怀疑,那个叫卡尔登的家伙就是一个伪装成人类的处刑恶魔。"

龙飞道:"好嘛,本来还只有一个处刑恶魔,现在变成两个!"他倒是很高兴,大有唯恐天下不乱的劲头。

月炎道:"比起这个,我更在意的是他们的目的。那些恶魔真的有这样好心,会这样大费周章地'回收'一个叛逆者?"

宁汝馨道:"可以肯定,他们的目的绝不会这么单纯。不过至少在这个处刑恶魔的问题上,我们和他们的利益应该是相同的。"

"所以我才答应和他们合作啊!不过作为合作者,我也有权利知道一点内幕对不对?"月炎自信一笑,"没有人喜欢被别人当作傻瓜的!"

与此同时,杜蓬已经回到下榻的酒店,刚进房间,他狠狠地骂道:"那个该死的小丫头,竟然把我当傻瓜!"回头发现卡尔登正看着他,这才意识到自己的失态,连忙抱歉道:"对不起……"

卡尔登笑道:"没关系,你说得没错。"他的普通话字正腔圆,还带一点北京口音。

杜蓬很是尴尬,岔开话题道:"你觉得他们真的能找到凯恩?"

卡尔登没有回答,而是微笑道:"用'亚博的轨迹'进行追踪,真是个有趣的主意。"他拿起桌上装饰用的玫瑰花,放在自己油光发亮的圆鼻子下面闻了闻,"看来他们认识一个相当长命的吸血鬼。"

杜蓬一愣:"吸血鬼?"

"那种低等生物,哦,比你们人类稍微强那么一点。"卡尔登手中的玫瑰花开始汽化,那些鲜艳的花瓣很快变成粉红色的蒸汽。他用手扇了扇,小心地把这团气体弄成一团,道:"那个小姑娘说自己有恶魔的血统,看来事情越来越有趣了。嗯,凯恩来到一个好地方,这还要多谢你的帮忙啊!"

杜蓬喃喃道:"当时我并不知道他是个叛逆者。"

卡尔登嘿嘿一笑,"你没有违背当初的约定,达亚德大人是知道的——至少这次没有。"

杜蓬的脸色变得煞白,一句话也说不出来。

卡尔登也没有继续说下去,忽然自嘲地"嘿嘿"一笑,"一个处刑恶魔成了叛逆者,这是不是很大的讽刺?"

杜蓬不知道该怎么表态,于是很明智地保持沉默。

卡尔登也不再说话,专心致志地摆弄着面前那团飘忽不定的蒸汽,过了一会忽然抬头道:"你怎么还在这里?"杜蓬识趣地退了出去。

卡尔登打开窗户,那团蒸汽飘飘荡荡从窗户里飞了出去,隐约可以看出一个小恶魔的形状。看着窗外,卡尔登脸上的笑容消失了,取而代之的是一片迷茫,自言自语道:"凯恩啊,老朋友——或者说,我的兄弟……你真的这么想拥有一个灵魂吗?"

第十一章
演 唱 会

电话里传来几个女生叽叽喳喳的声音,"嘿！柳月,你在哪里呢?"

"啊,是你们!"月炎听出来是王若羽她们三个,刚才说话的大概是李英,"有什么事?"

"告诉你个好消息！想不想听?"

月炎问道:"什么?"

"当然是'SHARE'啊！根据可靠消息,他们下午三点就会到演唱会会场,然后会在后台化妆,林娜她爸爸已经都安排好了,我们可以直接去后台,能面对面地看到格兰德·沃夫曼耶!"

"哦。"月炎随口答应着,心想昨天晚上他刚来过我家,还在墙上开了个大洞。

"让我来说!"电话那边的人换成王若羽,"你什么时候出来? 我们都在等你呢！还有你的那个外国朋友,把她一起叫来啊！"

当月炎来到演唱会场外面时,已经有很多人在那里等着。这些人都是三五成群,很有默契地散开在整个广场,全副精神都用来搜索自己的偶像,希望能在外面把他们拦住。

"柳月,这里!"

月炎看到那三个女生正向她招手。她们手里都捧着一大束鲜花,脸上洋溢着兴奋的光辉。

见到月炎两手空空,王若羽大是不满,"你就这样空手去见格兰德·沃夫曼啊? 太失礼了吧? 赶快去买束花去!"

月炎从随身的小包里拿出一个可爱的粉红色信封,在眼前晃了晃,微笑道："我送给他这个！"

林娜惊讶道："那是什么东西？"

月炎把食指放在嘴唇上，神秘地笑着："是一秘一密！"

"情书！一定是情书！"李英大声起哄，"我还总是害怕你和林娜一样太腼腆找不到男朋友，没想到这么大胆哦！"

又闹了一阵，王若羽问道："娜丽希雅小姐呢？"

李英接着道："还有她的男朋友莱斯提！虽然不够风趣，不过真是个挺帅的家伙！"

"你的称赞让我感到十分荣幸。"莱提斯走过来，两手各提着一个大塑料袋，里面装满了各种零食和饮料。娜丽希雅跟在他身边。

娜丽希雅笑道："抱歉来晚了，超市里人太多。"

广场另一端的人群骚动起来，有人大声喊着："来了，是'SHARE'的车队！"好像听到冲锋命令的士兵，广场上的人开始向那个方向聚集，形成一阵汹涌的人潮。

在人群的包围下，几辆黑色奔驰轿车缓缓驶进广场，一直到离体育馆后门很近的地方才停下来。当先几辆车的车门打开，下来的是一群穿黑西服戴墨镜的保镖，很专业地在车旁边拦起一道人墙，把汹涌的人潮拦在外面。

"好大派头！"小声嘟囔一句，月炎问李英三个："你们不过去？"

王若羽撇撇嘴，"谁要去凑那种热闹？"

李英道："对啊，咱们和那些人档次不同！"说话间很有些得意。

一个黑衣人打开车门，格兰德从车里走下来，带着迷人的微笑向围观的人群招手致意。一时间闪光灯的光芒交织成一片耀眼的光幕，少女兴奋的尖叫此起彼伏，大声叫着："格兰德，我爱你！"有不少人想冲到他身边，都被尽职的保镖们拼死拦住。

这时林娜的手机响了，她接起来说了几句话，然后道："我们进去吧，到后台去等他们。"

李英欢叫一声："好哎！"

广场的另一边，龙飞正站在那里，饶有兴致地看着远处喧闹的人群。

一只通体雪白的鸽子落在他肩上，宁汝馨的声音小声道："这大概就是所谓的偶像崇拜吧？"

"让我想起来很久之前的事情，"笑着摇摇头，龙飞问道："发现什么没有？"

"附近都没有异常，我想那个处刑恶魔应该不在这里。"宁汝馨回头梳理着自己的羽毛，"……不过我也不能确定。"

一个票贩子走过来，热情地对龙飞道："先生一个人？这小鸟真是漂亮！嘿，不瞒您说，我也喜欢鸟……对了，我这里还有最后一张票，看在这只鸟的面子上，便宜卖给你怎么样？"

"多少钱？"

票贩子拿出一张票晃了晃，"五百，怎么样？"票面上印的票价是一百块。龙飞摇摇头，笑道："太贵了。"

"那就算了。"票贩子的热情立刻就消失了，把票装回口袋，不屑地哼了一声，"有好多人抢着买呢！"转身就要走，龙飞叫住他："等等，你的钱掉了！"弯腰捡起两张百元大钞，走过去交给那个票贩子。

票贩子先是一愣，随即满脸堆笑道："谢谢，谢谢！"毫不客气地接过钞票，好像生怕龙飞反悔似的匆匆走了。

宁汝馨不解道："你这是干什么？"她看得很清楚根本没有钱掉在地上，那张钞票是龙飞从口袋里掏出来的。

龙飞笑嘻嘻地道："我比较喜欢等价交换。"不知道什么时候，票贩子口袋里那张门票已经到了他手里。

宁汝馨从来不知道龙飞还有这门"手艺"，而且看来"技术"还相当高超，就连身为旁观者的她也没看清楚他是怎么做的。不过从龙飞"还"给那个票贩子两百块钱看来，他并不是一个会滥用这种技术的人。

宁汝馨问道："你也想去看演出？"

龙飞笑道："是啊，忽然有了点兴趣。就像月炎说的，演唱会结束之后再去找那个处刑恶魔也不晚。"

宁汝馨不满地哼了一声，"那么，我的票呢？"

龙飞狡黠一笑，"我说过，等价交换吧？"轻轻一捻，手中那张票神奇地变成了两张。得意道："那家伙口袋里有不下十张票，居然说只剩下一张！"

宁汝馨呆了呆，忽然狠狠地在龙飞脖子上啄了一下，大声道："傻瓜！哪有妖怪要用门票的！"也不管周围人惊异的目光，振翅飞走了。

龙飞摸了摸脖子，抬头看着天空，那里飘着几朵白云，如果仔细看的话，就会发现其中一朵带着淡淡的粉红色。看了一会，龙飞笑了，自言自语道："看来，一场有趣的演出就要开始了……"

周围的人忽然一阵骚动，"看，美女耶！""电影明星吗？还是模特？"

"谁知道她的名字？"

龙飞好奇地转头望去，正好看到宁汝馨走过来。她已经恢复成人形，穿一件珍珠色长裙，风姿卓绝。优雅的步伐和淡淡的微笑更让人感到她身上那种怡然脱俗的气质，不少人都看得痴了。

走到龙飞面前，宁汝馨从他手里抽出一张门票，"既然有票，就不要浪费啊！"龙飞一下子成了焦点，那些妒忌的眼神恨不得把他点燃。

龙飞挠挠头，只能苦笑摇头，用自己才能听到的声音嘟囔着："看来还是妖怪好一点，至少不会这么引人注目……"

在工作人员的带领下，月炎等人来到后台，这里是由运动员的休息室临时改造成的。

林娜的父亲有相当的影响力，来往的工作人员不少都向他们点头致意。后来月炎才知道，林娜父亲的公司就是这次演唱会的组织者之一。

等了一会，格兰德等人才姗姗来迟。大概已经得到过通知，所以他们对几个女孩子的出现并不太吃惊，都向她们抱以礼貌的微笑。不过当格兰德看到月炎的时候，他脸上的笑容一下子僵在那里，接着看到莱提斯和娜丽希雅，他的表情变得有些紧张。

月炎走上前去，把那个粉红色的信封递给格兰德，微笑道："请你收下这个。"莱提斯和娜丽希雅都知道，里面装的是一张带有 n 个 "0" 的账单。

见月炎没再说什么，格兰德松了口气，撕开信封上封口的凯蒂猫贴纸，把里面的纸片拿出来看了看，对月炎微笑道："OK，没问题。"见他答应得这么痛快，月炎开始后悔自己为什么没有再多加上一两个零。

李英她们这才从初见偶像的兴奋中清醒过来，急忙走过去献上鲜花，然后又是签名又是合影留念，折腾了好长一段时间。乐团成员和工作人员对这几个女孩十分客气，可谓有问必答、有求必应，这当然是冲着林娜她爸爸的面子。直到演唱会快要开始的时候，她们才恋恋不舍地离开，通过工作人员用的通道直接来到观众席，找到自己的位子坐下。因为月炎她们和莱提斯两人的位置离得很远，只好就此分开，约定演唱会结束之后在体育馆门口碰头。

很快，能容纳数万人的体育馆里座无虚席，所有人都在焦急地等待着演唱会开始的那一刻。此时天色已经完全黑了，吹拂的夜风中带着一点凉意。

"月炎她们在靠近舞台的地方，莱提斯和娜丽希雅在对面。"一边说着,宁汝馨一边把他们的位置指给龙飞看。

龙飞道:"都比咱们的位置好。"他们坐在最后一排,看来那个票贩子的票大概就是因此才会压在手里卖不出去的。

宁汝馨道:"这个位置很好啊,视野宽广。"

龙飞笑道:"我是说,如果你坐得靠前一点,那些男同胞们就不用那么费劲地回头了。"坐得比较近的几个人听到他的话,都忙不迭地回过头去。比较远的地方,有几对情侣已经因为男方"饱餐秀色"而吵了起来。

有个二十多岁的年轻男子走过来,"如果美丽是一种罪恶,那么你一定是罪无可恕,恶贯满盈了……"

宁汝馨没让他说完,微笑道:"对不起,先生。如果爱情是监狱,那么我正在服刑。"她的话引起一片喝彩,那个男人在哄笑声中灰溜溜地走了。

龙飞打了个响指,兴高采烈道:"第十一个牺牲者,好,再来一个就凑够一队(他最近在玩'星际'了)! 不过我倒是挺喜欢刚才这家伙的,至少比走过来说'小姐,我请你吃饭好吗'的家伙有创意。"他学着刚才那些人的腔调,宁汝馨忍不住笑出来,温玉般的笑容让不少人都看得痴了,同时心中大叹一朵鲜花插在牛粪上。

光线暗下来,几支聚光灯的光线在体育馆上空扫过,最后集中在舞台上。一时间,所有的声音都静下来,几万双眼睛的视线都集中在聚光灯照射的地方。

衣着前卫的主持人走到聚光灯下,"女士们先生们,让我们一起欢迎我们的最爱——'SHARE'!"聚光灯忽然熄灭,舞台上变得一片漆黑。劲爆的音乐声骤然响起,整个体育馆瞬间沸腾了,"SHARE!! SHARE!!!"的欢呼声此起彼伏。

一个平台缓缓从舞台下升起,"SHARE"乐团所有人都站在上面。平台停下,格兰德走下来。

"各位朋友,"音乐声停下来,欢呼声也随之停了下来,整个体育馆上空只有格兰德富有磁性的声音在回响:"感谢大家来到这里!"观众们爆发出一阵惊天动地的欢呼,"我把第一首歌献给我爱的人,和所有爱我的人!"

所有观众不约而同地大声喊道:"我们爱你!"

格兰德回头和艾妮交换了一个会心的笑容,举手向天一挥,"Never Far From You(永不远离你)!"这首歌是"SHARE"的成名之作,当年刚创几乎所有的人都在优美的歌声中如痴如醉,心情随着音乐的节奏起伏跌宕,不过莱提斯是个例外。不知道为什么,他心里总是有一种不安的感觉。这种感觉是那么强烈,以至于让他想到那个不祥的夜晚。

注意到他的神情不太对,娜丽希雅问道:"你怎么了?"

莱提斯勉强一笑:"我没事。"

"你生病了?"话刚出口,娜丽希雅拍了拍自己的脑袋,自嘲地笑道:"我真糊涂,吸血鬼怎么可能生病?"

莱提斯一下愣在那里,周围的一切好像又变成了数百年前的那个西班牙小城,同样是在欢呼的人群里,奈亚笑着对他说:"我真糊涂,吸血鬼怎么可能生病?"

幻觉消失,他还在二十一世纪。

娜丽希雅正担心地看着他:"你还好吧?"

"我没事,让你担心了。啊,这首歌已经完了?"他抱歉地对娜丽希雅道:"对不起,影响你看演唱会了。"

"没关系,这首歌我在现场都听过三遍,"娜丽希雅口气挺大,"倒着都能唱出来!"她和莱提斯交谈用的都是英语,否则一定会在周围引起一片抗议。

"你很喜欢这首歌?"

"嗯,其实就是因为这首歌,我才会喜欢'SHARE'的。里面那种淡淡的忧伤,不知道为什么,我总觉得能和我心底的一点什么产生共鸣……"说到这里,她忽然粲然一笑,"其实我连恋爱都没谈过,你知道,有个那种哥哥!"

第一首歌结束之后,主持人登台对"SHARE"乐团的成员进行现场访问,其间竭尽插科打诨之能事,对所有人明贬暗褒一番,整个演唱会场笑声不断。

当他来到艾妮面前时,问道:"请问艾妮小姐,外界盛传你和格兰德是恋人关系,这是不是真的?"

艾妮对他妩媚一笑:"你说呢?"

主持人呆了呆,因为这并不是准备好的答案,不过他的反应也够快,笑道:"我当然希望不是真的啦,毕竟我还单身嘛!"台下一阵哄笑。

艾妮媚笑道:"你想吻我吗?"

主持人这次是彻底呆住了:"什么?"还没等他反应过来,艾妮的双臂已经水蛇一样揽住他的脖子,轻启双唇吻在他嘴上。

台上台下的人都被这个突然的变故惊呆了,格兰德又惊又怒,快步向艾妮走过来,"艾妮尔,你在干什么?"

主持人从艾妮臂弯里滑出来,软软地瘫倒在地上。在所有人的注视下,艾妮的头发颜色逐渐褪去,变成一头耀眼的金色长发,与此同时,一双粉红色的肉质翅膀在她背后缓缓张开。

一个人迈着幽雅的步伐走上舞台,把主持人的耳麦摘下来戴在自己头上,向目瞪口呆的观众们微笑道:"女士们先生们,你们的灵魂已经活化得差不多了,那么,我的演出也要开始了!"

第十二章
炼　魂

月炎她们离舞台最近，发生的一切都清清楚楚地看在眼里。李英惊讶地张大了嘴："这是怎么回事？插花吗？节目单上没有啊？"

"看来不像……"王若羽也很奇怪，"那个人是谁？他在说什么灵魂、活化的？"

月炎反应很快，从口袋里掏出莱提斯的"亚博的轨迹"，只见黑色的球面上出现一个刺眼的红斑，朝向舞台上。月炎低声骂道："该死，中大奖了！居然在这里碰上那个处刑恶魔！"急忙掏出手机想给杜蓬他们打电话，却发现没有半点信号，气得她差点把手机摔了。

林娜发出一声惊呼，"啊！"舞台上，格兰德挥动着手中的吉他向那个陌生人冲上去，却被那人随手一挥就甩了出去，好像断线的风筝一样。

那人依旧气定神闲，悠然道："艾妮小姐有一首歌想献给各位，请注意欣赏！"说完弯腰做了个"请"的手势。

艾妮面无表情，像个牵线木偶一样走到舞台前，张开嘴做出唱歌的样子，却没有发出任何声音。

李英莫名其妙道："这是搞得什么……"话音未落，突然向后倒下去，重重地落在她的座位里，然后身子一歪，靠在月炎身上。

月炎急道："你这是怎么了？"话音未落，林娜和王若羽也先后晕倒，接着周围的人好像被割倒的麦苗一样，成片成片地倒下去。

"这是什么声音?!"宁汝馨使劲捂住耳朵，勉强抵挡着那种又尖又高的刺耳声音，脑子里乱成一团。很快，这声音忽然消失，宁汝馨松开还在嗡嗡作响的耳朵，这才发现周围的人一片东倒西歪。

龙飞倒是很精神,问宁汝馨:"你没事吧?"

"没事……你没听到那种声音?"

龙飞一脸的莫名其妙:"没有啊,什么声音?对了,这些人怎么突然就睡着了?"

略一思考,宁汝馨已经明白是怎么回事:艾妮唱的"歌"是一种频率极高的声音,超出了人类耳朵所能接受的音频范围,所以人类听不到,不过这种声音却对人类有极强的催眠(或者是击晕?)作用,转眼间就把整个体育馆里的几万名观众全都放倒了。至于龙飞……还是那句话:大概是因为傻瓜的抵抗力比较强吧?

刚才还人声鼎沸的体育场转眼间变成一片死寂,只有处刑恶魔凯恩的声音在里面回响:"哦?太好了,没想到还能剩下几位热情的观众!那么,请各位观众到前排就座,谢谢!"

宁汝馨低声问龙飞:"怎么办?"不知为什么,在这种时候她觉得他最可以依靠。

龙飞居然还笑得出来:"走一步算一步吧。"说完跨过横七竖八的观众,向舞台走过去。宁汝馨想阻止他已经来不及了,只好也站起来跟上他,路上她试着施展一个精神防护的法术,却惊讶地发现只要灵力稍一凝聚,立刻就被一种强大的力量吸引进地下,根本无法施展法术。不用说,这肯定是凯恩搞的鬼。

当宁汝馨和龙飞来到舞台上时,月炎已经在那里,正在照顾摔伤的格兰德。接着莱提斯也来了。他的脸色铁青,怀里抱着娜丽希雅,一只手按在她的后心上。娜丽希雅的脸色苍白,浑身不停地打着寒颤,与其他晕倒的人相比,她的情况似乎更糟。

凯恩走到莱提斯身边拍拍他的肩膀,像老朋友一样道:"相信我,这样没用!这个结界可是我好不容易才弄好的,在这里面只有足够强大才能使用魔法。很不巧,你离我设定的标准还差那么一点。"看来,他是以自己为参照物来制定标准的。

莱提斯不理他,还是没有放弃自己的努力。

"好吧,随你的便。"说完凯恩不再理会莱提斯,回头看了一圈,一边满意道:"好啊,吸血鬼、半狼人、有恶魔血统的小姑娘,中国妖怪,还有……嗯?"他看着龙飞,露出奇怪的表情,好久之后才继续道:"……算了。不管怎么说,你们都是观众,请好好欣赏我的表演吧!"他看起来很兴奋,话也多了起来。

这时格兰德勉强站起来,蹒跚地冲到艾妮身边,大声喊着她的名字。艾妮神色木然地站在那里,对格兰德的声音没有任何反应。格兰德转向凯恩,愤怒地咆哮着:"你对她做了什么?"

"只是给她一点帮助,让她能更好地认识自己而已。"凯恩轻描淡写道,"其实吸精夜魔有些很有趣的能力,只不过他们自己也不知道该怎么使用而已。对不对,艾妮?"

听到他的话,艾妮像个木偶一样机械地点点头。

凯恩满意地笑了,对艾妮命令道:"好吧,该开始第二乐章了。"

接到命令,艾妮又开始唱歌。这次她的歌声比刚才缓和得多,感觉好像母亲在哄宝宝入睡。悠扬的歌声回荡在寂静无声的体育馆里,造成一种充斥着诡异的安详氛围。月炎虽然胆大,不过还是感到后背一阵阵发凉,宁汝馨走过去,轻轻握起她的手。

不久之后,观众席上空开始出现一些大大小小的光团,发出五颜六色的柔和光芒,在空中静静地飘浮着。仔细一看,月炎发现这些光团是从那些晕倒的观众额头冒出来的,猛然意识到这是什么,忍不住发出一声惊呼:"是灵魂!"

"没错,这就是人类的灵魂。"凯恩轻轻抓住一个飘到他面前的光团,"脆弱的小东西,不过真的很美丽,对不对?"他放开手,那个灵魂又晃晃悠悠地飘了开去。

宁汝馨道:"你把他们的灵魂抽出来想干什么?"

"让他们升华!"凯恩兴奋地将手向空中一挥,"我要把它们炼成一体,它们将成为一个灵魂——我的灵魂!"

宁汝馨记起艾妮曾经说过,"处刑恶魔没有灵魂",正因为这样,凯恩才会要给自己制造一个灵魂出来。但是把许多灵魂炼成一个的方法,宁汝馨从来没有听说过(把一个灵魂分成几部分倒是不难)。

空中的灵魂越来越多,几乎所有人的灵魂都被从身体里抽出来。这些灵魂最大的有足球大小,最小的只比拳头略大,而且颜色各不相同。

在莱提斯怀里,娜丽希雅的额头上浮现出淡淡的白光,这就是灵魂即将离体的征兆。不过莱提斯没有放弃,拼尽全力向她体内灌输魔力,来稳定她的灵魂。因为凯恩结界的作用,莱提斯放出的魔力进入娜丽希雅体内只有十成中的一成。付出巨大的代价之后,只能勉强保护娜丽希雅的灵魂不离开身体。

"现在,该主角登场了!"凯恩举起手,一个长翅膀的圆球从空中飞下来，落在他手上，正是娜丽希雅的"球球"，被杜蓬称作"帕斯特"的小恶魔。现在它的那双火红的大眼睛无神地张开着，浑身鳞片炸起，好像一只充满气的刺豚鱼。

"这是'帕斯特'，不过用你们的话来说，它的名字应该是'灵魂冶炼者'！"凯恩用双手托起"帕斯特"，将它高举过头顶，"来吧，我的灵魂们！"

小恶魔圆滚滚的身体开始发出淡淡的宝蓝色光芒。似乎是被这光芒所吸引，那些飘荡在空中的灵魂纷纷向这里飞过来，当它们碰到小恶魔之后，就消失在这个圆球形的身体里。随着吞噬的灵魂越来越多，小恶魔身体表面的光芒也越来越亮。

月炎再也看不下去，大声道："你住手！"就想冲上去，被宁汝馨使劲拉住，"冷静点！"

凯恩松开手，对月炎笑道："对啊，应该冷静一点。你们是见证我灵魂诞生的重要观众，我可不想被迫伤害你们。"

月炎愤怒道："你把他们都杀了！"

凯恩正色道："纠正一下，我并没杀死他们，只是让他们的灵魂升华了而已。他们的身体还会活着，你们称这种情况叫什么？ 植物人？"

"你这个恶魔！"

"我就是恶魔，一个即将拥有自己灵魂的处刑恶魔！"凯恩得意地笑着，"等我有了灵魂之后，你知道我第一件事要做什么？"不等别人说话，他自己说出了答案："我会回到地狱，向达亚德挑战！ 我要向撒旦大人证明，只有他的处刑恶魔才是最强的！"

龙飞忽然道："喂，你的'帕斯特'没东西吃了！"

凯恩一愣："什么？"急忙抬头看去，果然空中所有的灵魂都不见了，此时那个小恶魔的身体变成耀眼的亮白色，令人不能正视。

凯恩的脸色一下子阴沉下来，自言自语道："可恶的……怎么会这样？！ 就差一点儿，就差一点儿就可以开始炼魂了！ 现在到哪里去找活化过的灵魂去？"忽然看到莱提斯怀里的娜丽希雅，凯恩嘴角露出一个邪恶的笑容，"对啊，这里还有一个。"

莱提斯本能地抱紧娜丽希雅，"你不能伤害她！"

凯恩轻蔑地看着他，"要我说几次你们才明白？ 这是灵魂的升华！"说着，他伸手在虚空里抓了两下，莱提斯的双臂发出一连串"咔嚓咔嚓"的脆响，软软地垂下来，娜丽希雅也跟着掉下来。凯恩又抓了一下，娜丽希雅的身体在落地之前转为横飞，轻轻落在凯恩面前的地面上。接着在凯恩和娜丽希雅还有那个小恶魔周围升起四道透明的冰墙,将其他人隔在外面。进行到这个阶段,凯恩不想再受到任何不必要的打扰。

莱提斯重重地跪倒在地,现在的他甚至没有力量给自己疗伤,只能眼睁睁地看着凯恩把"帕斯特"放在娜丽希雅额头上方,忍不住泪流满面,沉重的无力感几乎把他的精神摧垮。还是这个样子,一切都没有改变!自己依旧无法保护心爱的人,难道几百年前的那一幕又要重演?

凯恩全然不理莱提斯的感受,大声道:"各位观众,请注意看!"透过冰墙,他的声音有些发闷。

似乎是受到"帕斯特"光芒的吸引,娜丽希雅额头上的光芒越聚越多。终于,一点白光从她额头上升起来,随即被"帕斯特"吸了进去。灵魂的光芒源源不断地飞出,好像山间清泉,完全看不出枯竭的迹象。

凯恩意识到不太对劲,一个人类的灵魂怎么会有这么大的数量?大惊之下,他想阻止帕斯特继续吸收娜丽希雅的灵魂,大吼道:"停下!"不过已经晚了,那个小恶魔吸收灵魂的速度越来越慢,它和娜丽希雅之间连着一条灵魂构成的锁链。小恶魔的身体变得通红,好像烧红的炭火,发出阵阵痛苦的叫声。

月炎看得呆了,"它怎么了?"

龙飞笑道:"吃到不合适的东西,当然会肚子疼了。"他倒是一点也不紧张,完全是一付隔岸观火,幸灾乐祸的神情。

"你给我停下!"凯恩的好心情已经荡然无存。现在的状况让他再也顾不上许多,只好用封印魔法把失控的"帕斯特"封印起来。

凯恩举起手,小恶魔身体周围立刻出现了一层厚厚的坚冰,把它冻成一个大冰块。出乎他意料的是,只是在一瞬间,这层冰就被小恶魔身上发出的热度蒸发成水汽弥漫在冰墙里。

就在这时,小恶魔发出一声凄厉的哀号,在"嘭"的一声闷响中,它的身体化作漫天尘埃。无数灵魂飞出来,毫无阻拦地穿过凯恩设下的冰墙,争先恐后地向自己的身体飞去。一时间,空中好像下了一场五彩斑斓的流星雨。

凯恩呆呆地站在那里看着眼前这壮观的景象,脸上都是不可置信的神情。这个计划是完美的,而且执行得也很精确,可就是这样,他却失败了,甚至连失败的原因是什么都不知道!一种无可抗拒的疲惫占据了他的身心。是的,他对自己说,我太累了,需要好好休息了……

在其他人的目光中,凯恩直挺挺地倒了下去,他周围的冰墙也在转眼间崩溃成一地碎冰。莱提斯急不可待地冲到娜丽希雅身边,与此同时,他感到自己的手臂在迅速复原。这说明凯恩的结界失去作用,他的力量又回来了。

莱提斯跪倒在娜丽希雅身边,脱口而出:"你醒过来啊,我求求你,奈亚!"

娜丽希雅张开眼睛,"啊……我好像做了一个很奇怪的梦……"环顾四周,奇怪道:"这里发生了什么?"

另一边,月炎小心翼翼地走到凯恩倒在地上的身体旁边。这个身体好像刚刚被吸干了所有血液,皮肤松松垮垮地挂在身上,再没有半点生命的迹象。在后脑上破了一个碗口大小的洞,却没有半滴血流出来,在里面可以看到干瘪的脑子皱缩成可怜的一团。

宁汝馨叹了口气,"他已经不是处刑恶魔了,只是一个被恶魔占据过身体的可怜人。"

月炎点点头,"有人把那个处刑恶魔带走了,可是,在什么时候?"

一声尖叫传来,艾妮尖声大叫道:"天啊,我怎么会变成这样?!"格兰德在她身边,脸上都是欣慰的表情。凯恩消失之后,施加在她身上的影响也随之消失。

"喂,我说那个吸精夜魔!"月炎叫艾妮,"如果你不想这个样子上明天报纸头版的话,就把刚才的第一首歌再唱一遍!"

第十三章

归　宿

地狱,魂之深渊。

一个淡淡的人影出现在空中,"达亚德大人,处刑恶魔凯恩的回收工作已经完成,但是帕斯特损坏严重,以至于无法进行回收。"

"知道了,"达亚德点点头,"你尽快把凯恩带回来,我有些话要当面问他。弗德里克也很想见到他。"

"是。"顿了顿,又道:"在这里发现一个叛逃的吸精夜魔,请问该怎么处置?"

达亚德不耐烦地挥挥手,"这种小事不用来烦我,随便你吧!"

"是。"人影消失在空中。

第二天一早,龙飞饶有兴致地看着刚送来的报纸,大声念出来:"身份不明的恐怖分子用催眠毒气袭击'SHARE'演唱会现场,导致数万人产生集体幻觉! 警方正在全力追缉嫌疑人,'SHARE'乐团成员宣布绝对不向恐怖主义妥协,将于今夜再次举行演唱会,答谢所有支持'SHARE'的歌迷朋友! 啊,这里说昨天的票还能用! 我真不该把它扔掉的!"虽然这么说,可是看不出他有半点惋惜。

宁汝馨笑道:"我的也扔了。"

这时月炎从房间里走出来,龙飞道:"月炎小姐,今天起得很早啊?"

小姑娘立刻纠正道:"是柳月!"

龙飞和宁汝馨相视一笑,"哦,今天换班了?"

"我睡几天了?"柳月看看万年历上显示的日期,发出一声惊叫:"不会吧? 七天!"急不可待地问道:"我的考试呢? 还有'SHARE'的演唱会!

我早就等着啊！"

宁汝馨道："考试，月炎替你去了，至于演唱会，你应该还不算错过……"接着把演唱会再次推迟的事情告诉她，当然并没有提到处刑恶魔的事情。

柳月松了口气，"哈利路亚！我这就给林娜打电话——不对，今天要上课，我在学校里能找到她们！"匆匆忙忙吃了两块蛋糕，抓起书包冲出门去。

娜丽希雅从房间里走出来，她的脸色还是不太好，勉强笑道："刚才是月月炎？"从昨晚开始，她就一直在发低烧，莱提斯在她身边守护了一夜，天亮之前才悄悄离开。

龙飞笑道："现在是柳月。"

娜丽希雅点点头，似乎在考虑下面的话该怎么说，过了一会才道："嗯，这段时间和你们在一起我生活得很愉快，不过，我恐怕必须离开了，现在就走。"

宁汝馨刚才就注意到她提着一个小小的行李箱，不过没想到她竟然会这么说，讶然道："这么急？为什么？"

"编辑部给我打来电话，让我赶到南印度丛林去采访，那里刚刚发生过一场灭村血案，当地人相信和湿婆神有关。"娜丽希雅笑了笑，"这就是我的工作。"顿了顿，接着道："我刚才打电话问了，今天上午有一班去新德里的航班。"

宁汝馨道："莱提斯和你一起去？"

"不，当然不！"娜丽希雅急忙摇头，"我没告诉他。他还有自己的事情必须要做，我不能总是缠着他……"说到这里，她的神色变得有些黯淡，"他还要去寻找，那个灵魂……"

"不，已经结束了。"

娜丽希雅回头，看到莱提斯站在离她不远的地方，"莱提斯先生，我……"

莱提斯微笑道："是印度吗？从很久之前我就想去看看那个神秘的国度。如果不介意，可以让我做你的旅伴吗？"

娜丽希雅一下愣住了，不知道该说什么好，过了一会才喃喃道："啊，好的……"

莱提斯对龙飞和宁汝馨道："既然这样，我也要告辞了。"

宁汝馨问道："你确定不等柳卓群会长？她明天大概就能回来了。"

莱提斯微笑摇头："不，这件事已经结束了。我决定不再寻找奈亚的灵魂。"

"理由呢？"

莱提斯只是笑笑，没有回答。

龙飞笑道："好吧，那祝你们一路顺风！哦，对了。"他从口袋里掏出个小东西扔给娜丽希雅，"这个给你，算个纪念。"

娜丽希雅伸手接住，发现赫然是那枚"真名之戒"。龙飞笑道："我觉得戴在你手上挺合适的。"

"谢谢。"娜丽希雅依言戴在手上。

莱提斯道："那么，用你们中国人的话说，咱们日后有缘再见！"

莱提斯和娜丽希雅前脚刚走，格兰德和艾妮就来了。为了避免被记者"围追堵截"，他们都带着口罩和墨镜。

卸下"伪装"，格兰德道："我们来表示感谢，为你们所做的一切。"

"我什么都没有做啊！"龙飞笑着说。

"等月炎小姐回来，请把这个交给她。"格兰德从钱包里拿出一张支票放在桌上，"这是她应得的。"他们没时间在这里久坐，很快就起身告辞。

走在明亮的大街上，艾妮忽然道："那个处刑恶魔不在了，我也自由了。现在的生活还会继续下去，对不对？"最后这句话问的是格兰德。

格兰德自信地笑着："当然！"

杜蓬打来电话，说他和卡尔登先生即将搭下一班飞机回国，然后对月炎所做的一切表示感谢，最后说剩余款项将在他回国之后从银行汇过来。刚放下电话，妖魔猎人协会又打来电话，让月炎准备一份昨晚事件的详细报告书。当得知月炎不在之后，这个艰巨的任务自然就落在龙飞和宁汝馨头上。一直忙到中午，两人才把报告整理好，发到协会的电子邮箱里。

龙飞伸了个懒腰，"总算忙完了！"

宁汝馨忽然道："我觉得很奇怪，为什么莱提斯放弃得那么干脆？"

龙飞笑道："我想，可能他发现要找的东西就在自己身边吧……"

"啊？啊……"宁汝馨也笑了。

不知从哪里，悠扬的曲调响起，正是那首《Never Far From You》……

外一篇
旧　梦

　　黑暗,在这个地下深处的酒窖里没有半点光线。血液的腥臭和葡萄酒的醇香混合在一起,在空气中交杂成一种奇异的味道。

　　一个冰冷的声音在黑暗中响起:"蓝恩提瑟尔姆,你来晚了。"是里努基伦,一个不苟言笑的家伙。我一直很想知道,在加入血族之前的他是不是某个国家的政客。

　　"抱歉,"我笑了笑,"有个圣骑士盯上我,在城里转了几圈才甩掉。"

　　里努基伦皱起眉头:"圣骑士? 他们怎么会来这里? 难道教会发现我们了?"

　　我道:"有可能,不过,还有一个可能性就是,教会派他们来对付那些阿拉伯人。"

　　"你是说,又要发生战争了?"说话的是贝迪尔,他正一脸兴奋地舔着嘴唇,"太好了,又可以痛快地狩猎了!"我明白他的意思,战争和瘟疫,正是血族最喜欢的事情,难以控制的混乱和死亡使得血族可以随心所欲地狩猎人类,而不用担心引起任何怀疑。

　　"这件事等会再说。蓝恩提瑟尔姆,"里努基伦血红色的眼睛在黑暗中盯着我,"你确定维里科格大人死了?"

　　"是的,他被那个恶魔撕成了碎片,生命的火光已经熄灭。"我不想说得太详细,因为当时维里科格先生的行为实在像一个血族应该有的——正如他经常教导我们的那样。

　　不过我的话对其他人来说已经足够了。贝迪尔疯狂地笑着:"这么说,我们已经自由了! 从今以后,整个血族就归我们支配! 对不对,嗯?"

里努基伦却出乎意料地冷静："是的，我们自由了。因此，我想退出。"

贝迪尔吃惊地看着他，"退出？什么意思？"

"我要离开，到一个没有人认识我的地方，过平静的生活，再也不要和恶魔，还有教会扯上关系。"说这些话的时候，里努基伦的语调很平静。

贝迪尔鄙夷地看着他，"好吧，如果你这样选择的话。不过别忘了，你是血族，一个吸血鬼！永远都是！"

"我会记得。"里努基伦的身影消失在黑暗中，他已经走了。

"现在，只剩下你和我了，蓝恩提瑟尔姆。"贝迪尔挑衅似得看着我，"血族需要一个新的领导者，你觉得谁比较合适？"

"随便你，如果你愿意代表血族和那些恶魔打交道的话，你就是血族的大长老。"我转身离开，把贝迪尔留在那里，目瞪口呆。

外面，柔和的月光洒在卵石铺成的街道上。

"大人，里努基伦长老和贝迪尔长老怎么说？"伯罗本斯从旁边走过来，微笑的嘴角还挂着新鲜的血迹。看来就在刚才他还在狩猎。他成了一个优秀的血族，正如我预料的那样。我记得六十多年前把獠牙插进他脖子那一瞬间，他那种激烈的挣扎。

"里努基伦要退出血族，贝迪尔想当血族的大长老。"我无奈地叹了口气，"他们都还是老样子。"

"贝迪尔？就凭他？"伯罗本斯发出一声嘲弄的笑声，接着道："大人，你知道，我们都会支持您！哪怕粉身碎骨也在所不惜！"

"贝迪尔也不缺少支持者，"我摇摇头，"而且，现在最重要的是那些恶魔……"

"对了，我们可以借助那个恶魔的力量，把贝迪尔他们彻底消灭！"

"然后呢？让血族永远沦为撒旦的工具？"

"但是……"

"好了，"我打断他的话，"和沙尔达约定的时间就要到了。"

"您决定怎么回答他？"

"我拒绝。"

"但是他会杀了你！"

"我知道。"我拍拍他的肩膀，笑道："如果你不想死，可以不用跟来。"

"不，我跟你去！"他就是这种性格，当我把重病将死的他变成血族时就知道。

当我来到那个偏僻的小酒馆时，沙尔达已经在那里了。见到我，他向我招招手，面带微笑。在他旁边坐着一位衣着朴素的美丽少女。

我走过去，在沙尔达对面坐下。伯罗本斯站在我身后，我能清楚地感到他心中的不安和恐惧。毕竟，这是他第一次见到沙尔达，这个被称为"撒旦左手"的恶魔。

"蓝恩提瑟尔姆，这是洁西卡，我的未婚妻。"

我愣了一下："什么？"虽然我对这次谈判的内容做了许多猜测，甚至想到沙尔达会一个字不说就把我杀掉，但是实在没想到沙尔达会用这句话作为开场白。

那个叫洁西卡的女人微笑道："你好。"

我没有回答，而是疑惑地看着她，没错，她是个人类。我问沙尔达："她是你的女人？"像沙尔达这样的恶魔不会缺少女人，所有的魔女都会以和他共度良宵为荣，因为她们能从沙尔达那里得到难以想象的力量。

"是未婚妻！"沙尔达愤怒地纠正道，看来他认为我侮辱了他的"未婚妻"。

"好吧。"我妥协了，因为这个问题对我来说没有任何意义，"关于你的提议，我已经考虑过了。"我吸了口气，一字一顿道："我拒绝。"

"哦，"沙尔达似乎并不在意，"把那件事忘了吧。既然我决定退休，你们的事情也就和我没有关系了。"

我惊讶地合不拢嘴："你要退休？为了这个女人？"

"啊，"沙尔达肯定地点点头，接着笑道："虽然有点可惜，如果你们愿意加入地狱的话，肯定能成为优秀的恶魔。不过，我想很快就会有人来接替我的工作。"说到这里，他倒了一杯酒，然后在指尖上划开一道小口子，恶魔蓝色的血液从伤口里缓缓渗出来，聚成一滴然后滑落进酒杯里，溶解在酒里。

"说实话，我很欣赏你，"沙尔达把带有他血液的酒杯放在莱提斯面前，"这算是临别的礼物，"他自己端起一杯酒，"来，干杯！"

我拿起那杯酒，"干杯！"一饮而尽。

接着沙尔达就和那个叫洁西卡的女人离开了，等我再次见到他们，已经是很久之后的事情了。

我独自坐了一会，伯罗本斯才道："大人，这会不会是那个恶魔的诡计？或者他想用这种办法控制您？"

我摇头："我很好。"那滴恶魔的血液并没有带来什么不适，至少到现在为止。"走吧,"我站起来,"去告诉贝迪尔,至少暂时不需担心恶魔了。"

"不用这么麻烦,我已经知道了。"贝迪尔的声音从门外传来,接着我看到他走进来,带着胸有成竹的笑容,"托你的福,那个恶魔滚蛋了。现在,应该好好谈谈咱们的事情了吧?"他走到沙尔达刚才坐过的那个位子上坐下,面对着我,脸上都是轻蔑的微笑。

我冷冷地看着他:"你想干什么?"

"很简单,我要做大长老!我想你应该没有任何意见吧?"

我还没有回答,伯罗本斯抢着大声道:"不可能!你凭什么做大长老?"

贝迪尔脸色沉下来,看着伯罗本斯,冷然道:"你有在这里说话的权利吗?"

伯罗本斯还想说下去,被我瞪了一眼,他意识到自己的失态,低下头去。

贝迪尔又问我:"蓝恩提瑟尔姆,你的意见呢?"

我缓缓道:"给我一个理由,如果你能说服我的话。"

"是这样吗?"贝迪尔笑了,笑得很愉快,"进来吧,伊尔汗,塞万。"两个人从门外进来,其中一个是个二十多岁的卡斯提人,他是塞万,贝迪尔的副手。另外那个伊尔汗则是个高大的阿拉伯人,里努基伦的副手。我现在知道为什么贝迪尔这么有自信了:在里努基伦离开之后,贝迪尔把他的手下吞了过来,成为他自己的势力——也许在里努基伦离开之前就开始了? 这样一来,原本在三长老中势力最弱的我更是处于绝对的劣势。

"怎么样? 蓝恩提瑟尔姆,你应该知道该怎么做了吧?"看贝迪尔的神气,他已经以大长老自居了。

我还是很平静,把玩着手中的酒杯。对于大长老这个位子,我真的一点也不在乎,但是贝迪尔的态度让我很难接受,所以我抬起头看着他:"如果你想当大长老,那么先要打败我。"

"你想向我挑战?"贝迪尔哈哈大笑,"好,我答应你的请求,什么时候?"

"算了,"我摇摇头,"我收回刚才的挑战,你可以当大长老,如果你愿意的话。"说完,我站起来向门外走去,身后传来贝迪尔的大笑声:"看那个懦夫,哈哈哈……"

"大人!"伯罗本斯追出来,"为什么要这样?我相信您一定可以打败他!"

"刚才你没有注意到?当我说要挑战贝迪尔的时候,伊尔汗眼睛里闪过一丝狡猾的笑意,所以我想,里努基伦也许并不是这么简单地离开。"

伯罗本斯显然还是一头雾水:"这到底是怎么回事?"

我对他笑了笑:"耐心地等待吧,我想答案很快就会出现。"

答案出现得比我的想象还要快。我和伯罗本斯回到旅馆还没来得及坐下,就有一个贝迪尔的手下赶来,请我出面去阻止里努基伦长老的暴行。从他那里我知道,就在我离开不久,伊尔汗趁贝迪尔不注意忽然发难,用一把银匕首刺向贝迪尔的心脏,虽然贝迪尔在千钧一发之际避开了死亡的厄运,却已经被银匕首重创。接着里努基伦的手下从四面冲进来,要把贝迪尔的头砍下来。塞万拼命护着贝迪尔冲出重围,在贝迪尔的手下接应下仓皇逃回他们的据点——一座废弃的城堡,战斗中塞万也身受重伤,眼见是撑不了多久了。里努基伦的手下还在猛攻,不得已之下,重伤的贝迪尔只好派人来向我求援。我真后悔没有在他身边,他当时的表情一定很有趣。

伯罗本斯听得目瞪口呆,愣了好一会才想到问我:"大人,该怎么办?要不要把我们的人都召集起来?"

我摇摇头:"没有必要。"然后对那个贝迪尔的手下道:"带我们去城堡。"

"但是他们的人数很多……"

"我要找的不是他们,而是里努基伦。"

当我和伯罗斯本赶到那座城堡的时候,战斗似乎已经结束了。偌大的城堡好像一只受伤的巨兽,静静地蹲伏在黑暗中。

在城堡幽深的地牢里,激烈的战斗仍在继续着。毫无疑问,这是血族有史以来最大规模的内战。

黑暗中,血红的眼睛闪着仇恨的光芒,银制的短匕首刺进同类的身体,涂抹在刀刃上的剧烈毒药侵蚀着这些躯壳。战斗的怒吼、伤者的哀号还有偶尔响起的爆炸声组成了一曲怪异的交响乐。

当我走出楼梯的时候,三把匕首从不同的方向向我刺来,我在一瞬间把它们击落,匕首落地时发出一阵叮叮当当的脆响,然后是三声不同音阶的哀号。我只是敲碎了他们的手腕,仅此而已。

我冷冷道:"滚,去把你们的主人——里努基伦叫来!"

"不用叫了,我就在这里。"里努基伦从走廊的拐角处走出来,在黑暗中微笑地看着我,"你终于来了,蓝恩提瑟尔姆。"

我冷冷地看着他:"让你的人停下,里努基伦。如果让维里科格大人看到现在的样子,他会怎么说?"

"他会说,'你们这些没脑子的东西,为什么要自相残杀?'不过,蓝恩提瑟尔姆,老家伙已经死了,这是你说的。现在,我们已经自由了,可以干任何我们想做的事情。"

"那么,这就是你想做的事情,把所有血族都杀光?"

"错了,战争只是必要的手段。如果他们愿意服从我,我会很高兴让他们活下来。不过你知道,贝迪尔的手下和他一样,脑筋都不是太好。"

我道:"所以你才想到利用他们来对付我?"

"对啊,我原来的计划是让你们两个争得焦头烂额,然后我才出现收拾残局,就像东方中国那句老话'坐收渔人之利'。不过,你比我想象的懦弱——还是聪明? 或者两者都是?"说到这里,里努基伦笑了,"不管怎么说,你的退出打乱了我的计划。没办法,剧本只好稍微更改一下。"

我问道:"贝迪尔呢?"

"哦,我正要去看他,如果你愿意可以一起来。"说着,里努基伦做了个"请"的手势。

在地牢的最深处,我见到了贝迪尔。他还活着,不过早已不是我离开时的贝迪尔长老了。那一刀从他背上斜斜地刺进去,穿透了肺叶,还伤到了心脏。如果是普通的刀剑,这种伤口并不能让一个血族长老动弹不得,但不幸的是,伊尔汗用的是银匕首,对血族来说,这才是最致命的。伤口周围的皮肤和肌肉已经开始发黑、溃烂,并且向四周蔓延,进入他身体里的银子不但在侵蚀着他的肉体,而且无时无刻不在消磨着他的灵魂和生命。如果不及时处理的话,等待贝迪尔长老的只能是彻底的毁灭。在他周围是忠于他的部族,只不过现在他们同样已经是遍体鳞伤,和他们的尊长一样成了里努基伦的阶下囚。

听到我们的脚步声,贝迪尔抬起头,用暗红色的瞳孔盯着我们,眼睛里好像要喷出火来。

"贝迪尔'大长老',你好啊。"说完,里努基伦放声大笑。我认识他大概有一百年了,这还是第一次见到他露出这样的神态,狂妄、骄横、自大,这些原来似乎和他没有关系的词语一下子全都出现在他身上,或者,我眼前的这个才是真正的里努基伦？

贝迪尔愤怒地看着他，因为肺部受伤的关系，他的话有些含糊不清："你们赢了，杀了我吧！"显然，他是把我当作和里努基伦的同伙了。

里努基伦很绅士地笑道："虽然我很乐意效劳，但是由我动手似乎有点不太合适。"面色一沉，他转向我，冷冷道："伊尔汗，这本来就是你的工作，现在去做完它。把贝迪尔大长老的头砍下来，利落一点。"贝迪尔原本苍白的脸色变得像死灰一样，里努基伦让自己的手下去杀他，这对同是血族长老的贝迪尔是莫大的侮辱。

伊尔汗答应一声，抽出插在腰间的阿拉伯弯刀，狞笑着向贝迪尔走去。在他被里努基伦变成血族之前，是整个卡塔罗尼亚地区最好的刀手，死在他刀下的人不计其数。

就在伊尔汗抡起弯刀要挥下去的那一瞬间，我闪身过去，伸出右手用拇指和食指捏住他的刀锋。他的力量很大，但还不能和我相比，那把刻着古兰经的弯刀就好像遇到亚瑟王之前的石中剑，任凭他怎样挣扎就是纹丝不动。

里努基伦面色阴沉地看着我，"你这是什么意思？"他的手下也纷纷拔出武器，对我虎视眈眈。

我心中冷笑，淡淡道："我可以承认你是血族的大长老，但是有一个条件。"

"哦？"里努基伦对我的话很感兴趣，挥手示意他的手下把武器放下，"说说你的条件！"

我松开手，看着伊尔汗尴尬地把弯刀收起来，"让贝迪尔长老活下来，还有他的部族。"

"啊，"里努基伦皱起眉头，"并不是很容易答应的事情……"

我知道他在想什么，"你怕他会报复？如果他这么做，我会帮你把他杀了。"在血族三长老中，里努基伦和贝迪尔的力量在伯仲之间，而我无论在实力还是势力上都比他们差一点，完全是靠着维里科格大人的恩宠才爬到长老这个位置的——包括里努基伦和贝迪尔在内，几乎所有人都是这么认为的。所以里努基伦在确定了自己对贝迪尔的优势之后，就再也没有把我放在眼里。但是，如果他们处在平等的位置上时，我的倾向就显得特别重要了。

里努基伦狐疑地看着我："这样做对你有什么好处？"

"没有任何好处，对我来说，你们两个谁当大长老都无所谓。我担心的是整个血族的生存。地狱里的恶魔对我们虎视眈眈，那些教会的走狗更是恨不得把我们杀之而后快！现在的血族，实在承受不起一位——甚至两位长老的损失了！"

虽然很不情愿，里努基伦也不得不承认我的话有道理，略一思考之后，他看着贝迪尔："贝迪尔长老，你的意思呢？"

贝迪尔叹了口气，艰难道："好吧，你是大长老！"很明智的选择。对他来说，活下去才是最重要的。

里努基伦大笑起来，笑声中带着无限的得意。

就在这时，有人从楼梯上连滚带爬地冲下来，完全没有血族应有的风度，大声道："里努基伦大人，教会骑士团把这里包围了！"如果我猜的没错，一定是里努基伦的手下在追杀贝迪尔时，被这些教会的猎犬发现了，一路追踪到这里。

里努基伦一脚把他踢飞，就像在我们年轻的时候，维里科格大人常对他做的那样。"那些讨厌的人类……"里努基伦冷笑，看也不看那个正从墙角爬起来的可怜虫，把手一挥，大声道："孩子们，开饭的时间到了！用那些无知人类的鲜血，向你们的大长老表示自己的忠诚吧！"

四周响起一阵欢呼声，充斥着残忍的意味，"血！把他们的血吸干！"疯狂的喊叫声充斥着整个地牢。

"去吧！"

随着里努基伦的命令，他的部族一窝蜂地涌出去。

里努基伦转向贝迪尔，微笑道："贝迪尔长老，让你的部下也一起来吧？我想这会是一次愉快的狩猎。"

贝迪尔叹了口气，有气无力道："你们，执行大长老的命令吧！"这句话表示他已经彻底认输了，向自己的部族承认里努基伦是血族的大长老之后，如果他想取而代之，只有通过正式挑战一种途径，但是以他现在的伤势，恐怕相当长的一段时间内都不能对里努基伦构成任何威胁。

至于贝迪尔的部族，他们可管不了这么多。身受重伤的他们最需要的就是去狩猎，把猎物身体里新鲜的血液吸出来，来恢复自己的生命力。在这种强烈欲望的驱使下，即使是身受重伤的家伙也能飞快地跳起来加入了狩猎者的行列。

里努基伦揶揄地看着我："蓝恩提瑟尔姆，你的部下不去凑个热闹？"现在在我身边的部下只有伯罗本斯，比起他们两个有些势单力薄。

我轻轻叹了口气："伯罗本斯，帮贝迪尔长老和其他人处理一下伤口。”贝迪尔的手下们急于去体会鲜血的芬芳，却忘了他们长老身上还有一道伤口不停侵蚀着他的身体和生命。

“是。”伯罗本斯走过去，用一把骨质小刀清理掉贝迪尔背上伤口周围腐烂的组织和肌肉，然后简单地包扎一下。伯罗本斯的动作很快，经过他的处理，很快，贝迪尔和那些重伤到不能动弹的血族看起来好多了。

里努基伦笑道：“一个医生？你挑选孩子的兴趣真奇怪。”一般情况下，血族并不需要医生的照顾。

我并不想多作解释，淡淡道：“就是这样。”他们都不知道，曾经是医生的是我，而伯罗本斯则是我最后一个病人。

“贝迪尔长老现在需要一点营养，那么我们也入席吧？”里努基伦一如热情的主人，招呼着我和贝迪尔。

我示意伯罗本斯去扶起贝迪尔，却被他粗暴地推开，“我自己能走！”看来经过这件事，他的坏脾气还是没有什么改变。

当我们来到城墙上的时候，血族们都聚集在那里，用贪婪的目光看着城下成群的“粮食”，却没有人敢轻举妄动。上百支火把的照耀下，无数刀剑和铠甲闪耀着森冷的光辉。从严密的阵型看来，这些强悍的战士拥有一个优秀的指挥官。

这时有个血族再也无法忍受鲜血的诱惑，怪叫一声从墙头上跳出去，凌空扑向下面人类部队的前锋。他的“舞空术”还算不错，躲开了四支射来的钩矛，但还是被第五支射中了。人类发出一声欢呼，四五个人一起拽住连在钩矛后面的绳索。那个血族挣扎着想扯断那根绳子，却又被随后而来的三四根钩矛射中，接着就被拉到地面上，十几把长剑大斧从四面八方砍下来，转眼就把那个血族剁成了肉酱。然后一个牧师模样的人类走出来，手中抱着一个大罐子。一边喃喃地说着什么，牧师把罐子里的液体倒在地上的尸体上，然后用火把点燃。熊熊火光中，人类发出震天的欢呼声。“去死吧，邪恶的魔鬼！”“上帝保佑他的战士！”吼叫声此起彼伏，人类部队的士气达到了顶峰。

里努基伦冷笑道：“愚昧的生物……”话音未落，他从城头上跳出去。

“瞄准！发射！”人类的怒吼声中，三支钩矛呼啸着射向里努基伦，他不闪不避，伸手在矛尖上一按，那些钩矛立刻调转头向人类飞去。

人群中发出一阵惊呼，不过他们的反应也够快，几名手持盾牌的战士冲过来挡在其他人前面，钩矛撞在厚重的塔盾上，发出沉闷的声音。

趁着这一阵短暂的混乱，里努基伦已经落进人群，周围的战士狂叫着挥剑砍来，却都被他鬼魅般的身影避开，反而误伤了不少自己人。

一边从容地躲避刀剑，里努基伦还不时抓过一个人类，把自己尖利的獠牙刺进对方的喉咙，然后随手扔掉。他的目的并不是吸血，而是给那些人类一种死亡的压迫感。这个方法相当成功，很快就没有人敢靠近他，而是调来许多身着重铠的盾牌战士，挡住里努基伦前进的道路。

当里努基伦从人类的阵型里冲出来的时候，双手中各提着一个人类，其中一个就是刚才那个牧师。几下蹿上城头，里努基伦随手把牧师扔在贝迪尔脚下，傲然道："给你的礼物！"城头上的吸血鬼发出震天的欢呼声，而那些人类则在忙着重整防御。

贝迪尔顾不得面子，迫不及待地扑到牧师身上，用尖牙撕开他脖子上的血管，贪婪地吮吸着流出来的血液。

里努基伦把另外那个猎物扔在我面前，"这是给你的。"

我摇摇头："现在不要。"飞起一脚，把那个可怜虫踢开，几个贝迪尔的手下扑上来，开始享用他们的大餐，"这些人类在等待天亮，因为他们很清楚，阳光会削弱我们的力量。"

里努基伦不满地瞪了我一眼："这个我当然知道！"他转身面对着其他血族，大声道："孩子们，去咬断那些人类的脖子，吸干他们的血！让他们知道血族真正的力量！去吧！"

狂呼声中，血族们纷纷跳下城墙，向人类扑去。就单个人的能力来说，哪怕是最弱小的血族成员也和强悍的人类战士媲美，但这种大规模的战斗是另外一码事，那些经过严格训练的战士组成各种阵型对抗着强大的血族，想要把他们分割包围，然后逐个歼灭。

不过当里努基伦加入战场之后，这场战斗就变成了一边倒的屠杀。在血族长老面前，人类的刀剑和盾牌只不过是小孩子的玩具，里努基伦强大的魔法摧腐拉朽般把那些严密的阵型冲得东倒西歪，人类的刀剑根本无法刺进他那被魔法保护的身体，而他强劲的拳头却可以洞穿他们的铠甲和钢盾。

我跟在里努基伦后面，帮助那些被困的血族脱身，让他们跟随着里努基伦前进。不过那些饥饿的血族被战场上弥漫的鲜血气息刺激得兴奋到了极点，几乎丧失了理智，只有对鲜血的渴望让他们不停地攻击着战场上的人类。

战况对人类越来越不利，但是他们并没有溃败的迹象，每个人都在拼死抵抗，视死如归的狂热吼声在战场上空回荡："为上帝而战！消灭魔鬼！"

这时，一道柔和的光从天而降，把整个战场都笼罩在里面。

"是圣光！"人类发出一阵欢呼，"是大主教，大主教来了！"在圣光的照耀下，他们身上的伤口开始迅速复原，原本失去行动能力的人也奇迹般地站起来，再次投入战斗。

这种魔法光芒对血族来说没有直接的伤害，却能不同程度地减慢我们的速度，所以我找到里努基伦，想让这位新任大长老下令暂时撤退。

"撤退？不可能！"里努基伦脸上都是鲜血，他舔了舔自己的嘴唇，狞笑道："那个大主教的血不知道是什么味道？"

一个洪亮的声音在战场上回响："有罪的人啊……在上帝的使徒面前，忏悔你的罪恶吧！"随着这个声音，一个人形物体从天而降，浑身散发着强烈的白光，让人不能逼视。

"是天使！那个该死的家伙竟然召唤天使！"里努基伦的声音里透出明显的恐惧。

战场上的人类们全都跪倒在地，对着那个天使虔诚地祈祷着。而那些血族成员也抬起头，看着天使华丽的形象发呆。

"谁，谁在召唤天界的使者？"天使的声音空洞而幽远，好像来自另一个世界，"谁？"

"是我，尊贵的使者。"一身白袍的大主教谦卑地跪下来，"我请您来这里，为了展示天堂的威仪，把这些邪恶的亵渎者送进地狱！"

天使发出一声尖厉的叫声，手中出现一把由光构成的长剑，凌空一挥，大声道："所有的亵渎者都要死！"离他最近的几个血族成员首当其冲，被光剑干净利落地砍成两半。

我道："必须阻止他！"

里努基伦冷笑道："怎么阻止？那可是天使！"

"那只不过是个低级的大天使，我们联手的话肯定能战胜他！"

"只不过？"里努基伦一脸嘲弄地看着我，"那你为什么不自己去试试？"

"身为大长老，你就这样看着自己的部族去死？"

"只要我愿意，部族想有多少就有多少！至少他们不是白白死去的，他们的死可以为我争取时间，这就是他们存在的意义！"说着，他纵身跳起到空中，施展舞空术向西方飞去。

忽然间一道白光追上里努基伦，把他从空中打下来。天使落在他面前,尖声道:"所有的亵渎者都要死!"挥动手中的光剑向里努基伦当头砍去。

电光火石之间,我发出的魔法球打在光剑上,把剑锋推向一旁,在里努基伦身边的地面上留下一道深不见底的剑痕。天使转过身,用他模糊不清的面目对着我,尖声道:"你也是亵渎者! 你也要死!"说着挥剑向我砍来。

我没有闪避,一道黑色的屏障出现在我面前,挡住了光剑的剑锋。

"我本来永远都不想使用这种力量,看来是不可能了……"屏障依附在我身上,变成一件有若实质的黑色铠甲。

"暗冥铠?!"天使有些惊慌失措,"你是恶魔!"大概他也很清楚,是什么等级的恶魔才能使用暗冥铠。

暗冥铠的魔力开始对我产生影响,接下来的事情就好像一个虚无飘渺的梦。在这个梦里,天使的身体化作漫天飞舞的白色光点,充斥了整个世界……

当我醒来的时候,伯罗本斯惊喜的声音在身边响起,"大人,您醒了?"

"嗯,"我勉强坐起来,感到自己的身体好像要裂开一样。对我来说,暗冥铠的威力还是太强了,不过至少我没有死掉,这大概就是沙尔达选中我的原因。

"大人,真是太棒了,那个天使就这样被撕成了碎片!"伯罗本斯兴奋地比划着,"当时连我都吓傻了! 这是什么力量?"

我只有苦笑,"这是沙尔达付的'订金',不过他忘了收回去。"

"那个恶魔?"伯罗本斯一脸羡慕。

敲门声响起,进来的是里努基纶和贝迪尔。他们对我略一鞠躬,这才道:"大长老,您醒了?"

我愣了一下:"你叫我什么?"

"大长老,这是我们两个的一致决定,请您不要推辞。"血族里最崇尚的是力量,我已经证明了自己的力量比他们强,所以里努基纶和贝迪尔才会这样服服帖帖。

我不禁苦笑:这份我最想躲避的重担,到底还是压在我肩上。

贝迪尔问道:"大长老,以后我们该怎么做?"

想起沙尔达的话,我脱口而出:"活下去,自由地活下去……"

他们同时一愣:"什么?"

我摇摇头,把下面这句话留在心里:"恶魔,下一个恶魔就要来了!"

卷三 生之殇

第 一 章
遭 遇

时近午夜,月朗星稀。

临海的码头上,耀眼的灯光将周围的一切照得如同白昼。力大无穷而且不知疲倦的塔吊发出低沉的吼声,挥动着巨大的手臂将集装箱从停泊的货船上卸下来。来往的车辆络绎不绝,一片繁忙的景象。

相比之下,码头旁边的仓库就显得冷清了许多,其中位置最偏僻的4号仓库今天没有货物进出,厚重的铁门上面挂了一把锈迹斑斑的锁,似乎已经很久没有人使用过。

一个人影沿着墙边的黑暗溜到4号仓库大门前,四下望了一圈,确定没有人之后,他从口袋里掏出一串钥匙,熟练地挑出一把插进大门上的锁里,转了几下之后又换了一把,试了几次之后,随着"咔嚓"一声轻响,锁开了。人影吃力地将铁门推开一条缝,闪身进了仓库。

仓库里堆满了货物,空气中弥漫着包装材料和防腐剂的味道。人影拧亮手中的微型手电,刺眼的光柱划破黑暗,将那人的脸映得苍白。

看着堆积如山的货物,人影忍不住吹了声口哨,低声骂了一句:"奶奶个熊的,早知道多找几个人来了! 这得搬多久才能弄完!"他点着一支烟狠狠地抽了几口,暗红的火光在黑暗中时亮时暗,"这些货恐怕值个二三十万元,爷们这次发财了!"

"笃、笃!"

突如其来的声音把那人吓得一哆嗦,手忙脚乱地把手电关掉,还没忘记把半截香烟扔在地上踩灭。一片漆黑中,他缩到一堆箱子的夹缝里,提心吊胆地倾听着周围的动静。

等了好久再没有声音传来，黑暗中只有死一般的静寂。

那人正要把提到嗓子眼的心放下，又是"笃、笃"的两声，听起来好像是敲木板的声音。

肯定不是保安，说不定是同行？ 想到这里，那人将手电打开，在空中画了两个圈，低声道："兄弟，哪条道上的？"

没有回答。过了一会，又传来"笃、笃"的敲击声。

手电的光柱向声音传来的方向照过去，那人看到的是一口黑漆漆的大箱子，足有一立方米，看起来很沉重的样子。

大着胆子走过去，那人轻轻敲了敲那口箱子，好像是回应一般，里面立刻传来敲击声，"笃笃笃！"

那人心中惊疑不定。难道有人在这口箱子里？ 敲击声变得更加急促，好像是在催促他一样。

犹豫了一会，那人终于咬咬牙，决定把箱子打开看个究竟。

箱子上有一把坚固的暗锁，不过这难不倒开锁的专家。没有几个回合之后，那把锁就被打开了。

那人掀开箱子，感觉好像扯断了几根封条一样的纸带，他低声道："喂，还活着吗？"说着用手电向箱子里面照进去。

"啊——"惊恐的尖叫声划破了夜空的宁静，一群海鸥受到了惊吓，扑棱棱地飞了起来。

"尊敬的家长，为了加强教师和家长的联系，共同促进学生进步，决定于本周六下午两点三十分于各班教室召开高一学生家长会，请务必准时参加。"龙飞念出来，又把那张纸翻来覆去地看了几遍，"周六？ 不就是今天？"

"是啊，"说话的是柳月，今天该她"当班"，"好像要在家长会上公布上次考试的成绩！"她的声音有些底气不足。对大多数的高中生来说，考试成绩单都是很有杀伤力的东西。

宁汝馨道："没问题的，你肯定考得很好！"其实参加考试的并不是柳月而是月炎，至于成绩如何……听天由命吧……

东方剑好奇地问柳月道："柳月姐，谁是你的家长？"

龙飞笑道："大概是月炎吧？"

柳月大眼睛眨了眨，道："你能去参加我的家长会吗，如馨姐姐？"这是她对宁汝馨的称呼，月炎都是叫"小宁"的。

宁汝馨吃了一惊，讶然道："我？"柳月的父母早已过世，当前名义上的监护人是祖母柳卓群,不过现在她正在东京处理一起突发事件。

"嗯!"柳月点点头,"你就说是我的姑姑!"

宁汝馨有些哭笑不得:"这样行吗?"

龙飞坏笑道:"当然行——说起来你们还真有点像呢!"

宁汝馨皱起眉头,"那个委托怎么办?"

龙飞笑道:"没问题,我和小剑过去就行,对不对?"最后这句问的是东方剑。

东方剑使劲点头,大声道:"没错!"

结果就这样定了下来,宁汝馨作为"姑姑"和柳月一同去参加学生家长会,龙飞开车和东方剑去这次委托的所在地——新港市。

在高速公路上奔驰了四个小时之后,新港市的轮廓出现在视野里。这是一座新兴的海滨城市,拥有优良的海港和便利的交通,是重要的贸易港口。

一手握着方向盘,龙飞另一只手里拿着本《新港市旅游指南》看得津津有味,也不知道他是从哪里弄来的,"阳光、沙滩、海水浴场、泳装美女……对了,你会游泳吧?"

"嗯。"坐在旁边的东方剑随口应了一声。可能是因为晕车的缘故,他感到肚子里好像有条虬龙在翻江倒海,几次差点吐出来,有气无力道:"还没到吗?"

"我看看,"龙飞把旅游指南翻过来看印在后面的地图,"新港市公安局……啊,在这里!"

在市区里转了两个小时,当龙飞第十二次发誓要在车上装GPS之后,新港市公安局的大楼终于出现在他们眼前。

"你们是妖魔猎人?"负责接待的警员是个二十多岁的漂亮女警,眼神里透出十二分的不信任,把两人的证件翻来覆去地看了好几遍,实在看不出什么破绽,这才把证件还回来,"这是什么世道? 妖魔猎人居然还带着个孩子……"一边嘟囔着,她拿起桌上的电话按了几个号码,"高队,你找的人来了……嗯,就是他们,不过看起来不太可靠……好,我带他们过去!"

放下电话,女警看着龙飞冷冷道:"事先声明,我是绝对不相信什么妖魔鬼怪的! 带着孩子的骗子我也见得多了,要装神弄鬼还是早点滚回去得好!"

龙飞也不生气,笑道:"好像是你们请我们来的吧?"

女警阴沉着脸瞪了他一眼，"这边'请'！"她在"请"字上特别加重了语气，讽刺挖苦的意思表露无遗。

龙飞当作没听见，跟着这位女警来到一间办公室门前。女警在门上敲了两下，然后推门进去。

一个警察从办公桌后面站起来，大步迎上来，"啊，欢迎欢迎！我是这里的刑警队长，高明。你们就是妖魔猎人吧?"和女警的敌意正好相反，这位刑警队长热情地向龙飞伸出手，脸上都是欢迎的笑意。

龙飞伸手和他相握，"我是龙飞，这是我的同事东方剑。"

看到东方剑，高明脸上露出惊讶的表情，不过很快就恢复了常态，大笑道："这个小朋友也是妖魔猎人？真是年少有为啊！"接着招呼那个女警："小郭，给这两位客人倒茶！"

"不用麻烦了，"龙飞摆摆手，"我们还是谈正题吧！"

"也好，也好！这位小朋友的脸色不太好，好像是太累了。小郭，你带他到休息室躺一会吧！"东方剑跟着女警离开之后，高明走过去把门关上。他走回自己的办公桌前，用钥匙打开抽屉拿出一叠纸交给龙飞，"请你先看看这个。"

第一页是一个人的简历，左上角贴着一张半身照，照片上的人被剃成光头，手里举着一个写着数码的牌子，"周武霖，男，1992年3月因盗窃罪被判处有期徒刑三年，1995年3月出狱；1997年7月因破坏通讯设施罪被判处有期徒刑一年零六个月，1999年1月出狱；2001年4月因盗窃罪被判处有期徒刑两年，2003年4月出狱。"

龙飞耸耸肩，"一个不太成功的小贼，好像跟我们的工作没有什么关系。"

"前天晚上有人发现他死在新港码头的4号仓库里，"说到这里，高明压低声音，"是被掐死的！"

龙飞把手中的材料翻过两页，看到一张照片，上面的周武霖张大嘴巴，舌头伸得老长，两只无神的眼睛凸出来，几乎要从眼眶里跳出来，脖子上有一圈黑紫色的淤血。龙飞摇头道："被掐死的？他临死的时候一定非常痛苦，可真是个倒霉的家伙……不过，抓捕杀人凶手应该是你们警察的工作吧？"

高明的脸色变得很复杂，过了一会才道："其实，凶手已经抓到了，但是……"他停下来考虑着自己的措辞，摇头道："……难以置信！我只好这么说了。"

龙飞手里的材料上有发现尸体的详细情形：周武霖的尸体是在凌晨一点左右由巡逻的保安发现的。当时那两个保安正在巡逻，发现4号仓库的大门被打开了，意识到可能有小偷在仓库里，于是进入仓库查看，发现有人趴在一只黑箱子上一动不动，当时保安并没有发觉什么异样，走过去想从背后抓住那人，却发现他的身体已经僵硬了。惊吓之余，保安立刻从仓库里跑出来，随即打电话报警。材料后面有法医对尸体解剖的记录，结论是"外力压迫引起的窒息性死亡"，还有一份勘查报告，详细记录着现场的蛛丝马迹。

不过奇怪的是，所有的材料都对凶手只字未提，甚至连一点假设或者推论都没有，这实在是件很不合理的事情。一般来说，就算刚毕业的学生也能通过照搬书本，从现场留下的种种痕迹来推断出凶手的身高、体重等大概的特征。惟一的结论是，写这些材料的人故意避免提及凶手——或者说他们已经知道凶手是谁了！

"哦？"龙飞来了兴趣，"什么样的凶手？"既然高明会请妖魔猎人来帮忙，这个凶手大概不会是个普通的人类。

"一条手臂！只有手臂而已！"高明的呼吸变得有些急促，他显然很激动，"你能相信吗？他被一条手臂掐死了！"

龙飞淡淡道："哦，被一条手臂掐死？这家伙的运气真不好。"

高明愣了一下，"你不觉得奇怪？"

"没什么奇怪的，一群脑袋飞来飞去地咬人我都见得多了。"

不愧是妖魔猎人，处理妖魔鬼怪的专家！高明心中对龙飞的评价立刻提高了一个档次，虽然他并不想知道"一群脑袋飞来飞去地咬人"是怎么回事。问道："这么说这种情况并不是很罕见了，那么一般说来应该怎么处理？"

龙飞反问道："那根胳膊现在在哪里？"

高明露出心有余悸的表情，"在地下室，锁在一个单独的房间里。不过我必须提醒你，它很危险！"

龙飞微笑道："不用担心，我是专家！"

高明赞同地点点头："跟我来吧！"

正要出门，办公桌上的电话忽然响起来，高明对龙飞道："请等一下。"拿起电话，"我是高明……什么？"他的声音骤然提高，"没有！我没有下过这种命令！……好，你先稳住他们，我这就过去！"

放下电话，高明回头看着龙飞，怀疑道："一共来了几位妖魔猎人？"

"两个。"

"算上那个小孩子?"虽然龙飞说是"同事",但高明还是很难相信东方剑也是"妖魔猎人"。

龙飞点点头:"这点我可以用脑袋保证。楼下的那三个家伙肯定是假冒伪劣,打110报警吧!"

高明哭笑不得,提醒道:"这里就是公安局……你怎么知道楼下有三个人自称是妖魔猎人?"

龙飞指了指耳朵,笑道:"刚才你打电话的时候听到的。我还知道他们要求接管那口装着手臂的黑箱子,为首的家伙自称叫'雷王'方什么的,对不对?"

高明连连点头,一副心悦诚服的样子,"没错,就是这样!"

龙飞忽然笑道:"你不担心我是假的?"

高明自信地笑了,"当然不会,我也不是傻瓜!我特意交待过,向妖魔猎人发出请求的时候并不要说明这次事件的详细经过,他们却知道有一口黑箱子,连箱子里有什么都知道,这不是很奇怪吗?"

龙飞接下去道:"他们肯定和这口箱子以及箱子里的东西有某种联系,说不定这箱子就是他们的。"

"我这就叫人逮捕他们!"

龙飞摆摆手,"不用着急。既然他们敢假冒妖魔猎人,说不定真有点本事,要是闹出什么事来就不好了。"

高明走到办公桌前用钥匙打开其中一个抽屉,从里面拿出一支手枪,"咔"的一声装上弹夹,"难道他们还不怕子弹?"

龙飞摇摇头没说什么,脸上满是不能苟同的表情。

高明把手枪放进口袋,催促道:"咱们过去吧,再耽误时间的话,他们可能会发觉不对劲!"

龙飞道:"等等,先把东方剑叫来,等会说不定用得着他。"

"那个孩子?"高明疑惑道,"他能做什么?"

"要是真打起来的话,他比你的枪有用得多!"

高明坚持道:"他还是未成年人,身为警察,我不能让他去冒险!"龙飞无奈,只好耸耸肩,不再说什么。

高明打了个电话通知下面的警员去武器库领枪,然后到地下室楼梯口集合,准备抓捕"犯罪嫌疑人"。最后带着龙飞乘电梯来到地下室一层。

电梯门刚打开,就听到老远有人在大声咋呼:"拿钥匙的人还没找到吗? 要是让老子等得不耐烦了,叫小鬼来把你们这座楼拆了!"

和他们在一起的是个二十多岁的年轻警察,看到高明带领大队人马赶来,他立刻明白了是怎么回事,对那三个自称妖魔猎人的人道:"请几位在这里稍等,我去催催他们!"然后不慌不忙地站起来,向高明等人走过去。

"这还像话,早点去叫人不就好了?"说话的是个胖子——真的很胖! 他的宽度已经超过了高度,整个人就像是个圆滚滚的肉球,说起话来身上脸上的肥肉一颤一颤的。他的同伴都是中等身材,不过在他的陪衬下都显得很"苗条",其中一个是个四十多岁的中年男人,穿了一身道服,背后还挂着一把桃木剑,另外那个人西装革履,脸上带着一只狰狞的黑色恶鬼面具,遮住上半边脸,从露出来的半张脸判断,他的年纪应该不大。

那个"道士"好像发觉有点不太对劲,在面具男耳边低声说了两句,后者点点头,向走过来的高明迎上一步,道:"你们这是什么意思?"

高明把手伸进口袋握住手枪,笑道:"没什么意思,听说有几位妖魔猎人大驾光临,我过来看个热闹而已。"把脸一沉,"请让我看看你们的证件!"

面具男从口袋里掏出一张卡片递过来。

高明小心地接过来,翻来覆去地看了几遍,笑道:"现在造假证的技术是越来越高了,做得比真的还像真的!"

面具男冷然道:"这就是真的!"

"可是我刚才向妖魔猎人协会查询过,他们说并没有一个叫'雷王'方慕云的猎人注册过——能不能请你解释一下这是怎么回事?"

面具男将双手背到身后,缓缓道:"可能是他们搞错了。"同时向后退了一步。

高明猛地抽出枪,大吼道:"别动!"其他警察也纷纷拔出手枪,枪口瞄着那三个冒牌的妖魔猎人。

那个胖子突然向前跨出一步,挡在另外两人身前,肥大的身躯几乎把整个走廊堵住,狞笑道:"原本就该这样! 就让爷们和你们好好玩玩!"与此同时,他身后传来"哐"的一声,好像是通往证物室的大门被撞开了。

高明大喝道:"让开,不然就开枪了!"

胖子的肥脸上露出鄙夷的笑容,"开枪? 你来试试啊!"说完迎着枪口向高明他们走来,胖大的身躯好像一座会动的小山。

高明大声警告:"站住!"

"好,我站住……"话音未落,胖子忽然张开大嘴,一团黑气冲口而出,夹杂着阵阵腥臭的冷风向高明等人涌来。

"砰!"高明的枪首先响了,接着"砰砰砰"枪声大作,密集的子弹狂风暴雨般向胖子倾泻而去。虽然都没有瞄准要害,不过打在身上也够他受的!

枪声响过之后,胖子还好好地站在那里,肥肉堆积的脸上带着冷笑。在他旁边的墙上布满了弹孔,身上却没有半点伤痕。

高明目瞪口呆,这不可能!他用十发子弹能打九十八环,眼前这么大的目标怎么可能打不中?!

正在惊疑不定,高明忽然感到有什么东西抓住他握枪的手,急忙转头看去,却什么都没看到——但是的确有东西,而且力量非常大!

虽然极力反抗,高明的手还是被那些看不见的东西一点点抬起来,将枪口对准自己的太阳穴……"高队!"其他警察想过来阻止他,却好像被什么东西拦住,根本无法靠近。

"砰!"枪声响过,高明感到脑袋嗡的一声,难道这就是死的感觉?

"砰、砰、砰!"又是几声枪响——高明猛地意识到,既然能听到声音,说明自己还活着!

随着枪声响过,有些拳头大小的东西从空中落下来,还没等看清楚就化作一缕青烟消失不见。

枪声停止,高明发现身上无形的压力突然消失了,几名警察冲过来把他扶起来,半扶半拽地将他拉回去。就在这时,高明看到龙飞站在那里,右手握着一把"沙漠之鹰",枪口还在冒着轻烟。

那个胖子张大了嘴,脸上露出不可思议的神情,忽然发出一声爆吼:"你干了什么?!"

龙飞换了个弹夹,"特制的硝酸银爆破弹,对付你和你养的这些灵团足够了。"

"你找死!"狂吼声中,胖子又张嘴喷出一阵阴风,风势比刚才更加强劲。

"砰、砰、砰!"枪声响过,又有些东西掉在地上化为青烟。

还没等那胖子再张嘴喷气,"砰!"子弹从他太阳穴边一蹭而过。胖子浑身剧震,忽然两眼一翻向后倒了过去。

几个警察冲上去按住那个胖子,要把他铐起来的时候才发现,因为他的手腕太粗,手铐根本扣不住!无奈之下,只好找一根麻绳把他绑起来。龙飞在一旁看着,"最好弄个口罩给他戴上!"立刻有人去找口罩了。

高明挣扎着站起来,走到龙飞身边问道:"这家伙是什么人?那些看不见的东西又是什么?"

"那是灵团,一种用怨灵炼成的使役魔。"一边回答着,龙飞走到被撞开的门前,"那两个家伙大概是去找那根胳膊了。"

高明把枪一挥,毫不犹豫道:"追!"

第二章
探　路

　　证物室里的空间很大，一排排文件柜整齐地摆放着，里面分门别类存放着案件中用来证明某人有罪或者无罪的证据，还有一些体积比较大的证物放不进柜子里，只好堆放在房间周围的角落里。除此之外，还有许多单独的小房间用来盛放某些特定的物品。所以，在这里找两个人并不是件简单的事情。幸运的是，找一只装着胳膊的箱子也是一样！

　　举枪上下左右晃了一圈，龙飞没有发现那两个人的踪迹，把枪放下挠头道："藏到哪里去了？"

　　高明神色相当紧张，握着枪的手心里不停地冒汗，"难道他们已经把那口箱子弄走了？"其他警员在外面守住各处出口，只有高明自己跟龙飞进来。

　　龙飞问道："那口箱子原来在哪里？"

　　"这边！"说着，高明当先带路来到一个小房间门前，"就是这里！"试着推了推，门没有开，高明这才掏出一把钥匙开了锁。

　　屋里空空荡荡的，只有一口黑箱子静静地躺在房间中央，上面的白色封条完好无损。

　　高明松了口气，"看来他们还没找到这里！"

　　龙飞猛地回身举枪开火，子弹和什么东西碰在一起，发出"叮"的一声脆响。龙飞放下枪，道："现在找到了！"

　　那个道士出现在门外，"银子弹——你是妖魔猎人？难怪朱尤刚会失手，不过我可不会像他这么没用！"他的声音既尖且高，让高明恨不得把自己的耳朵堵起来。

龙飞笑道："好像大部分没用的反派都有这样的台词?"

道士整张脸涨成猪肝色,尖声大叫道："你找死!"随着一声大吼,他身上的道袍碎成无数碎片,露出精赤的上身。

龙飞摇头道："不是我说,你这样骨瘦如柴的身板还是不要拿出来秀的好。"

这时面具男的声音传来："得手了,咱们离开这里!"

回头望去,高明看到面具男站在那口已经被打开的黑箱子旁边,手中抓着那只还在不停挣扎扭动的胳膊,黏嗒嗒的液体被甩得到处都是。

"你先走,"道士咬牙切齿道,"我把这家伙宰了再去追你!"

"冷静点,他们不过是普通的人类!"

"他是妖魔猎人!我发过誓,对妖魔猎人见一个杀一个!"

"那我先走了。"面具男不再说什么,飞快地把那只手臂塞进一个黑色的袋子里,闪身从门里出去。

高明大吼道："站住!"朝天开了一枪,扔下一句"小心!"也追了出去。

那个道士没有阻拦他,一双布满血丝的黄眼睛紧盯着龙飞:"现在只剩下你和我了……你准备受死吧!"

龙飞也不紧张,反而饶有兴趣地问道:"你好像很痛恨妖魔猎人?"

"痛恨?"道士发出一阵尖厉的冷笑,"我恨不得把所有妖魔猎人扒皮拆骨!就因为你们,我才会变成这个样子!"话音未落,他浑身上下开始长出无数大大小小的紫黑色斑点,然后变成一个个圆鼓鼓的脓包,疙疙瘩瘩地令人毛骨悚然。

龙飞皱眉道:"你的脾脏不是人类的……"

道士脸上也长满了大大小小的脓包,嘴巴几乎被胀起的脓包塞住,声音也变得很模糊:"没错!就是你们这些妖魔猎人害的,让我人不像人,鬼不像鬼!"他忽然停下,用那双被挤得只剩下两条缝的眼睛瞪着龙飞,恶狠狠道:"你怎么知道的!"

"什么?"

"我的脾脏!你怎么知道它不是人类的!"道士大声咆哮起来,"就是你!就是你把我变成这个样子的!所有人都嘲笑我,他们都看不起我!而这一切都是因为你!"他身上的脓包忽然爆开,乳白色的黏稠液体激射而出,向龙飞喷去。与此同时,一种令人作呕的酸臭气味在空气中弥漫开来。

龙飞叹了口气,摇头道:"真是不可理喻……"后面的话被淹没在道士狂怒的吼声里。

眼见面具男向楼梯口冲过去，追在后面的高明大声喊道："拦住他，别让他跑了！"

楼梯口的警员严阵以待，十几支枪把楼梯口封得严严实实。这里是离开地下室的必经之路，而且居高临下容易瞄准。别说是个人，就算是只蚊子飞过去只怕也能被打下来！

"站住，否则开枪了！""别动，要不然让你脑袋开花！""喂，我的枪会走火啊！"

面具男对这些警告充耳不闻，三步并作两步冲上台阶，同时把手伸到口袋里。

这个动作一下子让高明和所有警员的神经绷紧到了极点。那个胖子的教训还让他们记忆犹新，高明曾经下过命令，一旦这两个人有什么异动，所有人都可以主动开枪！

不知道是谁开的第一枪，一时间枪声大作，黄澄澄的子弹壳掉在地下，顺着台阶滑下去。

电光火石之间，一道白光出现在面具男身前，猛地亮了几下。"叮叮叮叮"一连串金属碰撞声响过之后，射来的子弹纷纷偏离了目标，打在旁边的墙上。

与此同时，面具男从口袋里掏出一张黄纸片，右手食指和中指并拢，在纸片上凭空画了两下，低喝道："急急如律令，焰鬼召来！"话音刚落，纸片突然凭空起火，转眼间膨胀成一个身高三米开外的巨人，浑身燃着熊熊烈焰，发出"嗬嗬"的吼声，向楼梯口的警员猛冲过去，声势骇人之极！

那些警员就算是身经百战，可是哪见过这阵势？忙不迭地向旁边跳开，转眼间森严的防守就变得七零八落。

眼看那个火巨人就要冲出包围，忽然寒光一闪，有什么东西从转角处窜出来，用肉眼几乎难以分辨的速度冲向火焰巨人，在它胸口上打开一个脸盆大小的窟窿。巨人的动作突然僵住，然后就这样凭空消失得无踪迹，好像它从来没有存在过。

穿过火巨人之后，那道寒光势头不止，径直向面具男蹿过去。面具男身边的白光又现，两团光芒碰在一起，发出一连串金铁交击声，一时间银光大盛，令人几乎不能正视。

光芒陡然分开，一团隐没在面具男身边，另一团则向回飞去，几个盘旋之后停在一个十几岁的男孩子身边——正是东方剑。

东方剑脸上带着惊讶,道:"你用的也是御剑术——你是什么人?!"

面具男已经冲上楼梯,站在那里冷冷地看着东方剑,一言不发。

东方剑又问道:"你是谁?"

这时高明也赶过来,在离面具男五步远的地方停下脚步,举枪瞄准面具男的后脑,大声道:"快帮忙抓住他!"这话是对东方剑说的。他现在完全相信龙飞所说的"要是真打起来的话,他比你的枪有用得多"——至少他的枪就对那个火焰巨人没有半点作用!

面具男根本无视高明的存在,一言不发地盯着东方剑和在他身边上下浮动的噬魔剑。其他警员也从刚才的慌乱中回过神来,纷纷举枪瞄准面具男,虽然他们很清楚手中武器对这家伙没有什么威慑力。

东方剑大声道:"刚才那是焰鬼!你怎么会召唤五鬼的法术?"

面具男还是没有回答,忽然跨前一步,沙哑着声音道:"让开!"

高明急忙大喊道:"千万别让开!"不过他心知肚明,自己这些人恐怕根本不是那个戴面具家伙的对手,要想抓住他更是难上加难,惟一的希望是龙飞尽快赶过来。

面具男又向前走出一步,"让开!"

东方剑严阵以待,噬魔剑发出低沉的轻吟声,"我不会让你过去!"

面具男忽然伸手向前一指,"疾!"

噬魔剑猛地一阵颤抖,东方剑感到一种无形的力量向自己压过来,几乎要把自己与噬魔剑的精神联系切断,就像修行的时候他的爷爷东方杰经常做的那样。几乎是本能地,东方剑急忙收摄心神,按照早已烂熟于心的要诀引经行气,凝神和这种无形的力量对抗。

谁想到那种力量一放即收,转瞬间已经消失得无影无踪。东方剑没反应过来,一时间愣在那里。

面具男等的就是这一瞬间。只见他把身子伏低,向前猛冲过来,与东方剑擦肩而过。

东方剑急忙转身,不过还是晚了一步,已经来不及挡住面具男的去路,只好催动噬魔剑向面具男的背后刺去,却被他的护体白光挡住,两道光芒在半空中斗成一团。

因为怕误伤东方剑,高明和其他警察都不敢随便开枪,只好眼睁睁地看着面具男消失在他们的视线里。几个警察追了出去,不过他们很难跟得上那个面具男的速度。

空中两道光芒又斗了几个回合,属于面具男的那道白光忽然跳出战团，几个转折之后穿过旁边的窗户冲了出去。

东方剑没有追出去，而是把噬魔剑召回到自己手臂上的剑匣里。高明这才看清楚，这道神奇白光的原形是一节古色古香的短剑——确切地说是只有一截剑尖，忍不住问道："这就是御剑术？"

"嗯！"东方剑点点头，问高明道："那家伙是什么人？他怎么也会御剑？"

高明苦笑道："我也想知道！"

东方剑苦恼地摇了摇头，忽然想起了什么，急忙问道："龙飞哥呢？他在哪里？"因为龙飞不会法术，除了力气大没别的优点（月炎的评语），所以在他们出发之前宁汝馨曾经特别叮嘱过东方剑，让他"照顾"龙飞。

高明这才猛地想起，一拍脑门，"对了，他还在下面，和那个道士在一起！"

"什么道士？"

"也是和这个戴面具的家伙一伙的……"高明的话还没说完，东方剑已经一个箭步冲下楼梯。要是龙飞有个三长两短，他怎么向月炎和宁汝馨交待？

"你干吗去？"高明没来得及叫住东方剑，只好叫上两个人跟着他走下楼梯。他倒是并不担心龙飞的安全，因为刚才龙飞那手漂亮的枪法给他留下了太深的印象，几乎佩服到五体投地的地步。至于普通人能不能拥有武器……就当作妖魔猎人的特权吧！

还没适应地下室里昏暗的灯光，高明就听到东方剑惶急的声音："你还好吧？"循声望去，他看到龙飞坐在地上，靠着曾经装过"活手臂"的黑箱子。那支"沙漠之鹰"掉在一旁，枪栓向后弹开，显然已经打光了所有的子弹。

高明冲到龙飞身边，"你受伤了？"回头大声喊道："去叫救护车——不，去找辆警车，开到门口！"说着就要把龙飞扶起来。

龙飞摆手拒绝了高明的帮助，摆出一副电影上常见的硬汉表情，"没事，蹭破点皮罢了！"不过他的情况好像并不像说的这么轻松，左臂上有一道深可见骨的伤口从手腕一直延伸到肩膀，流出来的血把半边身子都染红了。

"在这里等着，我去叫人抬担架来！"高明飞快地扫了一下周围，发现那个道士倒在不远的地方不知死活，不过在他身上看不到血迹。两副担架，高明想。

东方剑守着龙飞不知所措,一副要哭出来的表情,一个劲地问龙飞:"你还好吧?!"他毕竟还是个孩子,这种情况下难免会有些不知所措。

"唔……"龙飞发出一声痛哼,"我不行了,接下来的事情就全靠你了!"

东方剑惶急道:"你不要死啊!"他忽然很后悔自己怎么没学过治疗用的法术,"对了,汝馨姐肯定会治疗法术!我这就打电话把她叫来!"说着掏出手机(最近刚买的,可以照相的那种)就要拨号。

"别!"龙飞按住他的手,"狐狸胆子小,经不起吓,现在还是别让她知道得好!等你把这次的委托解决之后,咱们回去的时候再告诉她们!"不知道为什么,东方剑觉得龙飞的话好像很有道理,点头道:"好,就按你说的!我会替你报仇的!"

龙飞笑道:"这才像是个妖魔猎人。报仇?这么说好像我已经死了似的……"

高明很快就赶了回来,后面跟着两副担架。被扶上担架之后,龙飞忽然道:"对了,听说你们这里的穆和医院有超豪华的总统级病房,还能从窗户里看到大海——就把我送到那里去吧!"

房间里的光线很暗,只有一道光线从房顶上射下来,照在中央竖起的玻璃培养槽上。里面充满了半透明的液体,隐约可以看到一条灰白色手臂在里面飘浮着,手掌有节奏地一握一松。"很好,"阴影中,有个略显苍老的声音满意道,"它还活着,你做得很好!那些日本人这次可是亏大了,哈哈哈哈……"

"但是朱尤刚和曹擎瓦都被警察抓住了。"说话的是那个面具男。

"哼,那两个废物居然能被警察抓住,还是早死早投胎得好!"

"是妖魔猎人,他们来得比情报上说的要早,而且好像手底下的功夫很硬。"

"哦?比你还厉害?"

"我能打败他们。"

"那还有什么问题?嗯,那两个废物的事情不用你管,我会找人处理的。还有事情吗?哦……对了,恐怕你得再等一阵子了,还没找到合适的心脏。"

"是。"声音里充满失望。

"不用急,只要你跟着我,心脏早晚会有的!"

第 三 章
阿修罗手臂

傍晚，月炎大厦客厅里的电话响起来："有电话啦……喂，有电话来啦！……人都死到哪里去啦，快过来一个接电话！"这个"铃声"当然是月炎的杰作。

宁汝馨走过来拿起电话，"喂，找谁？"

电话里传来龙飞的声音："去冒充家长的感觉怎么样？"

宁汝馨答道："不好，连柳月的老师都说我太年轻了，怎么看也不像她的姑姑！你们那边怎么样，顺利吗？"

"还算不错，这里的海鲜真是够新鲜，而且沙滩上的姑娘也穿得挺性感！所以啦，你对柳月或者月炎说一声，我和小剑还要在这里多待几天，明天去醪山看海上日出，后天去海水浴场看看能不能搭上个漂亮姑娘……"

宁汝馨的脸色沉下来，"哦……你们好像过得很舒服嘛！"这家伙居然借工作之便游山玩水泡美眉——简直是无耻至尤！还把东方剑也带坏了！

龙飞好像没听出来她话里的讽刺意味，恬不知耻道："是啊，你们要不要过来？这里的房间很宽敞的，再住两个人绝对没问题！"

"免了，还是你们自己住，等玩够了再回来吧！"宁汝馨冷冷道，"下海游泳的时候小心点，别让水鬼拖去当了替死鬼！"

"你倒是提醒我了，过两天租条船出海去，看看能不能钓条美人鱼上来！"

电话里传来"嘭"的一声，接着是"嘟嘟"的断线音。

龙飞放下手机，"呼，搞定！"

东方剑在一旁听得莫名其妙，担忧道："真的没事吗？"

"没问题！"龙飞一副成竹在胸的表情，"只要这么说，狐狸就不会跑过来了，她的性子就是这样！"

"我不是说这个！"东方剑摇头道，"我想说的是，你受了这么重的伤……"龙飞在手术室里呆了差不多两小时，全身各处的伤口上一共缝了一百零八针，左臂有七处粉碎性骨折，胸骨骨折以及外伤性气胸，还有并发脑震荡、动脉硬化、脑溢血以及胃溃疡的可能……

"这次的委托简单得很，我想你自己就能应付得了。而且，你也想自己解决这件事吧？"

东方剑缓缓点了点头，"那个人会御剑术，还能召唤雷鬼，我怀疑他和我一样是蜀山派的弟子……"蜀山派的门规规定门下弟子不能干涉"尘世"的纷争，滥用法术更是大忌。

身为蜀山派弟子，东方剑认为有责任靠自己的力量把这件事调查清楚——这大概算是身为蜀山派门人的自尊吧？

想到这里，东方剑神色坚定道："我要把他抓住！"

"没错，就是这种气势！"龙飞兴高采烈地挥舞着被石膏固定住的胳膊，"那就这么定了！"

第二天一早，高明就赶来医院。因为龙飞铁了心要住"总统级病房"，所以东方剑也和他一起住在医院顶楼这间足有二百平方米的套房里。

高明的脸色相当沮丧，让人一看就知道他带来了坏消息：面具男的两个同伴——胖子和道士——从医院的病房里凭空消失了！

这两个人并不在穆和医院，而是被送到公安局附近的一家警察医院。他们身上只有很轻微的外伤，但是子弹的冲击引起了轻度脑震荡，导致他们可能会昏迷相当久的时间。所以经过简单的处理之后，他们被安排在一间监护病房里进行观察。在医院方面的大力协助下，病房所在的整层楼都被控制起来。

因为这两个人是重要的人证，高明特别派了他手下四名最精干的警员分成两组轮流看守他们，一个人守在病房门口，另外那人则在病房里进行监视。为了安全，每位警员都领到一支97式自动步枪，高明还特意把龙飞的"沙漠之鹰"和剩下的硝酸银爆破弹一股脑地"借"出来，交给在屋里看守的警员用来防身。

虽然防卫如此严密,结果却还是出了纰漏。凌晨两点,来换岗的警员发现两个守卫都睡得像死猪一样,那两个犯罪嫌疑人早已经踪影不见。

"据那两个睡着的警员说,他们都曾经听到很甜美的歌声,然后就什么都不知道了,"高明用询问的眼神看着龙飞,"难道这也是超自然的妖术?"

龙飞道:"催眠的歌声?好像很多妖魔都有这种能力,比如阿拉伯的灵怪,或者人鱼海妖之类的……不是你的人的错,普通人类根本没法抵抗这种魔力。"

高明点点头,"我知道,这次的案子实在超出了我们的能力范围……你的伤怎么样了?真的确定不需要向猎人协会求援?"

"没有这个必要!"龙飞挥挥手,"虽然我半死不活了,不过小剑可是干劲十足呢!"

高明心想是吗?我看你倒是挺有精神的,要是我受了这么重的伤,现在大概会瘫在床上连哼都哼不出来吧——如果还活着的话……看来妖魔猎人果然不能用常识来揣测啊!

龙飞问道:"其他方面的调查怎么样了?"

"那只箱子的通关记录已经找到了,通关日期是半个月之前。"高明从包里拿出一叠文件交给龙飞,后者看都没看,随手转交给东方剑。

高明愣了一下,随即明白龙飞这么做是想让他知道,现在东方剑才是执行委托的妖魔猎人。但是这个小孩子稚嫩的双肩能不能担起这副担子?反正高明是心里没底。

为了让龙飞知道现在的情况,高明继续道:"这只箱子登记的发货人是一个叫'松冈株式会社'的公司,收货人是'嘉伦图生物制药有限公司'——我已经查过,这个公司两年前就已经倒闭了。至于那个株式会社,我已经向上面汇报过了,他们会通过国际刑警向日本方面发传真查询,应该就快有回信了。"

龙飞摇摇头,"大概也是个假货,或者空壳子。"

"我也这么想,这条线索大概没什么价值。"

东方剑忽然道:"这上面说,箱子里装的是医疗器械……"

好敏锐的观察力,高明心想这个孩子真是不简单!"你也注意到了?一般来说这么模糊的货物名是根本无法通关的,这说明海关关员里说不定有他们的同伙,至少也有人接受过他们的贿赂,才让这只箱子能顺利通过海关。"说到这里高明冷笑一声,"那种杀人的怪物是医疗器械? 这些人倒是很有点黑色幽默!"

"然后这只箱子就一直放在码头的仓库里?"

高明点头道:"因为没有人来提货。"

龙飞道:"一直到那个倒霉蛋把它打开。"

高明继续道:"另外,箱子里的那些液体我也找人鉴定了一下,是一种很特殊的生物营养液,商品名叫'福匹斯',主要用途是用来在比较长的时间里保持离体器官的生物活性,大概是用于器官移植时保存和运输器官用的。目前只有一家德国公司能生产这种液体,所以价格相当昂贵,每升这种营养液要两千欧元左右。"

龙飞惊讶道:"也就是说,那一箱子汤汤水水的就值不少钱了?"

"我大概算了一下,至少值八十万欧元。"

龙飞吹了声口哨。

东方剑道:"他并没有带走这些营养液,为了保存那条手臂,他肯定需要不少这种液体。"

"没错,所以我查了一下这种生物营养液的进口记录,发现整个新港市只有一家企业在进口这种营养液——'威恩生物有限公司'。所以,它的嫌疑就非常大了!"

龙飞和东方剑都表示赞同。

东方剑急道:"那还等什么? 去搜查那里啊!"

"不是这么简单就能搜查的,"高明露出一个苦笑,"要等检察院的搜查证下来,最少也得到明天才行!"

"太麻烦了!"东方剑可等不到明天,他恨不得立刻就找到那个戴面具的家伙,对高明道:"这个公司在哪里? 你带我去吧!"

高明犹豫道:"但是……"

东方剑道:"你只要把我带到地方,我自己会偷偷溜进去!"

"这样太危险了! 如果威恩公司真的是背后主使,在他们的公司里天知道会有些什么怪物!"

"不用担心,"龙飞笑道,"妖魔猎人的工作就是对付这些鬼怪!"

高明心想你说得倒是轻松,反正不是你去以身涉险!

东方剑忽然站起来,一言不发向门口走去。

高明叫住他:"你去哪里?"

东方剑道:"当然是去威恩公司。既然你不愿意带我去,我可以自己过去。"

"但是你根本不知道该怎么去!"

"这个你不用担心,月炎姐说过,在有出租车的城市里都不需要认路,想去什么地方'打的'就可以了。"

高明几乎为之气绝,不过也不得不承认他说的有道理。无奈之下,只好道:"好吧,我送你去威恩公司!"

威恩生物有限公司在新港市西部高科技开发区里占据了相当大的一片土地。据说创立这家公司的是一位哈佛学成归来的博士。公司主要进行生物制剂和人造器官的研制和开发,是一家名副其实的高科技企业。

公司大门的造型是模仿 DNA 双螺旋架构,看起来相当气派。不过在高明看来,这些花花绿绿的圆球实在没什么看头。

从大门里看进去,整个公司静悄悄的,偌大的园区里连半个人影都看不到。

一个身穿保安制服的年轻人从大门旁边的门卫室里出来,狐疑地看着停在大门前的警车,迎上来问道:"请问,你们有什么事吗?"大概因为对方是个肩上戴花的警察,所以他的口气相当客气。

"我想跟你们老板谈谈。"

门卫警惕起来:"为什么?"一般来说,有个警察说要和某人"谈谈"的时候恐怕不会有什么好事情。

高明没好气地挥挥手,"跟你没关系吧?"

门卫识趣地没有继续问下去,回到门卫室里,大概是去打电话向上面报告。很快他又走出来,对高明道:"经理请你们进去。顺着这条路能到停车场,有人在那里等你们。"

大门向两边分开,就好像 DNA 的解旋。

警车启动穿过大门,行使在平坦整洁的路面上,道路两旁都是葱葱郁郁的花丛绿树。

东方剑问道:"这样真的没问题吗?"

"没问题,大小我也是个刑警队长,他们不敢不给我面子吧!"虽然这么说,高明手心里还是不住地冒着冷汗。刚才那个门卫说"有人在那里等你们",要是等在那里的是一个加强班的"科学怪人",自己和这个孩子能对付得了吗?

这个方案是他和东方剑在路上决定的。高明极力反对东方剑独自潜入的计划,后来心想既然不能潜入,不如干脆从正门里大摇大摆地进去! 只要不是正式搜查的话就不需要搜查证了,最多不过告诉他们自己是带中学生来参观高科技好了!

在停车场等他们的只有一个人,还是个年轻漂亮的姑娘,身穿米黄色套装,大概是经理助理或者秘书之类的吧? 不管怎么看,她都没有半点危险的感觉,这让高明放心不少,打开车门走下去。

"我是总经理助理,郑雅,"姑娘大方地伸出手,"这位警司先生怎么称呼?"

"高明,市公安局刑警队长。"高明伸手和她不冷不热地握了一下,"这是我侄子。"

郑雅笑着称赞道:"好清秀的孩子!"然后问高明,"请问高队长,找我们总经理是因为什么事情?"

"见到你们总经理之后,我自然会告诉他。"言下之意是你不用问了,我不会告诉你的。

郑雅坚持道:"我想我有必要事先知道一些情况,然后向总经理提出建议,这是身为总经理的第一助理的责任。"

"你们总经理是不是做过亏心事,要不然怎么如此心虚?"

郑雅笑道:"每个人都难免做过点亏心事,不是吗?"

高明有点心虚地笑了,虽然是为了破案,不过他现在的确正在做"亏心事"。岔开话题道:"你可以让他放心,不管他做过什么,我都不知道,而且'现在'也不想知道。嗯,我来这里是想和他谈点生意上的事情。"

郑雅瞪大了眼睛,讶然道:"生意?"一个警察能谈什么生意?

既然谎已经撒开了头,高明干脆信口开河:"我有个南方的朋友是做医疗器械生意的,他让我来贵公司看看,如果机会合适的话,希望能和你们合作。"

"我明白了,"郑雅点点头,从表情上看不出她是否相信了高明的胡说八道,"请你们跟我来,总经理在经理办公室等你们。"

奇幻四公子

第四章
面　具　人

"啊,高队长,久仰久仰!"

这个从老板台后面走出来的矮子就是留美博士张筜竹,也是威恩公司的总经理。他大概不到四十岁,看起来文质彬彬的,大概是因为缺乏运动的关系,他的脸色显得有些苍白。

高明应付道:"张经理才是市里的名人,听说就要当选市人大代表了吧?"

"哪里哪里,浪得虚名而已。"虽然这么说,张筜竹却掩不住脸上的得意,"高队长这次来有何贵干?"

高明笑了笑,"刚才我和郑助理说话的时候,张经理一直在听吧?既然知道鄙人姓高,那就一定知道我来干什么了。"

张筜竹的笑容变得有些尴尬,道:"这个嘛……高队长不要多心,我没有别的意思。"

高明挥手没让他说下去,"你也知道我来这里不是查案的,所以你也不用这么紧张。"顿了顿,指着东方剑道:"这是我的侄子,挺聪明的,从小就总想当个科学家。"

张筜竹赞道:"志向高远,好啊!"

高明接着道:"所以我想让他来这里见识一下,真正的高科技是什么样的,也好让他更有学习的动力。"

张筜竹连连点头:"应该的,应该的!"

见时机差不多了,高明道:"能不能让他去贵公司各处参观一下?要是不方便就算了。"

"哪有什么不方便？"接着他对郑雅道："小郑，你带这孩子到处看看，别忘了好好讲解一下！"

"好的，总经理。"

"要好好学习，别闯祸啊！"高明拍拍东方剑的肩膀，示意让他自己小心，东方剑会意地点点头："我知道了！"然后跟着郑雅走了。

两人走了之后，张筸竹道："现在该谈正事了，我想问的是，你那个朋友主要经营哪个类型的医疗器械？"刚才高明和郑雅说话的时候，他的确通过郑雅藏在身上的麦克风听得一清二楚。

高明想了想，道："大概就是心脏瓣膜，人造血管之类的东西，这些专业名词我也不太懂。"

张筸竹点头道："啊，这些正是我们公司的拳头产品！"他大概是以为来了大生意，看起来很兴奋。

高明心想当然是你们的产品，我就是照着你们公司简介上说的！要不然我会知道什么"人造三尖瓣"？

"你的朋友想要哪种产品？我可以给他最优惠的价格！"

"他倒是没说要什么，只是让我来看看……嘿，说得不好听一点，就是摸一下你们公司的底细，然后再考虑能不能长期进行合作。"

"应该的，应该的。合作之前当然要调查清楚。"张筸竹不住点头，"不过你大可以让他放心跟我们合作，因为我们公司的实力是毋庸置疑的！就算是在国际市场上，威恩公司的产品也是叫得响的，美国、日本，还有欧洲的不少公司都和我们有业务往来。"

高明点点头，装出刚想起来的样子，"对了，我那个朋友曾经提起过，他有个客户想买一种营养液，好像是叫'福匹斯'吧？他找了很多地方都没有，不知道贵公司有没有？"

张筸竹一愣："那是什么？"

高明奇怪道："你不知道？"

"我的专业是仿生器官，对营养液这方面不太熟悉。对了，请稍等一下。"张筸竹拿起电话拨了个号码，"喂，是我。王博在吗？嗯，让他来办公室见我！"

等他放下电话，高明问道："王博？"

"就是'王博士'，王楷稷。我们这里都习惯称博士为'某博'。"

"那你不就是'张博'了？"

"对，就是这样。"说到这里，两人都笑了。

高明又问道："这个'王博'是干什么的?"

"他是生物化学专家,如果是生物用营养液的话,肯定没有他不知道的!"

很快,这位"王博"王楷稷推开门进来,"张博,有什么事?"他是个中等身材的男人,穿着一件被各种化学液体染成五颜六色的隔离衣。注意到屋里有个警察,他立刻皱起眉头,眼中不经意间透出一点焦虑的神色。

张筈竹指着高明道:"这位是市公安局刑警队的高明队长。"

王楷稷对高明点点头,算是打过了招呼。

"这位高队长想找一种叫做'福匹斯'的生物营养液,咱们有没有这种东西?"

"'福匹斯'?哦,就是'复合生物活性保持液'吧?"王楷稷做出回想的样子,不过高明觉得他早就知道了答案。

"没错,公司里曾经从德国进口过一些,不过大部分都在实验中用掉了,现在剩下的不到一加仑,而且下一步的实验恐怕还要用到,所以恐怕不能转让给你们了。如果是真的需要,我建议你们直接向德国那边订购,我可以告诉你,他们的电话。"

"不用了,我也不会说德语!"高明摆摆手,"你们都用这种营养液做什么实验?"

"很多,比如离体器官的脱敏实验,或者应激反射实验等等。"王楷稷冷冷地看着高明,"什么时候警察开始对生物学感兴趣了?"

高明哈哈一笑,"只是好奇罢了,我这人就是好奇心太重了——没办法,爹娘生的!"

张筈竹也笑道:"好奇心是人类追求真理的动力,要是人类没有好奇心,说不定到现在还在树上摘果子吃呢!"

王凯稷没有笑,低声道:"不过有些时候也会把潘多拉的盒子打开……"说完之后转身走出门去,连个招呼也不打。

气氛一时间有些尴尬,张筈竹勉强笑道:"他是个好人,就是有些难相处……你知道,大多数科学家都是这样的。"

高明笑了笑,表示不在意。

接着张筈竹又开始介绍公司的情况,大到业务范围、上市计划,小到员工食堂的伙食情况,也不管高明是不是感兴趣,一股脑地抖了出来。

高明装出很有兴趣的样子应付着,张筈竹的话里面没有多少有用的信息,不过他还是得和对方说话来为东方剑争取时间。同时心中不停地向如来佛祖、基督耶稣、真主安拉挨个祈祷,让他们一起保佑东方剑别出什么差错——这种临时抱佛脚的态度恐怕很难得到某位大神的眷顾,所以他干脆来个多管齐下,心想总有一个能管用吧?

不知道是不是因为哪位神真的被他骗了,反正过了两个小时之后,东方剑平安无事地回来了。郑雅不住称赞东方剑聪明,无论说什么都是一点就透。

见到时机差不多了,于是高明起身告辞。

张筝竹把他们送到停车场,一再向高明表示愿意以优惠的价格和他的朋友合作,微笑着向高明挥手告别。

警车刚驶出停车场,张筝竹的脸色就沉了下来,冷哼一声道:"什么狗屁警察,想来找我的茬,门儿都没有!"接着对郑雅道:"你去准备几万块钱,把那几个给我写论文的枪手打发掉得了,省得我整天提心吊胆的。"

郑雅点点头,道:"好,也差不多到时候了。"

警车上,高明问东方剑:"发现什么线索没有?"

东方剑摇摇头,露出失望的神情,"那个姐姐带我参观了几座楼,只看到一些瓶瓶罐罐,还有就是高效液相分析仪之类的东西,我都不知道是干什么用的。我去的这些地方都没有特别的,连一点蛛丝马迹都没有。"

高明叹了口气:"这么说咱们不是白跑一趟了?"

"嗯,看来是。"

因为还有许多事情要处理,高明把东方剑送回穆和医院之后就离开了。

东方剑回到"总统级病房"的时候,龙飞正戴着墨镜在阳台上晒日光浴,除了身上还包着绷带,这家伙从头到脚没有一处地方像个受伤的人。听到东方剑的脚步声,龙飞头也没抬地问道:"查到什么东西没有?"

"没有,不过我想这个公司肯定有问题!"

龙飞懒洋洋地道:"哦,何以见得?"

东方剑把今天在威恩公司的所见所闻向龙飞大概说了一遍,然后道:"虽然表面上没有什么特别的,不过在其中一座实验楼参观的时候,我注意到那座楼明明有十二层,而电梯却只能到十层,而且楼下缩略图上这座大楼也是只有十层。"

龙飞道:"有两层楼凭空消失了?确实好像有问题……"

"绝对有问题!"东方剑很有自信,"既然他们想把这两层楼藏起来,说明里面一定有些不可告人的东西!"

龙飞点点头:"好吧,下一步你准备怎么办?"

"当然是去搞清楚那两层楼里到底有什么!"东方剑毫不犹豫道,"如果这里就是那些人巢穴的话,那个戴面具的人说不定就在那里!"

"没错,就该这样!"龙飞在一旁大唱赞歌,给东方剑推波助澜,"这件事一定不要告诉高明,他肯定不会让你自己去的!"

"我没告诉他!"东方剑很有点得意,他早就想到这一点,所以连这两层楼的事情都没告诉高明。"这件事由我自己来解决!"他心里只有这个念头。

"你准备什么时候去?"

东方剑想了想,道:"今天晚上。潜入还是要在晚上最好,而且我还得做些准备。"

"什么样的准备?"

"至少要画几张符吧?上次遇到那个面具人的时候,如果我身边有张召鬼符的话,说不定他就跑不了!"说到这里,东方剑沮丧地摇摇头。

"你什么时候学会画符的?"龙飞记得东方剑好像并不会画这种属于比较高深法术的东西。

"前两天在月炎姐家里的书上看到的,还没来得及实验,不过应该差不多吧!"

说干就干,东方剑先到附近商店里买了毛笔和黄纸,又到中药房称了三两朱砂,砸碎之后再研成粉末,然后用人血调和(原来应该用鸡血或者狗血的,不过一时间不太好找,所以龙飞干脆让东方剑到医院的血库里高价买了一包全血来用),这样画符用的材料就都准备好了。

画符是件相当费神的工作,特别东方剑还是第一次干这个活。费了好大劲,画出的隐身符总算能用了。这种符咒能让使用者变得透明,从而达到隐藏身形的目的,当符咒效力消失的时候就会显露身形。除此之外,气味、足迹等等的蛛丝马迹还是会暴露被隐身术藏起来的人的位置。隐身时间的长短和符咒法力的强弱呈正比,而符咒的强弱又与画符时使用的材料息息相关,以东方剑现在用的材料来说,能够隐身三分钟已经相当不容易了。

不过东方剑最想要的并不是隐身符,而是像面具人使用的那种召鬼符咒。虽然用来对付会法术的人效果不是太好,但用来阻挡敌人或者驱散普通敌人的时候,这张符咒绝对拥有无与伦比的优势。

一直弄到晚上,东方剑还是没弄出一张能召出鬼来的符咒。眼看已经快到出发的时间,他只好放弃了画召鬼符的打算,又画了几张火焰符、电光符、封魔符之类比较简单的符咒。

龙飞在一旁看得饶有兴趣,也拿了一张黄纸,用右手食指蘸着朱砂,学着东方剑的样子在纸上画出一些曲里拐弯的图案。画完之后,他对自己的作品相当满意,炫耀似地放在东方剑面前,"怎么样? 我画得也不错吧!"

东方剑哭笑不得,点头道:"画得不错,不过我不认识。"

虽然在外行人看起来符纸上只有一些弯弯曲曲的符号,但是学过法术的人都知道,那些符号都是经过变形的汉字,整张符咒就是一纸祈文,用来借助天上诸神兵天将的力量。比如最简单的雷光符,开头就是"敕令太上老君急急如律令五雷真君大德始终……"

在东方剑看来,龙飞画的这张符上只有一些弯弯曲曲的线条而已,根本不是汉字,更别提凑成文章了。

龙飞笑道:"拿去,这是我给你的护身灵符!"

东方剑已经习惯了龙飞这样开玩笑,也就没有拒绝,笑着接过来,和自己画好的那些"实战符咒"放成一叠。看看时间已经差不多了,他把符咒收进口袋里,"我去了!"

龙飞挥手送东方剑出门:"一路顺风!"东方剑走后,他看着满桌子上被东方剑画坏了的黄纸,自言自语道:"好令人怀念啊,不知道他们现在怎么样了……"忽然笑了,拍了拍自己的脑袋,"我真糊涂,这里的时间体系和那里又没有联系,我在这里又怎么能知道他们的'现在'?"

第五章

卡尼西瓦

正如月炎说的,东方剑很容易就坐出租车来到威恩公司大门外。虽然那个出租车司机多少对这样一个小孩子三更半夜自己出门表示了一点惊讶,但也没有继续深究。

威恩公司的大门紧闭,连门卫室里也没有灯光,大概是连值班的门卫也已经睡了。

跳过墙头,东方剑顺着道路两旁的绿化树林俯身前行。白天的时候他已经把整个公司的布局印在脑子里,即使在黑夜里也很容易就能找到自己的目标。

很快,东方剑就到了他要找的那座楼附近。和其他建筑不同,这座楼上现在还有几处窗户里透出灯光。

如果会御剑飞行的法术,或者能像宁汝馨一样变成鸟儿,就可以直接飞上去——但是这两条东方剑都做不到。虽然可以从外面爬上去,但是毫无疑问要消耗相当大的体力,到时候如果有什么突发状况就只能听天由命,东方剑当然也不会这么做。

将一张隐身符咒贴在自己胸前,东方剑的身形逐渐和黑暗融为一体,很快消失不见。

趁着隐身术发生效果的时候,他轻轻推开大门,闪身进去。

白天东方剑已经注意到,这座大楼里到处都安装着监控摄像头,要想完全避开它们的视线几乎是不可能的,所以他首先画的才是隐身符咒。

在这两分钟左右的隐身时间里,东方剑一路衔枚疾走,三步并作两步冲进楼梯间里,然后一口气爬到五楼。

坐在监视器的死角里休息一会,东方剑换了一张新的隐身符咒,接着一路不停爬到十层。和电梯一样,楼梯到这里也到了尽头。不过这难不倒东方剑,他早已想好了应对的方法。

因为进行化学实验难免会产生各种各样气味难闻的有毒气体,整座实验楼都安装了先进的空气过滤系统。每个实验室都有近半米粗的排气管和中央机房连通,混有有毒气体的空气被吸到中央机房进行无害化处理,然后才排出到空气中。张箅竹曾经反复向高明强调这套从法国进口的通风系统是多么高效,以此来证明他和他的公司是多么重视对环境的保护。

打开实验室的门比预想的要难得多,最后东方剑还是不得不用噬魔剑把门锁整个破坏掉,才打开了一间实验室的房门,心想电视上那些用两根铁丝一拨就弄开门的事情都是骗人的!总算他选择的这间实验室不在监视器的视野范围内,才没有在隐身符失效的时候惹来什么麻烦。

闪身进入实验室,东方剑随手关上房门。

实验室里很暗,只有朦胧的月光透过窗户射进来。不过这并不影响东方剑经过特殊训练的视线。顺着若有若无的"嗡嗡"声,他在墙角找到了空气过滤系统的入口。

他用噬魔剑削断固定挡板螺丝,然后把挡板移开,露出一个尺半见方的洞口。东方剑比量了一下,然后毫不费力地钻了进去。

对于东方剑来说,管道里面并不算太挤,可以轻松地一路爬下去。

通风管先是横向延伸,很快和其他实验室的通风管合在一处,然后接到一根直上直下的粗大管道上。管道向上延伸,东方剑借着噬魔剑发出的光辉向上看去,根本看不到尽头。

正如预料的一样,威恩公司的人并没有给"消失"的两层楼装置独立的空气过滤系统,而是和下面十层共用。

东方剑挺身钻进竖直的管道里,然后用双脚撑住管壁,手脚交替使劲向上爬去。爬了大概十几米之后,一个横向的管口出现在上方。东方剑伸手攀住管沿,略一使劲钻了进去。

浓重的血腥味夹在迎面吹来的风里,是相当新鲜的味道。接着东方剑听到有人说话的声音传来,顺着通风管道向声音的方向移动,很快来到一块挡板后面。因为挡板的缝隙是向下倾斜的,所以东方剑只能看到一双尖尖的高跟鞋。是郑雅,东方剑还记得很清楚,她穿的就是这样一双鞋。在旁边的地面上放着一只打开了的金属箱子,里面摆着许多大小不同的玻璃标本缸,里面盛满了某种液体。

郑雅的声音传来,"还没好吗?已经这么久了!"她的声音里透出不耐烦,左脚脚尖在地上轻轻敲打,传达着同样的信息。

一个男人的声音道:"还早呢,不过内脏分离起来应该比眼球简单一点。"东方剑没听过这个声音,不过如果高明在的话,马上就会知道正在说话的是"王博"王楷稷。听起来,他们好像在说什么手术——或者实验。

郑雅忽然媚笑道:"你们这些搞科学的就是这样,干什么都这么认真,连在床上也是……"

王楷稷哼了一声,大概是郑雅对他做了什么动作,不满道:"我在工作!"

郑雅扑哧笑了出来,"有什么了不起的?把这个矮子大卸八块我也能行!要不要我帮帮你啊?"

王楷稷不耐烦地道:"要是你想把他论斤卖给收死猪的,那就动手好了。如果想多卖点钱的话,就闭上嘴!"

郑雅娇笑一声:"好啦,好啦!谁让老板让我都听你的呢?大科学家。"

忽然传来痛苦的呻吟声,声音显得很沉闷,好像被塞住了嘴巴之后发出的。

王楷稷惊讶道:"这么快就要醒了?"

郑雅道:"看来一半剂量的麻醉剂还是不太管用。"

王楷稷大声叫起来:"你只用一半剂量?为什么!"

"因为我想让他清楚地感觉到自己被一点一点肢解的滋味。可惜他的眼球被你摘掉了,不然可以让他欣赏一下自己的肠子,那时候他的表情一定很有趣!"

"我可没你这样的兴趣,"王楷稷冷然道,"给他补麻醉剂,不然我就开始进行缝合!"

郑雅不情愿地嘟囔了一句,然后她的脚离开东方剑的视线。过了一会,呻吟声渐渐小了,大概是郑雅按照王楷稷的命令加了麻醉剂的剂量。

"把7号瓶子拿来,这只眼已经好了!"

东方剑看到郑雅过来弯腰从箱子里拿了一个最小的瓶子。她在外面穿着一件白色的隔离衣,上面有不少星星点点的红色痕迹。

很快郑雅又转身回来,把瓶子放回箱子里,因为她把箱子转了个方向,所以东方剑看不到里面装了什么。

郑雅站起身来,失望道:"这只眼睛恐怕卖不了多少钱……又是近视又是散光的,有没有人愿意买还不一定呢!"

王楷稷淡淡道:"对于一个完全失明的人来说,即使是拥有最微弱的视力,也是天堂和地狱的区别了。所以你根本不用担心,你的老板总能卖出去。"

郑雅笑道:"我有什么可担心的? 这东西能不能卖出去和我又有什么关系? 比起这个,你现在做的事情还更让我高兴呢!"

"你就这么恨他?"

"恨? 也说不上啦,不过我就是不喜欢他。"

"为什么?"

"要说为什么……大概是因为他的眼神吧。你注意过没有? 他看我的那种眼神。里面能看到恐惧、戒备,还有不屑和一点点居高临下的怜悯——真是可笑的眼神! 不过现在他的眼睛就好看多了,你说对不对,张博? 唉,可惜你听不到……"

"就是因为这个,才把他弄成这样?"

"我怎么敢?"郑雅快乐地笑了,她的笑声相当好听,"这当然是老板的命令! 这个家伙太想出风头了,居然去当什么人大代表,也不看看自己的货色! 而且好像警察也注意到威恩公司了,所以现在需要一只替罪羊,我们的张博就是最合适的人选。"

王楷稷冷然道:"为什么不是我?"

郑雅腻声道:"我怎么舍得啊! 而且你只是个小小的开发部负责人,也背不起这么大的麻烦,对不对? 再说你脑袋里的东西可是真材实料,不像这个草包只会拿张假的洋文凭招摇撞骗,连论文都要靠枪手写。不仅是我,连老板都舍不得你死掉呢!"

"多谢夸奖!"虽然这么说,王楷稷的声音里可是没有半点高兴的意思,冷冷道,"公司总经理变成一堆零件,你们准备怎么收场?"

"这个不用你担心,老板已经安排好了。过两天的报纸上就会登出消息:'威恩公司负责人张笨竹卷款出逃,去向不明',接着宣布公司倒闭。"

"哦? 你们准备收手不干了?"

"怎么会? 过几天重新开张就是了,连公司的名字都有了,'谷兰生物制药有限公司'。空谷幽兰,这个名字不错吧。"

王楷稷冷笑道:"我看还是叫曼陀罗公司吧!"

"好像也不错,不过要看老板喜不喜欢了。对了,你要不要来当经理?"

"我还是继续干我的活好了,要不然说不定哪天也会像他一样'卷款出逃'到外国去,而且还是同时'逃'到好几个国家!"

"看你说的,好像我们是刽子手一样。"

王楷稷冷冷地反问一句:"难道不是吗?"

"用老板的话来说,我们只是对上帝分配不合理的资源进行重新配置而已,把恰当的东西放在需要它的人身上,仅此而已。"

"恰当?需要?"王楷稷冷笑一声,"你认为真是这样吗?"

郑雅的声音变得有些冷,"我从来没怀疑过这一点,而且也不想讨论这个问题。"顿了顿,又道:"你最好快一点,老板派来取货的人就要到了。如果我猜得没错的话,来的应该是那个戴面具的家伙。他可不是这么好打交道的!"

这句话让东方剑精神一振。听了这么长时间总算得到了关于那个面具人的消息,可以确定的是,他和威恩公司肯定有某种联系,而且和郑雅似乎是同一个老板的手下——他们的老板大概是张竿竹吧?不过这些都不重要,重要的是不久之后他就会来这里!

"取货的'人'?"王楷稷在"人"字上加重了语气,"那么,他还有多少是人呢?"

郑雅的声音变得冰冷:"你这是什么意思?"正要发作,忽然响起一阵音乐声,好像是某首流行歌曲,"喂?……喂!"原来是她的电话响了。

郑雅道:"没人说话!"

"哪里打来的?你的老板?"

"不是,是中央监控室打来的,难道是出了什么事情?"听起来郑雅有些担心。

东方剑忽然感到身下的地面一阵猛烈的颤抖,接着传来"轰隆"一声沉闷的巨响。

郑雅尖叫道:"发生了什么事?"

王楷稷本能地提高了声音,喊道:"我怎么知道——好像是什么东西爆炸了!"

"你在这里不要动,我去看看发生了什么事!"郑雅的声音越来越远,开门声响，大概是她推门走了出去。

王楷稷似乎并不惊慌，自言自语道："世界末日吗？还是早点毁灭比较好吧……"

东方剑意识到自己该走了，不过当然不能从这个通风口出去。顺着通风管道轻手轻脚地向前爬了一段，他来到另一个通风口。

外面很静，也没有光线照进来。东方剑用噬魔剑削断固定挡板的螺丝，然后抓住挡板轻轻放在地下，这才挺身钻了出去。整个过程没有发出半点声音。

这里是另外一间实验室，中央有一张宽阔的实验台，周围摆放着许多东方剑叫不出名字来的古怪机器。一切都和他在楼下参观过的那些实验室没有什么区别，不知道他们为什么要煞费苦心地把这些隐藏起来。

正在考虑下一步该怎么办，东方剑忽然听到身后传来"瑟瑟"的声音。愕然回头，他看到一团黑色的长条形物体从打开的通风口里钻出来，又在地上像蛇一样爬行一段距离，这才缓缓立了起来，变成一个人类的形状。

东方剑这才看清，这个人的身材颇为高大，大概有两米左右，真怀疑他是怎么把自己塞进那狭窄的通风管道里的。这时那人的脸正迎着窗外射进来的月光，不知道是不是因为月光映照的关系，他的脸色显得特别苍白。

注意到东方剑的存在，那人回头看着他，嘴角向上翘起，露出一个怪异的微笑，同时用平板的声音道："卡尼西瓦！"

东方剑一愣："什么？"

那人嘴里叽里咕噜地说着什么，向东方剑走过来。

虽然听不懂他的话，不过东方剑的直觉告诉他：这个人很危险！正要祭起噬魔剑，忽然眼前一花，那个人的身影消失不见，接着就感到脖子上凉凉的。低头看去，看到一把二指宽的长刀放在自己脖子上，闪着寒光。

身后，那个怪人用生硬的汉语道："你、好！"

第六章

八岐会

"噗噗噗……"乌兹冲锋枪喷出一串耀眼的火焰,在黑暗的走廊上显得特别显眼。不过因为枪口装了消音器,所以并没有很响的声音。

郑雅急忙向后退了一步,闪身躲进走廊拐角里。子弹打在走廊的墙壁上,溅起漫天石屑,留下一片坑坑洼洼的弹痕。

郑雅大喊道:"你们是什么人?!"

回答她的是又一阵枪声,密集的子弹几乎把她藏身的墙角轰烂。

"好吧,你这是自找死,那就不要怨我了!"郑雅自言自语道,她身边的空气开始不寻常地流动,一个又一个旋风出现然后消失,呼啸的风声好像怪兽低沉的吼叫。

这时枪声忽然停了,然后是几下"咔咔"的声音,听起来大概是那人打光了弹夹里的子弹。

郑雅把身子伏低,从拐角处冲出去。

枪声再次响起来,那个枪手还有另一把枪! 刚才的一切不过是引诱郑雅冲出来的诱饵而已!

还没来得及为自己的狡计自豪,那个枪手就惊恐地发现自己犯了一个大错误——他找错了对手!

并不宽敞的走廊里,郑雅以不可思的速度向枪手冲过来,子弹都落在她身后。转眼间已经来到枪手身前,郑雅微微一笑,抬手自下而上挥了一下。

狂风骤起,激荡的气流形成一道无形的空气之刃,从枪手身前切了进去,把他从中间分成两半。无形的风刃夹带着的狂暴气流把他身体里的血液脑浆还有其他零零碎碎的东西扯出来撒在后面墙上,形成一幅怪异的"抽象画"。

这时另外两个手持冲锋枪的人跑过来,大概是那个枪手的同伴。通过夜视仪,他们清楚地看到墙上那一片血肉模糊,还有地上被分成两半,还在不住抽搐的尸体。虽然他们都是不怕死的亡命之徒,不过还从来没见过这样恐怖的景象,一时间愣在那里,呆呆地看着这一切。

郑雅举起右手,手心里升起一团小小的旋风,冷冷道:"如果不想死的话就告诉我,你们来了多少人,是谁派你们来的? 来这里干什么?"

那两个人显然能感到那团旋风中蕴含的死亡气息,脸上露出恐惧的神色,却都没有说话。

"不想说吗? 那就去死吧!"郑雅一挥手,将那团旋风向那两人抛去。旋风迅速长大,转眼间已经有一人多高,发出骇人的"呼呼"狂啸,缓慢却确定地向那两个人推过去。

那两个人不停后退,一直退到墙角里再也无处可退,眼看就要被旋风"乱刀分尸"。

电光火石之间,一个高大的黑色身影忽然出现在他们和旋风之间,双手握一把四尺长刀举过头顶。长刀劈下,强烈的刀气将旋风一劈两半,狂风将他的头发吹起来,却已经没有任何杀伤力。

一刀斩灭旋风之后,那人抱刀而立,一双眼睛冷冷地盯着郑雅。他的到来好像给另外两人带来了莫大的勇气,欢呼一声之后也举枪瞄准郑雅,同时吐出一串叽里咕噜的声音。

郑雅上下打量着那个用刀的怪人,他穿着一身宽松的黑色和服,脚上蹬着木屐,和后面那两个一身黑色迷彩的家伙形成鲜明的对比。

郑雅皱起眉头,自言自语道:"日本鬼子? 怪不得不怕死,原来根本听不懂我的话!"那个用刀的家伙居然能砍断自己的旋风,可见他是个强劲的对手,再加上两支乌兹,眼前的情况对郑雅来说似乎并不乐观。

一个声音传来:"反抗的不要! 否则这两个人,杀掉!"

回头看去,郑雅看到一脸冷漠的王楷稷,一个人站在他身后,手中的乌兹顶着他的后脑。而站在他身边的,赫然是今天早上来公司的那个孩子东方剑,也有一支枪放在他脑袋上。

"动的不要!"说话的是王楷稷身后的那个家伙,他的汉语不光发音,连语法都很不标准,看来也是个"日本鬼子"。

这时那个穿黑和服的刀客用日语说了两句什么,其他日本人先是愣了一下,接着一起"嗨!"了一声,然后那两个人把人质放开,小心翼翼地从郑雅身边走过去,来到刀客身后。

郑雅问道:"他说什么?"

王楷稷活动着几乎被扭伤的手腕,漫不经心道:"那个用刀的家伙说让他们把我们放了,然后过去。"

那个会说汉语的日本人很高兴,用日语说了一句话。

郑雅问道:"这次呢?"

王楷稷翻译道:"他说有人懂日语,真是太好了。"看来那个日本人对自己的汉语也没有多少自信。

郑雅哼了一声,又看看东方剑。她很想知道这个孩子怎么会出现在这里,如果必要的话,可能要进行一下"处理"才行。不过现在显然不是讨论这个问题的时候,只好一切等对付了这些日本人之后再说,反正他也逃不出自己的手掌心。

这时那个刀客忽然说了一句话,没等郑雅问,王楷稷就把这句话翻译出来:"他问你用过什么类型的移植体。"

郑雅的脸色一下子变得很难看,如果不是现在动手没有必胜的把握,她早就把这家伙切成碎片了。即使在情绪极度激动的时候,她还能冷静地控制自己的行动,这是她的优点之一。

见到郑雅没有回答,刀客又说了一句,"'看你的能力,好像是风鼬吧',他是这么说的。嗨,没想到他的眼光还挺准!"

所谓风鼬是生活在日本的一种妖怪,经常三只一起出现。大多数风鼬都没有很高的智力,但是它们天生就拥有操纵风的能力,其中有一些甚至比受过训练的风系巫师还要出色。虽然这种能力往往被使用在一些无关痛痒的恶作剧上,但是如果遇到两只因为失去同伴而发狂的风鼬也是非常危险的事情。

郑雅咬牙道:"告诉那个鬼子,他猜的没错。你再问他,他们是谁,来这里想干什么?"现在不是逞一时之气的时候,首先要弄清楚这些日本人的目的。

王楷稷把她的话翻译成日语,那个刀客回答了一句。听完他的回答,王楷稷好像有些惊讶,并没有急着翻译,而是用日语和那刀客说起话来,两人你问我答,那个刀客脸上苍白的表情越来越阴沉。

过了一会,王楷稷才对郑雅道:"他们是八岐会的手下。"

"八岐会?"郑雅一愣,"怎么会是他们?"显然她对这个名字并不陌生,"他们来这里干什么?"

"来找一件东西,好像是叫'阿修罗的手臂'。"

根据佛经上的记载,阿修罗是一个暴躁而好战的种族,曾经与帝释爆发过一场规模浩大的战争,虽然最后不幸落败,但是阿修罗一族却已经成了力量的象征。作为生活在天界的神族,暴躁的阿修罗实在是个异类。

"他认为这东西在我们手里?"

王楷稷耸耸肩,"没错。我已经说这里没有他们要找的东西,不过他们好像并不太相信。"

那几个拿枪的日本人也在争论着,最后他们都停下来,等着那个刀客说话,显然这个人是他们的首领。

刀客举起长刀,刀尖指向郑雅,说了几句话。

"他让你或者别的什么人和他单挑,如果你赢了他们就离开,不过如果是他赢了的话,我们就得把'阿修罗的手臂'还给他们。"

郑雅哼了一声,"说得轻巧,我哪里有那种东西?"说实话,她实在没有必胜的信心。不过另外两个人,东方剑还是个孩子,虽然不知他是什么来头,总不会厉害到哪里去。至于王楷稷,总不能让他拿手术刀去和对方的日本刀单挑吧?

"好,我答应这个条件!"

是他!东方剑看到那个面具人从一个房间里走出来。

面具人也看到了东方剑,眼中露出惊愕的神情。他显然没想到东方剑会在这里,所以刚才并没有刻意改变自己的声音。

郑雅惊喜道:"你总算来了!"虽然她并不喜欢这个戴面具的家伙,不过现在这种时候当然另当别论。

面具人从看到东方剑的惊愕中回过神来,不再向东方剑看一眼,对郑雅和王楷稷点点头,道:"我来晚了。"

那个日本刀客上下打量着面具人,忽然举刀迎头向他砍来,事先毫无警兆。这一刀的刀势快如闪电,夹带的逼人气势仿佛能劈天裂地!

"叮"的一声清响,一团白光腾空而起,架住日本刀客劈来的长刀。

一击不中,刀客将长刀在白光上猛地一压,借势向后跳开。面具人右手双指并拢向前一挥:"疾!"白光如影随形,向刀客咽喉疾飞而去。

千钧一发之际,刀客大吼一声"喝!"手中长刀自下而上斜挑,随着一下振聋发聩的金属撞击声,白光被长刀弹飞出去。借势冲上一步,刀客手腕一翻,长刀由挑变斩,削向面具人的肩头。

东方剑脱口而出:"小心!"

说时迟那时快,面具人突然一侧身避过劈来的长刀,接着一蹿,到了刀客身边,伸出左手按在对方胸膛上,厉声急喝道:"急急如律令——散!"

好像是被面具人的话吓住了一样,刀客的动作忽然一滞。就在此时,被弹飞的白光一个盘旋飞回面具人身边,面具人伸手接住。随手一抖,白光散去,现出一把尺半长的银色短剑。寒光闪动,短剑向刀客脖子横斩而去。

刀客回刀防御,不过动作慢了一线,当刀剑相碰的时候,面具人短剑已经将他的脖子切开了一半有余!令人惊讶的是如此可怖的伤口里居然没有血流出来,刀客脸上甚至没有半点痛苦的表情,手握长刀和面具人的短剑较劲。刀剑的刃锋绞在一起,发出"吱吱嘎嘎"的刺耳声音。

终于长刀的刀身经不住摧残,在一声哀鸣中断成两截。面具人的短剑顺势下挥,在刀客头颈间一划而过,刀客的脑袋飞起到空中。

面具人伸手接住刀客的头,这时那具无头的身体才轰然倒地。

郑雅惊喜道:"赢了!"话音未落,面具人手里的那个脑袋忽然张嘴说了句什么话,把她吓了一跳,"怎么可能!他还活着?!"

"这是傀儡,操纵他的人可能在很远的地方。"面具人把那颗还在说话的头托在手里,回头问王楷稷:"他在说什么?"

王楷稷道:"他说这次他是输在兵器上,所以很不服气,要和你再比试一下,到时候他会亲自带他的刀'酒神童子'来,让你见识一下日本妖刀的厉害。"

面具人摇摇头:"告诉他,我没兴趣。"

听完王楷稷的翻译,那个头颅的表情变得很激动,大声争辩着什么。这次面具人没再让王楷稷翻译,而是把右手放在头颅的天灵盖上,低声道:"世间万物,归于尘土!"

话音未落,随着"嘭"的一声轻响,头颅变成一团灰尘从他手心中滑落而下,与此同时那具无头的尸体也变成一堆尘土堆在地上。

那几个枪手见势不好,大叫一声转身就跑,郑雅正要追上去,却被面具人拦住:"让他们走吧,老板不想和八歧会闹得太僵。"

"好吧,那就由你来告诉我,'阿修罗的手臂'是怎么回事?"

面具人淡淡道:"这件事跟你无关。"

郑雅很是不满："我差点因此而丧命！你竟然还说跟我无关?!"

"有什么不满的话，去和你的老板说。"面具人不急不躁，"不过我建议你尽快处理一下这里，否则等会让警察发现就不好了。"

"啊，对了!"郑雅转向东方剑，微笑道："小朋友，你为什么会在这里？不会是那个警察叔叔让你来的吧?"

东方剑警惕道："不是！我有东西忘在这里，所以才回来找的!"

郑雅摇头道："撒谎可不是好孩子啊!"顿了顿又道："不过算了，反正就算失踪，只要推到那个死鬼身上就没问题了……"她的话里透出隐隐杀机，激荡的旋风又开始在她手边急速盘旋。

面具人忽然道："这个孩子由我来处理。"

"你来'处理'?"郑雅有些意外，"你什么时候变得这么好心了?"

面具人不答话，扔下一句："把你们老板要的东西准备好，我等会来取。"拉起东方剑走了。

郑雅这才想起来还有工作没做完："啊！对了，那家伙怎么样了?"

王楷稷不紧不慢地整理着自己沾满血迹的无菌隔离衣，"还活着吧，应该。"

抓住东方剑的手温暖而有力，这让他有一种熟悉的感觉。

面具人走在前面，整个后背就在东方剑面前，这实在不太明智。如果东方剑愿意的话，随时可以悄悄祭起噬魔剑发动偷袭，在这么近的距离上，面具人根本来不及作出反应。不过东方剑并不打算这么做，他对这个同样使用御剑术的家伙有一种莫名的亲近感。现在最重要的是弄明白他的身份，东方剑这样对自己说。

面具人一言不发，领着东方剑从楼梯下到十层，这个楼梯隐藏在其中一间"实验室"里，位置相当隐蔽。

电梯已经被那些日本人破坏了，所以面具人带着东方剑从楼梯上下来，一直来到一层大厅里。沿路偶尔能看到保安弹痕累累的尸体，显然是那些日本人做的好事。

来到大楼门口，面具人松开东方剑，沉声道："你走吧!"

东方剑一动不动，紧盯着面具人的眼睛，问道："你是谁?"

"我就是我。"面具人避开东方剑的目光，"你快走吧，以后也不要再插手这件事了。"

东方剑大声问道："你到底是什么人？把你的面具摘下来!"

面具人摇摇头正要说话，忽然大门外传来经过扩音器放大的声音：

"里面的人听着,我们是警察! 你们已经被包围了! 赶快放下武器走出来,顽抗到底只有死路一条!"

虽然因为戴了面具让人看不清脸色,不过还是能看出来面具人似乎吃了一惊,对东方剑道:"你的同伴来了,你在这里等他们吧。"说着转身要走。

"等等!"东方剑追上一步,伸手想去抓住他。

面具人忽然转身,不知道从哪里拿出一张符来,探手贴在东方剑胸口上,同时低喝一声:"定!"接着左手伸出拍在东方剑右肩上。

东方剑浑身一阵僵硬,连小指都不能动弹一下。然后左肩上一股平和浑厚的力量潮水般涌来,接着就感到身子向后飞起来,"哐啷"一声撞开玻璃大门摔了出去。

一时间拉枪栓的声音响成一遍,"不要动!""别动!"三四支大功率手电筒的光芒集中在东方剑身上。

高明立刻认出这人是东方剑,急忙把手枪在空中一挥,大吼道:"别开枪!"接着一个箭步冲上去把东方剑扶起来,急道:"喂! 你还活着吧?!"

东方剑其实并没有受伤,但是那个面具人法术的效力还没有消失,让他动弹不得,更没法说话。

见东方剑不说话,高明急忙大叫道:"救护车! 快叫救护车!"

这时忽然有人叫起来:"高队,快看天上! 那是什么?!"

高明愕然抬头,刚好看到一道明亮的白光从他们头顶划过,消失在远处夜空的尽头里。

有几个眼尖的警员大声道:"那上边有人!"

高明喝道:"别分心! 别管那是什么东西了,先把里面的家伙给我抓住再说!"

动弹不得的东方剑却知道,至少那个面具人已经不在这座大楼里了,因为说不出口,他只能在心里大声喊着:"是御剑飞行!"

第七章
治 病

在高明的报告里说得很明白,昨晚他之所以会带领警员去那里,是因为接到报警电话说有一群持枪的恐怖分子闯进威恩公司,为了保护人民的生命财产安全,他才带了几乎整个刑警队荷枪实弹地冲进去。

把东方剑送上救护车之后,高明决定发动突袭。就在这个时候,整座实验楼在一声巨响中轰然坍塌,好像被定向爆破拆除一样。也幸亏如此,才没有造成警员伤亡。

尘埃落定之后,只剩下一座废墟。所有的一切都被埋在这堆数百吨重的瓦砾下面,无论是正义还是邪恶……

在龙飞豪华的病房里,高明忍不住抱怨道:"只是把这堆垃圾清理干净就要几个星期,更别提从里面找什么线索了!"

龙飞翻着高明带给他的报告书,"爆炸的原因呢?"这是给局长的初步报告,高明多复印了一份出来给龙飞。因为时间仓促,所以这份报告相当简略,而且只有行动部分而没有事后调查的部分。

高明道:"是C4炸弹,足有十几枚!所有的承重结构都同时被炸断了,这么干的人简直是个爆破专家!"

"威恩公司怎么说?"

"一口咬定说是受到恐怖分子袭击。不过他们的总经理张筅竹一直没有露面,总经理秘书也不在,据推测很有可能是被埋在废墟里了。"高明咬牙狠狠道:"科学家就是这么麻烦!"接着问龙飞:"那孩子的情况怎么样了?"

昨晚替东方剑进行急救的医生很快就发现,除了几处轻微的划伤之外，他身上根本没有任何伤痕，而且也没有麻醉或者中毒的症状，但他偏偏动弹不得，无奈之下只好打电话向高明报告。高明立刻意识到东方剑是"中邪"了（这两天遇到的奇怪事情太多，让他不得不改变自己的思维方式，而这是他此时能想出来的最"合理"的解释），所以就让救护车直接开到龙飞所在的穆和医院，因为龙飞（应该）是此时惟一能解决这个问题的人。

东方剑从里屋走出来，"我很好，已经没事了。"为了方便陪护，这套"总统级病房"除了主病房之外还设有三间客房。

高明松了口气，叹道："果然还是要专家出马才行！"

龙飞笑道："其实只要放着他不管，大概四五个小时之后就能慢慢活动了。"

高明讶然道："真的？"

东方剑点点头："这是'缚行咒法'，我也会用。"

高明还是有些难以置信，不过现在去补习灵异知识并没有太大的意义，更重要的是东方剑已经能说话了，他可是昨晚大楼坍塌之前"惟一"逃出来的重要证人！迫不及待地问道："你在那座大楼里都见到了什么？"

见高明并没有责怪自己擅自潜入威恩公司，东方剑放下一件心事，然后把昨夜在实验大楼里的所见所闻说了一遍。他的记忆很好，连这些人的对话几乎都复述得一字不差——当然对那些日本人的话，他只记得王楷樱的翻译。

"八岐会？"听完东方剑的叙述，高明皱起眉头，"听起来好像是个日本的黑社会，等会我向国际刑警方面查一下，看看有没有什么线索。"顿了顿，"他们说的'阿修罗之手'大概就是把周武霖掐死的那只怪手，现在已经落在那个戴面具的家伙手里。不过'移植体'和'风鼬'是什么？"

龙飞道："风鼬是种能操纵风的小妖怪，至于移植体……"他苦笑一下，"我也不知道。"

高明整理了一下思路，然后道："看来这次事件的起因就是威恩公司和那个'八岐会'因为'阿修罗之手'而发生了纠纷。然后八岐会为了抢回那只手，指使一群武装暴徒袭击了威恩公司，不过却被那个戴面具的家伙打败了——他到底是什么人？"

东方剑默不作声，龙飞笑道："等咱们抓住他，这个问题自然就清楚了。"

高明有些丧气地点点头。这也不能怪他。从一开始，这件案子就显得太过诡异，后来的进展更是超乎想象，连日本的黑帮都牵扯进来了。而且现在所有的线索几乎都断了，高明感觉自己就像是在一片漆黑的房间里摸索着，甚至连要找的是什么都不知道……

又聊了两句，高明起身告辞道："我得走了，局长还在等我的报告。"

"啊，好的。"龙飞躺在病床上挥挥手算是送客，"我就不送了。"

高明走后，龙飞问东方剑："你是不是有什么发现？"

东方剑一愣："什么？"

"从刚才开始，你就有点神不守舍。所以我猜，你在那座大楼里发现的东西比你说出来的稍微多那么一点，对不对？"

东方剑喃喃道："也并不算发现，只是推测而已……我也没有把握，所以才没说……"

"是什么？"龙飞饶有兴趣地问道，"告诉我，说不定我可以给你点意见。"

略一犹豫，东方剑好像下定了决心，道："他——我指那个戴面具的人——应该是认识我的人，而且我也应该认识他！"

龙飞点点头："我也有同感。那家伙冒着这么大的风险把你放走，不会只是出于对祖国花朵的爱护吧？"

东方剑默然不语。

龙飞见状问道："有什么线索吗？"

"从他用的法术来看，几乎可以确定他跟我一样是蜀山派的弟子，而且他还能够御剑飞行……"刚才高明在的时候，他并没有提到这件事。

龙飞好奇道："那是什么？"

东方剑想了想该怎么解释，"大概算是御剑术的高层境界吧。据师傅说，御剑术分为九重，其中下三重称为'人剑'，剑不离手；中三重称为'地剑'，剑舞翔空；上三重为'天剑'，剑人合一，御剑飞行。"

龙飞问道："你是第几重？"

"我只练到第五重。"顿了顿，东方剑又道："整个蜀山派中，能达到'天剑'境界的也不过几个人而已。"

"这样的话，那个戴面具的家伙是谁不就呼之欲出了？"

"但是蜀山派中能御剑飞行的都是德高望重的前辈高人，无论如何都不会参与俗世纷争！"东方剑苦恼地皱起眉头，"而且他似乎太年轻了……"虽然不能看到那个面具人的全貌，但是从露在外面的下半张脸看来,他也就是二十多岁年纪,肯定不是什么"前辈高人"。

"也许是老头子乔装改扮——或者是喝了什么奇怪的□□□春?"龙飞正在胡言乱语,他的手机突然响了。看了看来□□□才按下通话键:"喂?"

"喂,龙飞吗?你们那边的事情办得怎么样了?反正是上面派下来的任务,恐怕捞不到什么好处吧!"这口气当然是月炎。

"还好啦,这里的海滩真是不错,海鲜也很好吃!"龙飞答非所问,"要不然你和狐狸也过来?"

电话里月炎气不打一处来,"你当是在度假吗?"然后叹了口气,"算了,反正不管你怎么折腾,账单都能拿到协会去报销……"这就是"出公差"的好处了。

月炎接着道:"这一阵子'生意'挺忙的,你们要是把那边的事情处理完了就赶快回来,别老想着在那里游山玩水!"顿了顿,低声道:"而且小宁好像不太对劲,从前天开始就精神恍惚,这两天已经撕烂三个鸭绒枕头了!"

"可能是因为闲得无聊吧?"龙飞猜测道,"嗯,等我回去的时候给她带几套结实的宠物玩具,让她好好磨磨牙!"

"记得开发票!"这样嘱咐一句,月炎又道:"对了,你告诉小剑,刚才有个女人到妖魔猎人协会去找过他,名字好像是叫'东方云秀'什么的。协会的人说你们在新港市,然后她就走了。"

"等等,"龙飞转头问东方剑,"你有个叫'东方云秀'的亲戚吗?"

东方剑一愣:"我有个堂姐叫这个名字,怎么了?"

电话里月炎大声道:"让他听电话!"于是龙飞把手机交给东方剑。

月炎在电话里对东方剑道:"你那个堂姐留下一个电话号码,说是如果找到你的话,让你打这个电话,你记一下啊!"说完报出一串数字,是个手机号。

挂断电话之后,东方剑看着他记下来的那一串数字发愣,龙飞问道:"怎么不打电话?嗯,难道她是来抓你回去的?那你就跟她说,你在这里过得挺好的,不想回那深山老林里去了。"

东方剑摇头道:"不会的,云秀姐对我最好了,当初就是她帮我逃出来的。"

龙飞惊讶道:"逃出来的?"东方剑从来没说过他离开蜀山派来到城市里的原因,其他人也没问过。

东方剑点点头,道:"是啊,当时是云秀姐把破结界符给我,我才能从封山结界里出来的。"

龙飞并没有问他为什么逃出来,太过刨根问底不是他的习惯,"那她就是你的恩人了?既然这样更应该给她打个电话。"

东方剑心事重重道:"不过,云秀姐为什么来找我?"

"嘿,你在这里烦恼有什么用?打个电话问问她不就行了?"

一语惊醒梦中人,东方剑立刻在手机上按下那串号码,振铃响了好一会都没有人接,东方剑只好挂断电话,"没人接啊!"

"我来!"龙飞拿过手机又按了一遍号码。

这次很快就有人接了,手机里传来一个粗声粗气的女人声音:"喂,你是谁?"听起来已经有四五十岁的样子。

龙飞撇撇嘴,把手机交给东方剑,后者急不可待道:"是云秀姐吗?"

"云秀姐?"电话那边的人似乎很高兴,"太好了,你们认识这个手机的主人?她刚才被人送到我们这里急救,你们赶快过来吧,别忘了准备好住院押金!"

"急救?"东方剑一下急了,"她怎么了?"

"现在还没确诊,不过看症状好像是急性房颤!"

东方剑道:"她现在在哪里?!我立刻就过去!"

"穆和医院,急诊室!"

就在楼下!东方剑扔下电话,三步并作两步冲出门去,险些把正要推门进来的护士撞倒。

过了两个多小时,东方剑推门进来。

龙飞问道:"找到你的堂姐了?"

东方剑失望地摇头道:"不是云秀姐,是个本市人,刚才她的丈夫已经来了。"

"她怎么会有你堂姐的手机?"

"大概是捡到的吧。送她来的出租车司机说车上有个包好像是上一位客人忘记带走的,不过那个病人的家属说是他老婆的。"

龙飞挠头道:"难道是电话弄错了?"这个电话号码经过这么多次转达,说不定会产生些"误差"。东方剑苦恼地摇着头,他也不知道是怎么回事。

这时龙飞的手机又响了,这次是高明:"有人来到我这里要找东方剑,要不要把她带过去?"

"好啊,"龙飞心想得来全不费功夫,"你这就把她带来!"

"嗯。"答应一声,高明又道:"刚刚从国际刑警方面收到一些和八岐会有关的资料,我想你可能会感兴趣,等会一起带过去。"

过了一会,病房门被推开,高明走进来。跟着他进来的是一位年轻的女子,看起来大概二十三四岁的样子,身穿一件朴素的灰蓝色套装,一条黑亮的大辫子一直拖到腰际。虽然长得颇为清秀,不过她的脸色有些过于苍白,就像白纸一样,几乎看不到一丝血色——连吸血鬼的脸色都比她要好一些……

东方剑扑上去抱住那个女子的腰,兴奋道:"云秀姐,真的是你!"

见到东方剑,东方云秀也很高兴,"让姐姐看看……我们的明剑好像长高了呢!"

"嗯!"东方剑使劲点头,然后问道:"云秀姐,你来这里干什么? 爷爷他们还好吗?"

东方云秀神色变得很复杂,然后勉强笑道:"你离开之后,姐姐一直不放心,所以下山来看看你。"

东方剑挺胸道:"我已经长大了,可以自己照顾自己! 而且我还有几个好朋友,他们会帮我的!"然后向龙飞指了指,"他是我的朋友,叫龙飞!"

东方云秀向龙飞点点头,看到他浑身绷带的样子,讶然道:"你受伤了?"

龙飞笑道:"没什么事,蹭破点皮而已!"见他要扮硬汉,高明颇为不以为然,不过也不好说什么,毕竟在美丽的女性面前表现自己是所有男性的本能。

东方剑道:"云秀姐,你是不是把手机掉在出租车上了?"

东方云秀惊讶道:"你怎么知道?"

"刚才有个人因为心脏病发作送到医院来,你的手机就在她身上。"

"心脏病发作? 坏了,他一定是动过我的包了!"东方云秀脸色一变,道:"那人现在在哪里?"

东方剑莫名其妙,道:"应该还在楼下的急救室吧,医生说她还没脱离生命危险。"

东方云秀急道:"快带我去,希望现在还来得及!"

高明道:"我也一起去吧,这样要回失物应该容易一点。"说着把手中的文件袋交给龙飞,跟在东方云秀后面走了出去。

警察的威吓力发挥了作用。几乎没费什么口舌，那个在老婆生死未卜时还不忘贪小便宜的丈夫就承认那个包和手机都不是他家的。在周围一片谴责声中，这家伙恨不得自己也心脏病突发躺进急救室去。

东方云秀打开提包，从里面拿出一个小小的油纸包，对旁边的一名护士道："麻烦你用水把这个调开，然后给那个病人灌下去！如果还不算晚的话，她应该还有救！"

护士奇怪地看了东方云秀一阵，这才接过那个纸包打开。纸包里是些黑色油膏一样的东西。散发着浓烈的腥臭。

护士两眼瞪得溜圆，"你说这些东西能治疗心脏病？别开玩笑了！这里是医院，我们得为病人的生命和健康负责！"听她的声音，应该就是刚才接电话的那个女人。

高明道："但是你们现在也束手无策吧？为什么不试试照她的话去做呢？"

护士冷哼一声："说得轻巧，要是因此出了医疗事故，谁负这个责任？"大概这才是她真正关心的。

东方云秀毫不犹豫道："我负责！"

护士冷笑道："就凭你？你能负什么责任？"

东方剑再也看不下去，劈手将那个纸包夺到手里，推开急救室的门冲了进去。高明怕他闯祸，急忙追了进去。

见到有人闯进来，急救室里的医生护士全都愣住了。

东方剑也不说话，随手拿起一瓶生理盐水拧开之后倒掉半瓶，然后将那块油膏放进瓶子里晃了两下，立刻变成半瓶紫黑色的古怪液体。

这才有医生反应过来，大声道："你们要干什么？这里正在抢救，你们快出去、出去！"说着就要过来推东方剑。

高明见势不妙，大吼一声道："都别动！这是执行公务！"虽然在道理上明显站不住脚，不过他这声吼还是把在场的所有人唬得一愣。趁着这工夫，东方剑三步并作两步来到病人身边，伸手捏开她的嘴，将那半瓶液体硬灌进去，接着把病人的头稍微抬起，让她把那些液体喝进肚子里。

这一连串动作让那些医生护士纷纷大惊失色，"你给她喝了什么?!"立刻有人提议进行洗胃，不过眼看病人的心跳越来越弱，实在经不起这种折腾，所以只好作罢。

接着高明和东方剑从急救室里被赶出来的时候，那个病人的情况依旧没有什么起色。

半小时之后,医生从急救室里出来,宣布病人已经基本上脱离危险了。

高明悬着的心终于放了下来。如果这个病人真的不幸"驾鹤西游","助纣为虐"的他也很难撇清关系。趁着病人家属向医生表示感激之情的时候,东方剑、东方云秀和高明三人悄悄离开。

第八章

方 明 狐

见到他们回来，龙飞放下那些资料，问道："怎么样？"

放下心中大石之后，高明轻松许多，笑道："想不到妖魔猎人还有治疗心脏病的仙药，能不能分一些给我，说不定哪天我丈人他老人家能用得上！"既然东方云秀是东方剑他们的朋友，所以高明理所当然地认为她也是妖魔猎人。

东方云秀摇头道："就算给你也没用，这不是治心脏病的药。"

高明奇怪道："可是刚才明明用它治好了那人的心脏病啊？"

"她不是心脏病，而是中毒。"东方云秀苍白的脸上露出一个苦涩的笑容，"那只是解毒剂而已。"

"解毒剂？"高明愕然道，"她中的是什么毒？"

"就是这个。"东方云秀从包里拿出一块一寸见方的正方体，从表面的色泽和纹理看来，好像是块年代相当久远的木头。在其中一面上有个小指粗细的窟窿。

"这是什么东西？"

东方云秀在木块上有节奏地轻轻扣了几下，从发出的声音判断，这块木头应该是空的。木块里发出"瑟瑟"声响，接着一只紫红色的怪虫从木块上的窟窿里探出头来。这家伙长得好像肥大的豆虫，却有一对尖长弯曲的毒牙，紫红色的环节状身体上装饰着金色的线状条纹。

"这种虫子倒是稀罕，"龙飞很感兴趣的样子，"大概就是所谓的'蛊'吧？武侠小说上常有，不过我还是第一次见到。"

东方云秀摇头道："不，虽然这种'金蚕'确实是炼蛊的材料，不过我们的饲养方法和苗疆那些人完全不同,所以现在的它只是一条比较特殊的毒虫,而不是'蛊'。"说到这里,她将右手食指放在离那条虫子不远的地方。虫子柔软的身体猛地一窜,一对毒牙紧紧咬住东方云秀的手指。

透过苍白的皮肤,可以看到一道黑气缓缓注入东方云秀体内,凝成一道细如发丝的黑线,沿着手臂一直向上延伸。

咬了大概四、五秒钟,虫子松开毒牙,没精打采地缓缓缩回那块木头里。

高明愕然道:"你这是干什么?"

东方云秀道:"这种虫毒进入人类身体之后会引起心脏节律混乱,就像刚才那个人,她应该就是不小心被金蚕咬到,才会变成那样。"

"那刚才你……"

东方云秀苦涩一笑:"对我来说,这种毒是药,治病的药。"

高明更糊涂了,东方剑替东方云秀解释道:"云秀姐从小身体就不好,需要'以毒攻毒'才能治病。"不过他也不太清楚具体是怎么回事,所以也说不出个所以然来。

龙飞却是一幅恍然大悟的样子,点头道:"哦,原来如此。"

高明莫名其妙道:"你明白了?"

龙飞干脆道:"不懂! 不过'以毒攻毒'倒是常在武侠小说上看到。"虽然以现代医学的观点来看,这种说法实在没什么科学根据。一旦中毒,最可靠而且有效的方法还是尽快注射相应的解毒剂(化学毒剂中毒,如重金属中毒、砷化物中毒等等)或者抗毒血清(生物毒剂中毒,如被毒蛇咬伤或者破伤风)。

高明正哭笑不得,这时他的电话响了,"什么! 在哪里? ……好,你们就在那里监视,把周围都控制起来,千万不要轻举妄动! 我这就过去!"

等高明挂断电话,龙飞问道:"找到八岐会的人了?"

对他超强的听力,高明已经习惯了,点头兴奋道:"对! 他们在市郊包下了一家宾馆,我已经派人在那里监视他们。"说着站起来,"我得过去。"

"要逮捕他们?"

"暂时还没有这个打算,毕竟还没有他们犯罪的证据,而且恐怕我们现在也没有逮捕他们的实力。"

龙飞点头道:"还是小心点好。如果国际刑警的资料没错的话,这些家伙可不光是一群亡命之徒这么简单。"

"我知道,所以暂时不会惊动他们。"高明笑了笑,"如果我猜得没错的话,这些日本人肯定不会轻易放弃'阿修罗的手臂'。由他们去找那个戴面具的家伙,应该比我们自己去找要容易一些。"

龙飞接下去道:"所以只要监视那些日本人的行动,就能将他们一网打尽。"

高明点头笑道:"没错,咱们想到一起去了!"顿了顿又道:"我已经把你给我的子弹样品交给兵工研究所,让他们仿制一批出来。无论他们是人还是妖怪,这种子弹应该都有效吧?"新港市并没有妖魔猎人的常设机构,当然更不会有这些驱魔用的特殊武器(虽然对人类同样致命)。如果从妖魔猎人协会总部借一批出来倒是可以,但需要经过相当复杂的手续,还不如对现有的武器改造来的方便。

高明走后,东方剑问龙飞:"什么时候才能找到他?"

龙飞笑道:"这就要看那些日本人的效率了,不过他们应该比你还着急吧!"

东方云秀莫名其妙道:"你们在找谁?"不知道是不是错觉,她的脸色好像比刚才好了些,苍白的双颊隐隐有了一点血色。

"对啦!"东方剑这才想起来,大声道:"在这里有一个戴面具的人,他能御剑,还会召唤雷鬼,甚至可以御剑飞行!"

东方云秀的脸色一下变得很难看,急忙道:"他在哪里?!"

东方剑一愣:"云秀姐,你知道他是谁?"

"这个……我……"东方云秀脸上的神情很复杂,好像不知道该怎么说才好。过了好一会,终于道:"其实你也认识他。"

"我就觉得他有些眼熟!"东方剑兴奋道,"不过总也想不起他是谁……"

东方云秀喃喃道:"你当然想不起来,平时的他总是那么不起眼……"

东方剑忍不住问道:"云秀姐,他到底是谁?"

东方云秀轻轻说出几个字:"方明狐。"

"好古怪的名字。"龙飞嘟嚷一句。

东方剑脸上都是惊讶:"怎么可能是他?"

龙飞问道:"这个人是干吗的?"

"他是……"还没等东方剑说话,东方云秀忽然站起来,道:"明剑,我有点累了,请问有没有地方让我可以休息一下?"很明显,她不想参加这个问题的讨论。

东方剑想起一件事,道:"云秀姐,你能不能看看龙飞哥的伤?"

东方云秀从包里拿出一张符纸,"如果只是外伤的话,贴上这张符能好一些。"和东方剑的不同,这张符一看就是用特殊材料加工而成的,带有强大的法力。

将符纸交给东方剑,东方云秀向两人点点头,转身推门走进一个房间,然后从里面把房门关上。

东方剑把符纸递给龙飞,"云秀姐的治愈符是最有效的,你试试吧!"

龙飞接过来,忽然道:"我刚才就想问了,她叫你什么?"

"明剑,是我的'字',家里的人都这么称呼我。"

龙飞点点头表示明白,然后将那张符翻来覆去看了看,道:"你的这位堂姐好像很厉害啊!"

"那是当然!"对龙飞的评价,东方剑很高兴,"爷爷曾经说过,云秀姐是年轻一辈中最杰出的,如果不是因为她的身体不好,大概已经能达到'天剑'的境界了!"

"哦……不过那个叫方明狐的家伙不是已经能'御剑飞行'了?还是他不算你所说的'年轻一辈'?"

东方剑愣了一下,"对啊,这怎么可能?!"说着露出冥思苦想的表情,"我甚至从来没见过他用法术!怎么一下子变得这么厉害?"

龙飞道:"这才是真正的高手,深藏不露!"

"这个方明狐是干什么的?"刚才东方剑要回答这个问题的时候被东方云秀打断了,所以龙飞现在又问一遍。

东方剑想了想,道:"好像什么都做吧!比如整理院子里的花草,驯养后山上的妖怪,打扫供奉祖师爷的祠堂……他还经常给云秀姐采药——对了,小时候他曾经照顾我一段时间,爷爷说的。"

龙飞惊讶地张大了嘴:"也就是说,他是你们蜀山派弟子里的勤杂工?"

"不,"东方剑摇头道,"明狐哥并不是蜀山派的弟子。他只是住在蜀山派里,但没有正式拜师。"

"真是越来越复杂了,"龙飞拍拍脑袋,"连弟子都不是,却比你们'年轻一辈中最杰出的'还厉害……这家伙到底是什么来头?"

东方剑茫然摇头,"我也不知道——只记得从我很小的时候开始,明狐哥就在蜀山派了。"

"好吧,现在我们已经知道这个戴面具的家伙是谁了,不过还不知道他——或者说'他们'到底在干什么。'阿修罗的手臂'……"说到这里龙飞嘿嘿一笑,"难道有人打算把自己的手切下来,然后换上这么怪模怪样的东西?"

东方剑愕然道:"开玩笑的吧?怎么可能有这种事情!"

"有什么不可能。"说着,龙飞把高明带来的那些材料递给东方剑,"你知道那个'八岐会'是做什么生意的?"

"什么?"东方剑飞快地扫了一眼那些资料,不过上面满篇都是英文字母,他看不明白是什么意思,问道:"这上面说他们是干什么的?"

"器官掮客,国际刑警是这么给他们定性的,不过我觉得这个称呼有点太小看他们了。"

东方剑还是不明白,"那是什么?"

"简单地说,这些人也是做生意的,不过他们经手的商品有点特殊——是器官,从人身体上摘下来的器官。"

一愣之后,东方剑才明白龙飞话里的意思,骇然道:"他们为什么要这样干?"

"应该是为了钱吧?据说在黑市上,一颗健康的肾脏能买十几万美元。这个数目可以让很多傻瓜去铤而走险。"

东方剑搞不太清楚十几万美元是什么概念,只知道是一大笔钱,想了想,又问道:"他们是从哪里弄到这些器官的?"

"这就是问题的关键了。"龙飞在床上坐直身子,"从表面上看,由八岐会在幕后操纵的那几家公司都是普通的医疗或者科研机构,就像威恩公司这样。他们还有一家中介公司,专门为需要进行器官移植的病人寻找合适的器官。这些都是正常的生意,不过国际刑警方面相信在这些交易的背后隐藏着某种秘密。"

"什么样的秘密?"

龙飞摇摇头:"不知道。国际刑警只是'怀疑'八岐会和跨国的器官走私案有关,不过没有证据。国际刑警和日本警察方面都曾经好几次派警探潜入八岐会下属的公司,希望能找到证据。"

东方剑神情紧张地问道:"结果怎么样?"

"这些人都失踪了,就好像从人间蒸发了一样。"顿了顿,龙飞又道:"因为没有证据证明这些人失踪和八岐会有关,所以国际刑警和日本警察都拿他们没办法。"

"那他们现在为什么又会跑来找'阿修罗的手臂'?"

"这大概只有他们自己、那个方明狐或者方明狐的'老板'才知道了。说不定是八岐会里有人偷偷把这只手卖了,其他人发现之后觉得这个生意不划算,想反悔把货物追回来。"

"他们要这只怪手干什么?"东方剑莫名其妙,"不会真像你说的那样,用这条手臂替换自己的手吧?"

龙飞道:"有什么不可能?跟那个方明狐去警察局的那两个家伙身上就移植了妖怪的器官。那个假道士移植的是脾,胖子大概是胃吧?"

东方剑道:"哦……"他没注意过那两个人。

龙飞继续道:"一般来说,就算是同种不同个体之间进行移植,来自异体的器官也会引起受体免疫系统强烈的排斥,更何况是从妖怪移植到人类身上……所以我想他们大概找到了一种特别的方法解决排异的问题,比如说把妖怪器官上的抗原进行灭活处理,或者用特殊的免疫抑制剂……"

龙飞越说越来劲,东方剑却如坠云里雾中,终于忍不住问道:"你是怎么知道这些事情的?"

"你以为我只是在这里躺着啊?"龙飞拍拍放在枕头边的几大本厚厚的医学书籍,这都是他让护士从医院图书馆里借出来的,"我可是一直在'学习'!"

东方剑想了想,道:"也就是说,他们用某种手段把妖怪变成自己身体的一部分,而这原来是不可能的事情,现在却真的发生了,对不对?"

龙飞点点头:"简单地说,就是这样没错。"

东方剑惊讶地瞪大了眼睛:"这么说,那些人岂不是变成妖怪了?"

"从技术上来说,'大部分'还是人类。至于这种移植的目的是什么,会带来什么样的副作用,大概就只有参与过的人才知道了。不过可以肯定的是,接受过移植的人都在某种程度上获得'源体'妖怪的能力。"说到这里,龙飞笑了,"简直是人造的'人妖'啊!"

东方剑不知道他为什么发笑,想起另一件事,急忙问道:"那些日本人是不是也有这种技术?"

"很有可能。据国际刑警的资料上说,八岐会和许多灵异事件都有瓜葛,所以怀疑其中有妖怪或者'超能者'的存在。"所谓超能者,是拥有强大的"灵力"(法力),却不属于妖魔猎人协会管辖的人类。这些人有正有邪,或者亦正亦邪,但是他们所拥有的力量却绝对不容小视。

东方剑猛地站起来,转身就向外走。龙飞叫住他:"你干什么去?"

"去那些日本人住的地方!他们什么都不知道,在那里监视实在是太危险了!"这个"他们"指的应该是高明和他手下的刑警。

"高明又不是三岁小孩,他知道自己要面对的是什么东西……不过你去帮忙也没什么坏处,但是——"龙飞坏坏一笑,"你知道那些日本人住在哪里么?"

这句话让东方剑愣住了,他刚才一激动,把这个问题忘了。

"新港市东郊,滨海大饭店——刚才电话里是这么说的。"

"谢谢!"兴高采烈地喊了一句,东方剑转身跑出门去,转眼不见了。

东方剑走后,龙飞又拿起那张疗伤符咒看了看,笑道:"真是有趣的法术……"

第九章

绑 架

出租车把东方剑拉到滨海大饭店。这座三星级酒店矗立在海边,俯瞰着似乎没有尽头的大海。离酒店不远的地方就是一片金黄色的沙滩,身穿泳衣的人们正在舒缓的海浪中嬉戏。

东方剑刚走进滨海大饭店的大堂,立刻有个身着制服的服务员迎上来拦住他,微笑道:"小朋友,有什么事情?"

东方剑大声道:"我就住在这里!"

服务员一愣,然后笑道:"你是不是记错了?这家店被一群日本客人整个包下来了,没有别的客人住在这里啊!我看你还是去找你住的饭店吧,不然你的父母该着急了!"

东方剑一动不动,倔强道:"我就要住在这里!"说着就向饭店里走去。

服务员很是着急,伸手想拉住他,着急之下不自觉地提高了声音:"等等!"

"发生了什么事?"说话的是一个二十四五岁、大学生模样的年轻人。站在他身边的是一个身材高大魁梧的中年男人,东方剑一眼就认出来,这个人和在威恩公司见过的那个"日本刀客"长得一模一样!不过那个身首异处的"傀儡"已经被压在大楼的废墟下面,也就是说,这家伙是"真货"?

服务员松开东方剑,解释道:"这个孩子非要住在这里,也不知道他的父母到哪里去了……我这就让他离开!"

见到东方剑,那个日本男子眼中闪过一道奇异的光芒,用日语向旁边的年轻人低声说了句什么。不用说,他就是住在这里的日本客人之一,而那个年轻人大概是他的翻译。

年轻人点点头,对服务员道:"佐佐木先生说,这位小朋友是他的客人。"

服务员愣了一下,看着东方剑:"真的?"

东方剑正要否认,那个叫佐佐木的日本人向他走过来,忽然伸手抓向他的肩头。

东方剑急忙卸肩避开。眼看已经躲开那人手臂伸展的范围,却不成想这条手臂在伸到尽头之后忽然暴长两寸,紧紧抓住东方剑的胳膊。

东方剑感到一阵不可抗拒的大力从胳膊上传来,让他不由自主地向那个日本人佐佐木摔过去。还没等他喊出声来,一只大手已经紧紧捂在他嘴上,让他只能发出一阵沉闷的"呜呜"声。

服务员被这突如其来的变故弄得有些不知所措,急忙道:"这孩子的父母也许正在找他!"

日本人对他的话充耳不闻,拽起东方剑就向电梯走过去。正巧这时电梯门打开,两名服务员从里面走出来。看到在日本人怀里挣扎的东方剑,他们脸上都露出惊讶的神色。

对惊讶的服务员视而不见,日本人昂首走进电梯。那个年轻的翻译对其他人勉强笑了笑,道:"这是日本客人的风俗!"也不管别人信不信,急忙溜进电梯里按下上升的按钮。

电梯门刚关上,服务员就急忙走到大厅角落里掏出手机,低声道:"高队,目标已经回来了!"

电话里传来高明的声音:"干得好,小刘! 继续监视,有什么情况立刻报告!"这是他制定的行动计划,除了在酒店外进行监视,还派了好几个胆识超人的侦察员冒充服务员、厨师混进酒店,从里面严密监视这些日本人的一举一动。其中这个"小刘"刘炎雷就是高明最得力的手下之一。

刘炎雷急忙道:"现在就有个突发情况! 有个小男孩进来说要住店,那个日本人说是他的客人,现在已经带上楼去了!"

高明愕然道:"小男孩? 什么样的小男孩?"

"大概十一二岁,大眼睛,长得挺清秀的……"

高明心想不会是东方剑吧? 不过仅凭刘炎雷的叙述很难确定。

刘炎雷问道:"高队,现在该怎么办?"

高明想了想,道:"继续监视,不要轻举妄动!"如果是个普通的男孩,那些日本人应该不会明目张胆地这样把他"绑架"。如果是东方剑,他这样做说不定是有什么特别的目的……妖魔猎人应该能照顾自己吧?虽然忐忑不安,高明还是在心里这样安慰自己说。

想了想,高明打开手机,"喂,是兵工研究所吗?我是高明!我要的东西好了没有?还没有?这样吧,我现在派人过去……不,当然不是催你们!不过时间不等人啊……好,就这样!"

电梯停在十二层,滨海大饭店的最高一层。

电梯门打开,那个叫佐佐木的日本人昂首阔步地走出去,将东方剑夹在胳膊下面。电梯外面的走廊上站着两个身材壮硕、满脸横肉的日本人,见到佐佐木立刻弯腰鞠了个九十度的躬,同时用日语大声说了一句。看得出来,他在这些日本人中的地位相当高。

带着东方剑来到走廊尽头的房间门外,早有守在那里的日本人将房门打开,然后躬身恭敬地站在一旁。佐佐木连看都不看他们一眼,昂然走进屋里。在他身后,那个做翻译的年轻人也跟进来。

房间里是典型的日式摆设,正中摆着一张矮桌。一个女人急忙站起来,躬身说了句什么。她的年纪在二十五岁左右,穿一身菊花图案的和服,头发也是很传统的日式发髻。

佐佐木没理她,双手一翻将东方剑举起来,然后轻轻把他放在地下。东方剑的身子本来就瘦小,在这个又高又瘦的日本人面前更像是个布娃娃。

佐佐木双膝并拢跪坐在矮桌旁边,然后向东方剑做了个手势,操着生硬的汉语微笑道:"请坐!"翻译也以同样的姿势坐在他旁边,而那个日本女人则低头站在他背后。

东方剑正在犹豫着不知道该不该照他的话去做,佐佐木看出他的心思,笑道:"合作,我的,不伤害你!"他的汉语实在很一般,很容易让人想起老电影里的日本鬼子指挥官。

东方剑把心一横,心想既来之则安之,于是也学着他们的姿势"坐"在矮桌旁边。这个姿势让他感到十分别扭。

日本人赞许地点点头,自我介绍道:"我,佐佐木乱波。名字,你的?"

"东方剑。"东方剑没有什么隐瞒的必要。

这位"佐佐木乱波"的汉语水平也就到此为止了,接下来他和东方剑的对话都需要借助翻译的帮助才能进行。不过为了叙说的连贯,这里就暂且当作他们两个是在进行直接对话。

佐佐木并没有多费口舌,单刀直入问道:"你跟威恩公司是什么关系?"

"没有关系。"东方剑道。

佐佐木盯着东方剑的眼睛,好像希望从里面直接读出自己想要的答案:"我们都很清楚,你不是个普通的小孩。不过我对你是什么人没有兴趣,我只想知道,你昨天怎么会在那座楼里?"

东方剑心中一动,心想干脆虚张声势一番,说不定能套出些有用的资料,于是淡淡道:"并不是只有你们在寻找'阿修罗的手臂'。"

佐佐木丑陋的马脸上露出一个嘲弄的笑容:"哦? 没想到中国的妖魔猎人协会居然如此神通广大,连这个都知道了?"

东方剑吃了一惊,心想他怎么会知道自己是妖魔猎人?

似乎是猜到了他的心思,佐佐木冷笑道:"你在威恩公司曾经落在那些警察手里,却没有被他们抓起来,也就是说,你和他们是站在同一立场上的。加上你身上所散发的灵力,很容易就能判断出你是妖魔猎人吧?"顿了顿,佐佐木又道:"你的任务是不是调查什么案子,或者在找某个人?"

"刚才说过了,我在找'阿修罗的手臂'!"

佐佐木轻轻摇头:"说谎可不是好孩子应该有的行为。'阿修罗的手臂'这个名字,应该是你昨天晚上才从我们的对话里听到的吧? 你根本对它一无所知,更谈不上去找这支手臂了。"

虽然心里震撼莫名,东方剑还是尽量让自己显得从容自若,装出一副莫测高深的样子反问道:"你怎么这样肯定?"

"很简单,如果你们这里的妖魔猎人协会早就知道'阿修罗的手臂'的事情,肯定不会派你这样的新手来处理这件事情。要知道在日本,已经有三个二级上位的妖魔猎人因为这条手臂而丢了性命,你们这里的妖魔猎人协会也不会不知道吧?"

东方剑愕然道:"到底是怎么回事?"

"看来你真的什么都不知道。"佐佐木脸上露出怜悯的表情,"就这样被卷进危险的旋涡里,真是个傻瓜。"

"那么说,你肯定知道这个'危险的旋涡'是什么了?"

佐佐木冷漠一笑,"不要想从我这里套出什么话来,这些事情不是你应该知道的。"顿了顿,"我们并不想和妖魔猎人起冲突,无论在日本还是中国。而且从某种意义上来说,我们在这件事上的目标是一致的。如果来的是二级中位以上级别的妖魔猎人，说不定我会选择和他们合作，不过你就……"说着他摇摇头，脸上毫不掩饰对东方剑的轻视。

东方剑冷冷道："妖魔猎人是不会与走私器官的罪犯合作的！"

对东方剑的话，佐佐木并没有什么反应，淡淡道："看来你对我们还有些了解……是的，这是我们经营的业务之一。没错，这的确是违法的，不过就我个人而言，倒并不认为这是件坏事。"

"难道你们还要给自己竖牌坊？"

翻译解释了好一会，佐佐木才弄明白这句话的意思，哈哈一笑，道："用某人的话来说，我们只是替上帝把分配得不太公平的资源进行再次分配罢了。"

东方剑是第二次听到这句话了，第一次是在威恩公司的通风管道里，说这句话的是郑雅。"这句话是谁说的？"

"一个我们过去的合作伙伴，不过现在不是了。"

忽然房门被人推开，一个娇媚的女声笑道："这么说不太好吧？佐佐木先生！我们老板可还是把你们当作值得信赖的生意伙伴。而且比起拿阴招当饭吃的俄罗斯黑手党，我们的信誉要好得多？"她的声音娇媚到了极点，只是说话就好像柔媚到极点的歌声一样，让人不知不觉地陶醉其中，简直不像是人类的嗓子能够发出来的。只是听声音的话，几乎所有人都会认定这个声音的主人是个绝色美人！

东方剑感到身体轻飘飘的，好像腾云驾雾一般，急忙收摄心神，这才平静下来。循声望去，东方剑大吃一惊：拥有这种媚到骨子里的声音的，竟然是个只有十七八岁，瘦小干枯的小姑娘！她的脸色蜡黄，好像重病缠身似的。

佐佐木似乎根本没受到这声音魔力的影响，突然重重地冷哼一声。声音并不大，却让东方剑心中一震。

那翻译原本已经是一脸迷醉的表情，在佐佐木这声哼之后浑身猛地一颤清醒过来，迷茫地看着四周，喃喃自语道："我这是怎么了？"站在佐佐木身后那个日本女人一直没有作声，好像这一切都和她没有任何关系。

佐佐木冷冷地盯着那个女孩的眼睛："你是王思暮的手下？看你的能力，应该是移植过塞壬的声带，我说的没错吧？"

塞壬是希腊神话中女人面孔鸟身的海妖，拥有美丽的歌喉，据说可以用歌声操纵人类的行动，她们常用歌声诱惑过路的航海者而使航船触礁沉没,是一种相当危险的妖怪。英雄奥德修斯率领船队经过墨西拿海峡的时候,事先已经被女神告知塞壬的声音美丽而致命,于是命令水手用蜡封住各自的耳朵,并将自己绑在船的桅杆上,方才安然渡过。

不等翻译把这句话翻完,那个女孩就笑道:"一点没错,不愧是八岐会的魁首副席!难怪老板对你会有这么高的评价,雅妹在你手上吃亏也是理所当然的事情。"她的声音还是一样娇媚动听,不过这次并没有让其他人沉醉其中,显然她可以自由控制这种声音的魔力。

"你的名字?"

"啊,忘记自我介绍了呢,我叫宫茗雪,是老板的第二秘书。"说到这里,她对佐佐木笑了笑,"像我这种小人物,佐佐木先生当然不会知道!"然后对东方剑笑道:"这位就是方慕云说的妖魔猎人吧?你们竟然会坐在一起,这真让我感到意外呢!"

方慕云?东方剑愣了一下才想起来这是方明狐在警察局里报的那个假名字。这样看来,他在这些"同伙"面前也用的是这个名字。

佐佐木冷冷地看着宫茗雪,"第二个问题是,你来这里做什么?"

宫茗雪微笑道:"向您发出一个邀请——当然,是代表我们王老板。"

"想不到我还有这样的荣幸!"佐佐木冷笑一声,"是不是他准备提前给自己举行葬礼了?那我可得按照你们的习俗,买个花圈送去!"

"怎么会?"宫茗雪还是微笑着,"老板只是要办个小酒会庆祝一下,他说既然咱们合作过这么长时间,所以无论如何都要邀请佐佐木先生过去。"

佐佐木冷冷道:"可惜我们的合作已经结束了。"

宫茗雪笑道:"怎么可能结束?今后我们当然还会继续合作!"

"现在我最关心的,只是什么时候能拿回我们的东西!"

"如果指的是'阿修罗的手臂',老板让我替他向你们表示诚恳的歉意。"宫茗雪略一躬身,"他说也没有想到会闹成现在这样子,对我们来说,只是花钱买来一件商品而已——而且是用相当合理的价钱。"

"是啊,真是一大笔钱,所以伊藤岁平才会见钱眼开,为你们铤而走险。"佐佐木脸上露出鄙夷的表情,"可惜他现在却没福气当个亿万富翁了!"声音里透出森森杀气,显然这个叫"伊藤岁平"的日本人已经为他的所作所为付出了相当的代价。

宫茗雪一点也不意外,好像早就知道这个结果,笑道:"这是当然,八岐会一向都是反应神速的。"

佐佐木冷冷地哼了一声，"可惜还是不够快。当我们发现的时候，伊藤那个混蛋已经把货物送出去，而且把所有的资料都毁了。"

"不过他也没来得及通知我们取货的方法，所以才会让如此重要的货物搁置在港口乱糟糟的仓库里。要不是有个倒霉的小贼偶然发现，还不知道要在那里放多久。这样看来，我们双方也算是扯平了吧！"

"扯平？你可真会说话！"佐佐木哈哈大笑，笑声过后他的脸色变得更加阴沉："现在那条手臂在你们手里，你觉得这样对我们很公平？"

宫茗雪微微一笑："如果说，我们把它还给你们呢？"

当这句话被翻译成日语之后，佐佐木脸上露出难以置信的表情，过了一会才道："你说的是真的？"

宫茗雪露出一个神秘的笑容，"也许是真的，也许不是。这就要看佐佐木先生怎么做了。"

佐佐木沉声道："你想怎样？"

"我只是个秘书而已，一切当然都要王老板说了才能作数。"宫茗雪狡猾地眨着眼睛，"那么，佐佐木先生到底要不要接受我们老板的邀请呢？"

"很好，我去！"

宫茗雪笑道："太好了！那就请佐佐木先生明天正午到港口去，我们会有人在那里迎接。"说完略一躬身，"既然这样，我现在就告辞了。"说完转身从房门里走了出去。

宫茗雪走后，佐佐木双目紧闭仰面朝天，似乎在思考什么事情，忽然睁开眼睛，对东方剑道："请你转告下面的警察，这件事我们会处理，请他们不要插手，否则对大家都没有好处。"看来他早就知道有警察在监视这里。

东方剑当然不会同意他的说法，大声道："这怎么可能！"

佐佐木不再多说，只见他举起手，用汉语道："送客！"然后闭上眼睛再不作声。

东方剑也不想在这里待下去，因为现在他更在意那个叫宫茗雪的女人，也许只要跟着她就能找到方明狐，于是起身离开。那个翻译也站起来，将东方剑送到门外。

走廊上横七竖八躺着好几个人，都是佐佐木手下的日本人，他们身上没有伤痕，只是昏睡过去而已，有几个脸上还露出笑容，大概是在做什么好梦。毫无疑问，这是宫茗雪的杰作。而且看这情形，去医院劫走两个犯人的大概也是她。

看到眼前诡异的情景，年轻的翻译脸上露出恐惧的表情，拉住东方剑问道："这到底是怎么回事?!"

东方剑有些奇怪："你不知道?"

"我只是个普通的学生!"从刚才开始这个翻译的脸色就不太好，现在更是苍白透绿，"那些日本人是黑社会吗？会有警察来抓他们吗？会不会把我也一起抓起来?"刚才一直强行压抑着的恐惧情绪一下子爆发出来，现在的他已经完全乱了阵脚。

东方剑只好安慰他："没关系，事情并没有你想的那么严重。"见他还是一副惶惶不可终日的样子，又道："我叫东方剑，你呢?"其实那个翻译刚才已经知道他的名字了，不过现在再自我介绍一下，可以拉近两人间的距离。

"曹辛良!"

第 十 章
钥 匙

　　滨海饭店一层的门卫室已经变成了临时指挥部,刑警们就在这里借助安装在走廊各处的监视摄影机观察那些日本人的行动。

　　高明从饮水机上倒了一杯水,放在不知所措的曹辛良面前,"喝吧!"得知有个男孩被那些日本人"绑架"之后,他立刻从附近的监视地点赶过来,正好碰上东方剑和曹辛良走下来。

　　曹辛良端起杯子一饮而尽,然后才想起来道:"谢、谢谢!"这杯水让他的感觉好了点。

　　"那么,我们可以开始了吗?"

　　曹辛良惊慌失措地点点头,"可、可以了!"

　　看着他紧张的样子,高明笑道:"又不是审讯你,这么紧张干什么?"

　　曹辛良老老实实道:"我从来没进过警察局,所以有点紧张……"

　　"你又没违法犯罪,所以不用紧张啦!"高明向旁边的速记员示意开始记录,然后向曹辛良笑道:"先自我介绍一下,就是叫什么几岁了、在哪里工作、有没有女朋友之类的情况,当然最后这条你要是想保密也可以!"见曹辛良实在太紧张,所以高明用这样的开场来缓和气氛。

　　"我叫曹辛良,辛苦的辛,善良的良,生日是 1983 年 12 月 7 日,今年二十一岁,是辉珉大学外语学院日语系 2002 级学生,没有女朋友!"曹辛良像竹筒倒豆子一样把自己情况说了一遍。他所说的辉珉大学就在月炎居住的城市里,是一座历史悠久的综合性大学,其中的医学院、文学院以及社会学院在全国大学中相当有影响力。

　　高明点头道:"是辉珉大学的学生? 那可真不容易。不过我家闺女才六岁,所以你没有女朋友向我诉苦也没用!"

曹辛良一愣,这才明白他的话是什么意思,忍不住笑出来。

速记员也笑了,问道:"高队,这句话还要不要记下来?"

"当然——不用记了!"

笑声过后,原本紧张气氛轻松了不少。

高明接着对曹辛良道:"好,你再说说,那些日本人是怎么找上你的?"

曹辛良整理一下思路,然后道:"我家里的经济条件不算好,所以这个假期准备找份短期的工作赚点钱。就在三天前,我在一个网上论坛看到一条招聘临时日语翻译的消息,而且条件相当优厚。我按照上面的电话打过去,接电话的是美佐子小姐……"

高明打断他:"美佐子? 她是谁?"

"铃木美佐子,和佐佐木乱波在一起的一个日本女人。不过她看起来不像是个坏人……嗯,她一定是被那些人胁迫的!"

高明若有所思道:"这一点得经过调查才能弄清楚。"直觉告诉他这个女人没有这么简单。这些日本人冒险来中国夺回"阿修罗的手臂",不可能带一个"被胁迫"的女人在身边,给自己增加负担吧?

又问了几个问题,高明发现曹辛良对这些日本人的了解并不多。这些日本人在宾馆里生活的圈子相当闭塞,很少和同伴之外的人说话,所以也就不太需要翻译的帮助。在东方剑出现之前,曹辛良的工作只是帮他们和宾馆方面进行沟通,以及陪佐佐木乱波出门散步而已。

高明正在思考,曹辛良忽然紧张地问道:"我帮那些日本人做翻译,不会变成投敌叛国的历史罪人吧?"

高明一愣,随即笑道:"当然不会!"

曹辛良松了口气,又问道:"那以后我该怎么办?"

高明想了想,道:"你还是回去他们那里,继续帮他们做翻译,如果发现他们有什么不寻常的动作,立刻向我们报告!"

曹辛良担忧道:"但是,他们会不会怀疑我?"

高明思索道:"既然他们已经知道有警察在监视,那么叫你来问话是再正常不过的事情,所以他们应该不会因此而为难你……不过这些日本人都是些亡命之徒,你和他们在一起肯定非常危险,所以如果你不愿意回去,我也不会勉强。"

曹辛良脸上的表情变得很复杂,显然他心里正在进行着激烈的斗争,终于拿定了主意,斩钉截铁道:"没关系,我去!"

"好小伙子,够胆量!"高明赞赏地拍了拍他的肩膀,"等这个案子破了,一定给你记上一功!"

高明的话让曹辛良热血沸腾,兴奋过后,他又有些担忧,道:"那个叫东方剑的孩子,他没关系吧?"

刚才把曹辛良交给高明之后,东方剑立刻出门去寻找宫茗雪的行踪,到现在还没有回来。比起这些八岐会的日本人,让他更在意的是方明狐的事情,而这个叫宫茗雪的女人可能就是找到方明狐的钥匙。

高明笑道:"没关系! 别看他年纪小,可是个货真价实的妖魔猎人!"其实他心里也没底,只能祈祷不知道哪路神仙保佑东方剑平安无事。

"妖魔猎人?"曹辛良疑惑道,"刚才佐佐木乱波也提过这个词,他们是干吗的?"一般老百姓很少和妖魔猎人扯上关系——当然最好也不要和妖魔猎人扯上关系,所以大多数人甚至根本不知道他们的存在。

高明想了想,道:"简单地说,就是对付妖魔鬼怪的专家!"事实上他也不太清楚。如果不是这次案子的开幕实在超乎常理,大概他也不会请妖魔猎人来帮助吧?

接下来的谈话并没有进行多长时间,然后曹辛良独自一人乘电梯回到那些日本人所在的楼层。虽然这些日本人把整个宾馆都包了下来,但是他们所有人都居住在大厦的顶层,其他楼层就这样空着。

走廊上的日本守卫已经换了另一些人,而且数量少了许多。那些熟睡的日本人已经被没有睡着的同伴搬进房间里,现在正在床上继续他们的美梦。这种催眠状态相当难唤醒,所以最简单的方法就是让被催眠的人睡到自然醒来。

跟那些守卫打过招呼,曹辛良来到刚才的房间门外,犹豫一下之后,他才轻轻敲了敲门。

"请进。"是那个日本女人,铃木美佐子的声音。

推门进去,曹辛良发现屋里只有铃木美佐子一个人,佐佐木乱波不在这里。这让曹辛良松了口气。

"佐佐木先生呢?"

铃木美佐子指了指内室紧闭的房门,道:"佐佐木先生休息了。有什么事情吗?"

曹辛良急忙道:"不,没、没有!"

铃木美佐子善解人意地笑了笑,道:"楼下的那些警察找过你,对不对?"

这个突如其来的问题让曹辛良一时间不知所措,支吾道:"啊……哦……"

"不用否认,佐佐木先生早就知道会发生这样的事情。"

慌乱之下,曹辛良急忙道:"对,对不起!"

铃木美佐子微笑着摇摇头,"你为什么要道歉?应该道歉的是我们才对。因为我们,才把你卷进这次事件里来。"她拿出一个信封放在桌上,"虽然这些钱并不多,不过还是希望你能接受我们的歉意。"

曹辛良有些不知所措,"啊,不,这怎么可以!"

铃木美佐子把信封推到他面前,笑道:"这是你应得的。当然,我们约定的工资也包括在这里面了。"

曹辛良一愣,愕然道:"也就是说,我被开除了?"

铃木美佐子微笑摇头道:"不,并不是开除,只是我们之间的合作到此为止。虽然时间很短,不过你的工作给我们带来很大的帮助,而且我们的合作相当愉快。虽然现在你已经不再是被我们雇佣的翻译了,不过如果你能继续工作到明天中午,佐佐木先生会非常高兴的。"

"这个自然没问题!"曹辛良毫不犹豫道,"不过,可以告诉我理由吗?"

"简单地说,我们的任务就要结束了。至于细节方面,请恕我不能透露。而且,这些事情知道得太多对你并没有好处。"铃木美佐子说得很诚恳,不过意思也非常明确。

话说到这份上,曹辛良当然不能继续追问下去,一阵尴尬的沉默之后,他忽然开口道:"铃木小姐,我可以问几个问题吗?"

这句话让铃木美佐子有些意外,一愣之后才道:"当然,请说吧!"

"这些人——我是说佐佐木先生他们——真的是黑帮?"他这么说冒了相当大的风险,不过他实在忍不住想自己确认一下。

铃木美佐子并没有否认,"从某种意义上来说,是的。这些人都属于一个叫八岐会的组织,当然也包括我。我想,这些事情那些警察肯定都已经告诉你了。"

"你为什么要参加黑帮?"

铃木美佐子轻轻摇头,还没说话,这时就听到屋里传来佐佐木乱波的声音:"美佐子,你进来!"

铃木美佐子答应一声:"是。"然后对曹辛良道:"对不起,不过还是请你回房间休息吧。"

曹辛良有些不甘心，不过也无可奈何，只好告辞退了出去。

等曹辛良离开之后，铃木美佐子打开房门走进内室。佐佐木乱波直挺挺地跪坐在房间中央，双目紧闭，如同雕像般一动不动。

佐佐木乱波的声音道："碰到不愿意回答的问题，就让我来替你解围吗？真是个阴险的女人。"

铃木美佐子淡淡道："这个问题我不想回答。"

"找人倾诉一下，也许对你那个偏执的心灵会有些好处。至少总比一个人自言自语要好得多吧？"

"你是说，让我把所有的一切都告诉他——包括你的秘密？"

"是'我们的'秘密！"佐佐木乱波哈哈一笑，"这也不是不可以。你把一切都告诉他，然后把他杀了。这样你的秘密就不再有人知道，而且也算你找人倾诉过。"

"你应该很清楚，我是个傀儡师，不是杀手。"

"当然，我和你一样清楚。所以，我也不喜欢杀人。"略一停顿，佐佐木乱波笑道："这是个有趣的问题，'你为什么要参加黑帮？'"

铃木美佐子冷冷道："我已经忘了。"

"我替你记着呢。还记得你那个酒鬼老爹吗？虽然我根本不知道他的名字……对了，就是那个在你七岁的时候，把你卖给人口贩子的那个人。"

"我不记得这个人。"

佐佐木乱波的声音没理她，继续道："然后呢？你原来是要被卖进红灯区，或者冻死在街边的垃圾箱里，但是一个叫铃木房太的老人改变了你的命运。"

"他是我的老师。"

"没错，他教了你很多东西，包括傀儡术、剑道、忍术以及其他一切暗杀所需要的技术，没错，他原本是想把你培养成一个杀手，一朵美丽却致命的鲜花——或者只是一件用完即弃的工具？可惜的是，他再也不能告诉你了。"

铃木美佐子的声音变得有些急促："那只是一次不幸的意外！"

"那么，是谁在他带在身边的傀儡里放进了 A 级的怨灵？"佐佐木乱波的声音发出一阵冷笑，"得了吧，你在我面前撒不了谎，而且也没有这个必要！"

佐佐木乱波的声音接着道："铃木老头死掉之后，你代替他成了八岐会的首席傀儡师，这可真是个荣耀的职位啊。"

铃木美佐子淡淡道："我可不觉得有什么荣耀。"

"当然，你的目标是成为八岐会的魁首，进而控制整个日本的地下势力。你已经把这个雄心壮志向我说过不知道多少遍了！"说到这里，佐佐木乱波的声音停下来发出一阵冷笑，"你之所以会跟这个家伙不远万里来到中国，目的就在那只'阿修罗的手臂'吧?"

"对，"铃木美佐子并没有否认，"那只手臂应该是属于我的！"

"不过王思暮应该不会这么轻易就放弃已经到手的宝物。"

"所以，现在已经到它出场的时候了，"铃木美佐子美丽的脸上露出一个阴沉的微笑，走到旁边拿起一个细长的盒子。这个盒子是用上好的檀木制成的，表面镂刻着复杂的花纹。"为了这次任务，魁首特别借给佐佐木乱波的妖刀——酒神童子……不过现在，它的力量将为我们服务了！"

第十一章
恶魔之子

　　高明手下的一名刑警开车载着东方剑，一路小心翼翼地跟在宫茗雪的车后面。这是一辆乳白色的二厢微型车，虽然不是很显眼，不过倒也不是容易跟丢的目标。

　　沿着海边的公路行驶了一段，宫茗雪的车掉头拐进新港市市区，在市区的街道上兜了几个大圈子之后，终于停在一处建筑工地门前。

　　虽说是建筑工地，却连一个工人都没有。据开车的刑警说，这里原本打算建一座二十六层的写字楼，不过就在大楼主体快要完成的时候，开发公司的总经理却因为涉嫌经济犯罪而锒铛入狱，这里的工程也就无法继续下去。从那以后，这座未完工的大楼就一直搁置在这里。

　　东方剑心中满是疑问：宫茗雪到这里来干什么？难道这里就是那些人的藏身之处？

　　宫茗雪打开车门走出来，然后小心翼翼地穿过满是泥泞的小路，走进那座废弃的建筑工地。

　　东方剑对那名刑警道："你在这里等，我进去看看。"

　　虽然不太情愿，不过高明曾经交待过，一切听东方剑指挥，所以这个刑警也不好说什么，只能眼睁睁地看着东方剑的身影消失在建筑工地里。

　　这时已经是傍晚，昏黄的阳光穿过空荡荡的窗户，照在地上散落的瓦砾上。空气中弥漫着潮湿的膜臭气味，似乎在这座大楼被废弃之后，有些人把它当作某种公共设施来使用。

　　当东方剑进入这座废楼的时候，正好看到宫茗雪的背影消失在走廊的尽头。毫不犹豫的,他也向那个方向追过去,同时将噬魔剑祭起到空中,手中还夹着一张火焰符。有了上一次的经验,东方剑有把握至少在一段时间里能够抵挡宫茗雪的"塞壬之歌"所产生的精神效果,然后以噬魔剑进行反击。

在这座废楼里爬了几层之后,东方剑就发现有些不对劲。宫茗雪的身影就这样一直出现在前面不远的地方,好像在引导着他,一步步踏入早已准备好的陷阱一样。

刚想到这里,远处的宫茗雪忽然停下脚步,转身站在那里。东方剑急忙闪身躲在一根柱子后面。他们所在的这层楼里的分隔墙还没有建好,只有一根根支撑的水泥柱子立在广阔的"大厅"里。

这时太阳最后一抹光辉已经消失在地线下面,整座废楼立刻陷入一片深沉的黑暗。在这片黑暗中,宫茗雪的眼睛发出幽幽绿光,好像两点静止不动的鬼火。

宫茗雪好听的声音在空旷的楼层里回响,"从刚才开始你就一直跟着我,小家伙。你想干什么?"大概她早已发现被人跟踪,才会来到这个地方。

见行踪已经被发现,东方剑也就不再躲藏,从那根水泥柱子后面走出来。随手一挥,将火焰符咒抛在自己和宫茗雪之间的地面上,腾起一团火焰。火焰符咒有两种用法,其中之一是将符咒的力量在一瞬间释放,引起剧烈的燃烧和爆炸,还有一种就是东方剑现在所做的,将符咒的力量缓慢持续地释放出来,用来照明或者加温。

"我想找方明狐——哦,应该是方慕云——你知道他在哪里?"

火焰跳动,光线照在宫茗雪脸上显得明暗不定。"看到你的符,就知道你和那个戴面具的家伙关系不一般……方明狐,这是他的真名?"

"你还没回答我的问题!"

"找到他之后,你打算做什么?"

这句话让东方剑愣了一下。他还没想过这个问题,一直以来他只是想找到方明狐,然后把所有事问个明白。

见东方剑不说话,宫茗雪笑道:"如果你想清理门户,我倒是愿意助你一臂之力,妖魔猎人小朋友!"

东方剑愕然道:"清理门户?"

宫茗雪笑道:"是啊,你和方慕云——就是那个方明狐——应该是同一门派的吧?看他这样为非作歹,助纣为虐,你们门派里的长辈们难道不是义愤填膺? 然后当然要派人来清理门户了,武侠小说上不都是这么写的?"

一语惊醒梦中人,宫茗雪的话让东方剑忽然明白了许多事情:虽然他不是被派来清理门户的,但是东方云秀却毫无疑问是在执行这个任务! 不过原因倒并不一定是方明狐"为非作歹、助纣为虐",而是他在未拜师的情况下偷学蜀山派的法术武功,这正犯了帮派规矩中的大忌。

宫茗雪又道:"怎么样? 如果我们合作的话,铲除这家伙就要容易得多了!"

整理一下纷乱的思绪,东方剑道:"他现在不是你的同伙吗? 为什么要杀他?"

宫茗雪笑道:"因为我看不惯他那副故作清高的样子,这个理由够了吗?"

东方剑好奇道:"他怎么故作清高了?"他现在很想多了解一点方明狐的情况。

"啊……这个……"宫茗雪似乎不愿意解释,"反正你知道我看他不顺眼,这就行了! 反正你自己也打不过他,对不对?"言下之意当然是没有我的帮助你根本杀不了方明狐!

东方剑心中涌起一阵厌恶,冷然道:"对不起,我的任务并不是清理门户,而是查清整件事情的来龙去脉,然后将所有罪犯绳之以法。再说,如果与你合作的话,我和他又有什么区别?"

宫茗雪冷笑道:"真不愧是同门师兄弟,连这种自命清高的臭脾气都一样! 将所有罪犯绳之以法,当然也就包括我了……嘿嘿,口气是不小,不过还得看你有没有这个本事!"说到这里,她将右手举过头顶,周围空气的温度忽然骤降,开始出现一团团淡淡的雾气。一根细长的冰箭出现在宫茗雪的手心上空,她猛地一挥手,冰箭脱手而出,向东方剑激射而来。

"叮"的一声脆响,噬魔剑凌空闪过,将冰箭斩成两截。与此同时,冰箭上所蕴含的魔力被噬魔剑吸个精光,再也无法凝聚,在落地之前已经变成一片水滴。

宫茗雪有些意外:"御剑术? 想不到连你这样的小孩子也能用!"

东方剑更是惊讶非常,大声道:"你是巫师?"

"你要这么说也可以,不过这种能力是天生的——你知道'恶魔之子'吗? 我就是!"

每个人都具有不同程度的灵力(或叫魔力),不过在一般情况下这种能力处于"休眠"状态,除非受到某种剧烈的刺激,或者经过长期艰苦训练才能让它"苏醒"过来。但事情总有例外。虽然数量及其稀少,不过的确有些人刚出生就能使用这种力量,这些婴儿被对这种力量感到恐惧的人们称作"恶魔之子",虽然其实这些小孩与恶魔并没有任何关系。

东方剑并不知道什么是"恶魔之子",不过他很清楚站在他面前的是一个相当难缠的对手。"你既然拥有这样的力量,为什么还要把自己变成妖怪?"

火光映照下,宫茗雪的脸色显得更加阴沉,摇头道:"你根本什么都不知道!"

东方剑又追问道:"到底为什么?"

宫茗雪冷冷一笑,"我为什么要告诉你?"顿了顿,又道:"这样吧,如果你能打败我,我就回答你的问题,怎么样?"语气中满是不屑的轻蔑。

东方剑咬牙道:"别忘了你说的话!"

宫茗雪笑道:"我说过什么?"话音未落,她又是一挥手,三支冰箭向东方剑射过来。

东方剑侧身避过其中两支,同时催动噬魔剑凌空击落迎面而来的第三支冰箭。接着噬魔剑在空中一个盘旋,斜斜地向宫茗雪飞刺而去。

宫茗雪右手平举在面前,冰块以她的手为中心迅速凝结,转眼间形成一块厚实的坚冰盾牌,挡在噬魔剑飞行的路线上。

白光一闪,噬魔剑已经将那面"盾牌"洞穿,速度丝毫不减,向宫茗雪左肩猛刺过去。

危急之下,宫茗雪急忙闪身。噬魔剑的光芒从她肩头一掠而过,一个盘旋之后飞回东方剑身边。剑身上原本白色耀眼的光辉已经开始变得暗淡,同时发出一阵阵不安的低啸声。

宫茗雪的左肩上被剑锋划开一寸多长的伤口,鲜血从伤口里缓缓渗出来。"你似乎有一把很有趣的剑呢!"说着,宫茗雪将手放在左肩的伤口上,"这把剑能够吸收魔力,我猜得没错吧?所以由魔力构成的冰盾牌才对它毫无用处。"

东方剑一边控制住噬魔剑,一边道:"既然你已经知道噬魔的力量,现在还受了伤,我劝你还是立刻投降认输……"

宫茗雪冷笑着打断他道:"认输?真是笑话!虽然你的剑的确从我这里吸收了一点魔力,不过你也不好受吧?看来你根本不懂怎么控制和使用吸收来的力量,我没说错吧? 至于这点小伤……"她将手拿开,肩上的伤口已经愈合,只在皮肤上剩下一道淡淡的痕迹,"只要稍微控制体液的流动,这种伤口马上就能治好!"她举起左手活动两下,"好了,再来!"

还没等东方剑作出反应,一颗水球从宫茗雪手中飞出,不过取的目标不是东方剑,而是两人之间那团燃烧着的火焰。"噗嗤"声响过后,整个大厅里变成一片漆黑,只有噬魔剑发出的光芒照亮了东方剑周围一小片地方。

东方剑心叫不妙。从刚才的情形判断,宫茗雪的眼睛大概也是取自某种妖怪,拥有很强的能力,所以才将东方剑照明用的火焰熄灭,因为黑暗对她来说要有利得多。想到这里,东方剑伸手拿出另一张火焰符咒,就在他举手要把符咒扔出去的时候,忽然感到手背上微微一凉,急忙缩手,却发现手背上已经被整整齐齐地划出一道血口子。

黑暗中传来宫茗雪得意的声音,"怎么样? 这种感觉不错吧!"

东方剑这才发现,割伤他的是一道比头发还要纤细的透明丝线,整条线如剃刀般锋利,在噬魔剑的光辉中反射着星星点点的光芒。这条线显然是宫茗雪的杰作,但她是在什么时候拉起这条线的,东方剑却一无所知。

宫茗雪笑道:"对了,就这样不要乱动,否则可会被分尸哦!"

东方剑不敢妄动,松开手让那张火焰符落在自己脚下不远的地方。火光腾起,照亮了周围一大片空间。

周围的景象让他倒抽一口凉气:周围的空间里横七竖八地排列着不知道多少根透明细线,构成一张硕大无比的巨网,将他罩在里面。

"只要将空气中的水分重新组合一下,就能成为有效的武器。"说着,宫茗雪举起手,扣住中指向东方剑的方向轻轻一弹,有什么东西从她手指尖飞出来,无声无息地从东方剑身边划过,在空中留下一道透明的细线。

东方剑忽然明白:"这些线都是冰?!"

"答对了!"宫茗雪的声音忽然变得无比柔和,"现在你有什么办法从这个冰做的牢笼里逃出来?"

她的声音让东方剑心中一阵迷惑,立刻意识到宫茗雪正在用塞壬的能力。他从刚才就一直提防这一手,不过在刚见到那面巨大冰网的时候因为过于惊讶,东方剑不禁有一瞬间的失神,宫茗雪就抓住这个机会,用塞壬的声音影响他的心神。

宫茗雪有魔力的声音缓缓道："不用害怕，死亡只是一瞬间的事情。就算只是没长牙的小猫，我也会用全力好好为你送行的……"虽然只是说话，却带有音乐般的节奏和韵律。与此同时，三支手臂粗细的冰晶标枪出现在附近的空中，枪尖斜向下指向东方剑，蓄势待发。

东方剑心中暗道不妙，现在对抗宫茗雪的魔音就让他耗尽了几乎所有的精力，再也无法有效地控制噬魔剑的行动，而周围那些致命的冰线更让他无法躲闪腾挪。

宫茗雪尖叫一声："结束了！"三支冰枪呼啸着向东方剑射来。

危急之下，东方剑顾不得许多，掏出一把符咒向周围撒去，一时间火焰雷光将四周照得亮如白昼，剧烈的爆炸声此起彼伏。周围的冰线融化在这种狂暴的能量里，东方剑趁势就地一滚，惊险万状地躲开冰枪的攻击。

宫茗雪冷笑道："哦，你的反应倒是挺快的！不过我倒想知道，你还能躲开下一次的攻击么？"

东方剑也想知道。刚才为了脱身，他都是将符咒的力量在离自己不远的地方释放，在将周围的冰线融化的同时也在他身上留下好几处灼伤，感觉火辣辣的。

探手进口袋里一摸，东方见发现符咒已经所剩无几，而且大都是些没有攻击力的封魔符，还有是一张龙飞的"鬼画符"，显然派不上什么用处。东方剑后悔没从云秀姐那里拿几张符咒——现在如果有张招鬼符的话……

宫茗雪的"塞壬魔音"并没有停止，"为什么要挣扎？延长死亡的过程只意味着增加痛苦，只有永恒的沉眠才是你的最终归宿……"一边说着，她的双手连弹，在东方剑周围拉出一条条冰线。

东方剑勉强控制噬魔剑切断其中几条，但是这些冰线出现速度实在太快，根本切之不及，只能眼睁睁地看着自己又被包围在一片死亡的冰网中。

大概是刻意模仿刚才的那一幕，宫茗雪这次还是一样召唤出三支冰枪，冷笑道："我倒要看看，幸运会不会再次降临在你头上？"

"砰砰砰！"三声枪响过后，宫茗雪的冰枪碎成一片细小的冰屑漫天飞舞，在火光的映照下星光闪闪煞是好看。几乎是在同时，一道白光和一道红光从不同方向窜到东方剑身边，只是几个盘旋就将所有冰线斩断。

宫茗雪一惊，脱口而出道："白虎剑！方慕云，你在这里?!"虽然知道"方慕云"的真名是方明狐，不过她一时还是改不了口。

斩断冰线之后，那道白光似乎想抽身离开，却被红光紧紧缠住，两道光芒纠缠在一起，在空中上下翻飞，发出的"呜呜"啸声令人惊心动魄。

"砰!"枪声再响，接着是"叮"的一声脆响，空中那道白光好像触电一样猛地一震，然后光芒散去，变成一把尺半长的银色短剑，"当啷"一声掉在东方剑身前。

远处的黑暗中传来龙飞得意洋洋的声音："啊哈，正中目标!"然后是东方文秀带着怒气的声音："你干什么!"

东方文秀从黑暗中快步来到东方剑身边，低声问道："你没事吧?"同时将一张疗伤符咒贴在东方剑背上。

东方剑感到一阵清爽的感觉传遍全身，伤口似乎也不那么疼了，点头道："我还好!"

"有帮手来了？那我就不陪你们玩了……"

东方剑急忙站起来，"别想跑!"就要向宫茗雪的方向冲过去。

"砰!"一颗子弹正中宫茗雪的眉心，在她的头颅上开了个大洞。宫茗雪的身体僵在那里，接着一下子倒在地下，身体的形状越来越模糊，最后变成一滩水渍慢慢渗进粗糙的地面里。

东方剑愣在原地，愕然道："怎么回事?"

龙飞提着他的沙漠之鹰从黑暗中走出来，枪口还在冒着青烟，"这是个水做的假人，正主儿大概已经离开这座楼了。"

东方剑惊喜道："你的伤好了?"

"啊，算是吧!"龙飞笑道，"那张符咒很有效!"

东方剑道："你们是怎么找到这里的?"

"是给你开车的那个刑警打电话报告的情况。高明那家伙担心你出事，可是又找不到合适的人手过来帮你，就想起你法术高强的这位堂姐来，然后就打电话给我，正好我的伤好了想活动活动，就开车带你堂姐一起过来了。"

东方剑这才明白，他们为什么来得这么及时。

东方文秀对两人的对话一点不关心，走过去拾起那把掉落在地上的短剑，与此同时，空中那团红光盘旋两圈之后隐没在她身上。转身对着远处的黑暗冷冷道："方明狐，你还不给我出来!"

第十二章

罪恶之源

　　一个人影从黑暗中走出来，正是方明狐，他还带着那个狰狞的恶鬼面具，让人看不到面目。

　　走到东方文秀面前，方明狐似乎有些局促不安，低着头不敢看她，低声道："小姐，您的身体还好吗？"现在的他一副诚惶诚恐的样子，完全看不出有一点高手风范。

　　东方文秀冷冷道："一时半会还死不了！而且就算我要死了，也用不着你来瞎操心！"

　　方明狐低声道："为小姐做事，本来就是我们这些做下人的分内之事。"

　　"那可真是辛苦你了！"东方文秀冷冷一笑，"居然串通了爷爷、父亲和伯父，瞒着我下山来找什么灵丹妙药！居然连白虎剑都让你带出来了……"她将手中的短剑挽了个剑花，突然一伸手，将短剑架在方明狐脖子上，"说吧，他们还许给你什么好处？让你做下一任掌门？"

　　方明狐惶急道："小姐千万不要这么说！我只是想看到您早日恢复健康，除此之外别无所求！"

　　龙飞在旁边实在听不下去，忍不住插嘴道："到底是怎么回事？怎么好像古装电视剧里的官家小姐和仆人一样！你们以为自己还生活在大清朝吗？"

　　东方文秀苍白的脸上泛起两片红云，一言不发地将白虎剑从方明狐脖子上取下来，手腕一翻，将剑柄交到方明狐面前，"还给你！"

　　方明狐双手接过，恭敬道："多谢小姐！"

东方文秀恼怒道:"我再说一遍,不要再叫我小姐! 否则……否则我再也不和你说话!"

这个小孩子打闹一样的威胁对方明狐却十分有效,他立刻诚惶诚恐道:"是、是,我记住了!"

东方文秀道:"对了,你怎么还带着那个难看的面具,赶快摘下来!"

"我下山之前在三清祖师面前发过誓,一天没治好东方文秀的病,一天都不会除下这个面具。所以请小……啊,嗯……见谅。"因为东方文秀不让他叫"小姐",所以他不知道该怎称呼才好,最后只好含糊过去。

东方剑讶然道:"明狐哥,你下山的事情,爷爷他们都知道?"

方明狐点点头,"我在下山之前曾经向掌门禀报过,得到他老人家的允许之后才离开的。"顿了顿,又道:"对了,掌门还说如果见到你的话,让我给你带个消息。"

东方剑一愣,愕然道:"爷爷让你带消息给我? 是什么?"

"掌门说他可以不追究你私自下山的事情,不过你必须尽快赶回去接受'炼魂',然后再决定是否让你下山。"然后苦笑道,"我原本打算等这里的事情结束之后再去找你,没想到你却自己来了。不过之前那两次见面都不是说话的时候,所以没来得及告诉你。"

东方文秀冷笑一声,"那个老家伙还不死心?"对东方剑道:"明剑,听姐姐的话,一定别回去!"

东方剑"嗯"了一声,又问道:"既然你下山是为了寻找丹药帮文秀姐治病(东方文秀:谁要他来献殷勤!),那怎么又和那些人混在一起了?"

龙飞忽然道:"因为那些人手里可能有你要的东西——是心脏,对不对?"

"什么?"东方剑和东方文秀同时发出一声惊呼,后者紧盯着方明狐,咬牙道:"你到底在想什么?"方明狐在她的注视下变得手足无措,支吾着不知道该说什么才好。

还是龙飞替方明狐说道:"他想救你的命!"

"哦?"东方文秀冷笑,"所以就需要找一颗心脏给我?"

方明狐终于鼓起勇气,大声道:"没错!"

他这种气概十足的表现反而让东方文秀有些不太适应,愣了一下才道:"说你的理由来听听!"

方明狐不知道该从哪里说起,喃喃地说不出话来。

龙飞走过去拍拍他的肩膀,"别紧张,你应该都很清楚吧? 也不用说得太详细,又不是医科大学上课,只要大概意思没错就行!"

方明狐面具后面射出感激的目光,低声对龙飞道:"谢谢!"又整理一下思路,这才道:"明剑,你知道小姐的病是怎么来的?"

东方剑茫然摇头道:"不知道。"

东方文秀道:"不用拐弯抹角的,我来说就是!我在十一岁的时候,擅自闯进封印四方神剑的密室揭开朱雀剑的封印,被突然宣泄出来的剑气伤了心脉,才落下这个病根。当时你也在场,应该非常清楚才对!"最后这句话是对方明狐说的。

东方剑还是头一次听说这件事情,龙飞也显得很感兴趣,问道:"四方神剑?那是什么?"

方明狐解释道:"是四把宝剑,分别代表东南西北四个方向,我手里这把就是代表西方的白虎剑。"

东方文秀哼了一声,随手一招,那团红光从她身后激射到空中,一个转折之后落回她手里,变成一把通体赤红的短剑,护手向两边展开,好像振翅欲飞的朱鸟,"这就是代表南方的朱雀剑,当年就是它把我弄成现在这样子的。"

方明狐黯然道:"是我的过错,如果当时我……"

东方文秀打断他道:"别把什么责任都揽到自己身上!继续说,你为什么要下山,下山之后又干了些什么?"

"是。"方明狐想了想,继续道:"自从小姐受伤之后,掌门和其他人都在想尽办法为她疗伤,却始终无法治愈。"

东方剑点头道:"这个我知道!爷爷曾经找来千年人参给文秀姐吃,结果还是没有效果。"

龙飞自言自语道:"千年人参?居然真有这种东西……"不知道他又在打什么主意。

方明狐点点头,"虽然最后用特别培养的金蚕毒液控制住了病情,却只是一时权宜之计,因为金蚕毒液的效用会逐渐减弱。小姐,我说的没错吧?"

东方文秀没有说话,显然是默认了他所说的这一切。

"从医学角度上来说,这种情况叫耐受性。"龙飞摆出一副学究的样子,好像他什么都知道似的。

方明狐一脸佩服地看着龙飞,"没错,那些专家也是这么说的。"

龙飞道:"所以他们建议你让她做心脏移植手术?"

方明狐摇头道:"不,他们给我推荐了许多治疗心脏病的药,不过我觉得其中没有一种药能够治疗小姐的病。就在这时候,王思暮出现在我面前,说这种情况下最根本的解决办法就是进行心脏移植手术。"

龙飞皱起眉头,道:"但器官移植是所有治疗方法都无效之后才会选择的手段,要知道人类进行过心脏移植手术之后,生存时间都相当短,而且还需要不断用药物来消除身体的排异反应。"

"这些事我也知道,不过王思暮说他有一种技术,可以用妖怪的身体组织或者器官代替人类的器官。"

东方文秀愕然道:"这怎么可能?那样人还算是人吗?"

龙飞点头道:"好,总算说到正题了。你知道他是怎么做到的?"

"似乎需要接受移植的人拥有足够强大的灵力,而且还要能和移植的妖怪器官产生共鸣才行,不过具体的技术细节只有王思暮自己知道。"

东方文秀咬牙怒道:"我总算明白了,你是想给我换上一颗妖怪的心脏?"

"啊,不……我只是觉得这种方法确实可行,所以才想多了解一点这种技术的细节。当然最后是不是要接受这种手术,还要由小姐自己决定。"

东方剑大声道:"只是为了了解技术细节,你就心甘情愿沦为这些人的帮凶?"

方明狐的神色黯淡下来,过了一会才沉声道:"我也是昨天晚上才知道,这些人竟然会把一个活人分解成器官然后出售,早知这样我绝不会帮他们做事!"

"他们居然做这种事?"东方剑愕然道,"你怎么知道的?"

"昨天晚上你见到我的时候,是王思暮派我去威恩公司'取货'。把你交给那些警察之后,我回去找郑雅,这才发现她和那个王楷稷正从一个活人身上摘取器官!"

龙飞饶有兴趣道:"然后你做了什么?"

"我质问郑雅为什么要做这种伤天害理的事情,她却反而嘲笑我故作清高。最后我把那人从她手里硬抢出来,接着用御剑术把他送到附近的医院。从昨天晚上移植抢救到今天中午,现在那人已经脱离生命危险了。"

龙飞对他竖起大拇指,赞道:"干得好!"

东方剑道:"你把那两个人留在大楼里?那他们岂不是被埋在爆炸

的废墟里了？"

"不会，他们肯定逃走了。"方明狐摇头道，"你见过那个叫郑雅的女人吧？她的能力是从妖怪风鼬得来的，可以自由操纵风的力量。对她来说，带王楷稷从空中逃走是件再简单不过的事情。至于那场爆炸，我怀疑是他们自己搞的鬼，为的就是毁灭一切证据！"

东方剑想了想，确实很有这个可能，又道："现在对他们来说，你就是一个叛徒了？难怪那个宫茗雪想杀了你！"

"哦，那倒不一定是因为这件事。她和郑雅，还有其他移植过妖怪器官的人早就看我不顺眼。只要有机会，他们会毫不犹豫地杀了我——当然，我也不会轻易给他们这种机会！"最后这句话多少带点自负的味道，这也是强者的自信。

龙飞问方明狐道："接下来你准备怎么办？"

这个问题让方明狐有些茫然，摇头道："我不知道……也许现在最应该做的就是将王思暮和他那些手下绳之以法，不过这样就再也找不到合适的妖怪心脏……"

东方文秀冷冷道："你就不用费这个心思了，我就算死，也不会把自己弄成个人不人、妖不妖的怪物！"

"说得对，"龙飞赞同道，"现在医学这么发达，根本用不着去搞这些歪门邪道！再说你这也不是什么大毛病，说不定哪天自己就好了！"当然不会有人赞同他的话了。

东方剑道："那个王思暮现在在哪里？"这家伙是整件事的罪恶之源，只有让他接受正义的审判，这件任务才算是真正解决了。

"我也不知道，"方明狐苦恼地摇摇头，"今天下午我去他们原来住的地方看过，早已经人去楼空了。然后我想通过藏在王思暮汽车上的'问路石'，用指向符鬼找到他们的行踪，结果一路追踪下来找到了这里。"

东方剑急切道："现在呢？你现在还能不能用指向符鬼找到他们？"

方明狐拿出一张符纸，"我试试看！"

在那个气球一样圆滚滚的"指向符鬼"带领下，他们来到这座废弃的大楼外面。符鬼晃晃悠悠地飘到宫茗雪开来的那辆微型汽车上，再也不愿意离开。车里有人，却不是宫茗雪，而是那个开车带东方剑来这里的刑警。他正在呼呼大睡，看样子显然是被宫茗雪的"塞壬之音"催眠了。这里只有宫茗雪和龙飞的两辆车，刑警开来的车却不知所踪，大概是被宫茗雪开走了。

　　"这样就没办法找到宫茗雪，"方明狐的声音里透出失望，"更别说去找王思暮了！"

　　东方剑道："看来只能明天跟踪那些日本人，让他们带我们去找那个王思暮了！"

　　"日本人？"方明狐一愣，"你说的是八岐会那些人？他们怎么能找到王思暮？"

　　"是王思暮邀请他们去参加一个什么酒会，那个叫宫茗雪的女人就是去那些日本人住的地方传达这个消息的。"

　　"真的？那就太奇怪了……"方明狐思索道，"因为那条'阿修罗的手臂'，王思暮已经打定主意要和八岐会断绝往来了，现在为什么又邀请他们参加'酒会'？"

　　龙飞笑道："也许他忽然良心发现，要把那只怪手还给那些日本人？"

　　"不可能，王思暮不是这种人。难道……难道他已经得到了'阿修罗的手臂'的力量！"

第十三章

酒 会

正午,平静的海面上反射着刺眼的阳光,从海面上吹来的风夹杂着潮湿闷热的腥气,令人感觉相当不舒服。

高明把车里的空调开到最大,然后回头看着大海尽头碧蓝的天空,"天气预报说今天会有台风,可我无论怎么看都是个大晴天!"

龙飞随手向海上一指,"你说的台风正在海上向这边爬呢。"他把副驾驶位置的座椅放倒,舒舒服服地躺在那里。再看他身上的夏威夷衬衫、短裤、拖鞋,还有那付酒红色的太阳眼镜,完全一副休闲度假的打扮,完全看不出不久之前他还是浑身包着绷带躺在床上。

高明皱眉道:"那个叫方明狐的家伙,真的可以相信吗?"对于这个曾经大闹警察局的家伙,他很难有什么好感。

"没问题,他比我可靠多了!"

对龙飞"莫测高深"的言论(胡言乱语),高明只能报以苦笑。

龙飞忽然问道:"对了,那个人现在怎么样了?"

"已经没有生命危险了,现在我正派人二十四小时保护他,他可是指控王思暮的重要证人!"通过指纹比对,被方明狐救出来的那个人已经被警方确认其身份是威恩公司总经理张筸竹,虽然他的两只眼球已经被摘除,一侧的肾脏也不见踪影,不过神志还算清醒。

龙飞夸张地叹了口气,"要指控王思暮,就得先抓住他才行吧……说起来,那些日本人怎么还不来?"

这时车上的无线电忽然响了:"高队,那些日本人的车到港口了!"刚才高明就接到报告,包括佐佐木乱波和铃木美佐子在内的十二名日本人离开滨海饭店,分乘两辆白色丰田面包车向港口方向驶来。曹辛良并没有跟他们在一起,而是被留在饭店里全权处理所有的善后事宜。看来这些日本人是不打算再回来了。

两辆白色丰田面包车出现在视野里,高明启动汽车悄悄跟了上去。开了没多远,就看到旁边的岔路上驶出一辆普通的黑色桑塔纳轿车,先是加速超车到日本人乘坐的面包车前面,然后忽然减速,开始慢悠悠地行驶。而那些日本人似乎早料到会有这种事发生,不但没有加速超车,甚至连喇叭都没按。

"这车应该就是来接那些日本人的。"说着,高明将车停在路边,同时不远处另外一辆车启动跟了上去。用高明的话来说,这些都是最危险的罪犯,而且非常狡猾,为了不引起他们怀疑,小心谨慎是必须的。

在偌大的港口区里兜了好几个圈子,终于有报告传来:"高队,他们的车停下来了!"

高明兴奋道:"好!他们停在哪里了?"

"小型船舶码头!"

高明心中涌起一种不祥的预感,果然,无线电里出来一声惊呼:"啊!不好,他们上船了!"

高明大叫一声:"坏了!"把油门一踩到底,汽车咆哮着冲了出去,向刚才说的小型船舶码头急驶而去。

巨大加速度差点把龙飞甩到后排去,他费了好大劲才挣扎着坐回去,抱怨道:"这么着急干吗?"

"他们要乘船出海!"高明通红的双眼紧盯着前方的道路,驾车左冲右突超过一辆辆满载货物的车辆,"麻烦了!"

"不是很正常吗?这里是码头啊,当然可以乘船出海了!"

在今天早上讨论这次围捕计划时,所有人都认为王思暮肯定会躲藏在港口附近的某幢房屋或者仓库里与那些日本人碰头,却没想到他们可能乘船出海。

几分钟之后,高明和龙飞赶到小型船舶码头。刺耳的急刹车声中,地面上留下一道焦黑的轮胎印记。

推开车门冲下去,高明对等在那里的刑警大吼道:"那些日本鬼子呢?"

有人向大海的方向一指:"在那里!"

在离岸边一百多米的海面上,一条小型客船正在逐渐加速向港外驶去,一个人影站在船尾正在向码头方向招手。

"是那个叫宫茗雪的女人。"龙飞眼神好,不用望远镜就能看清楚船上的人,"现在该怎么办?"

"还能怎么办?当然是追上去!"高明将手一挥,大声命令道:"去征用几条合适的船!快!"

这时东方剑也赶过来,和他一起过来的还有方明狐和东方文秀。因为高明对方明狐总是不太放心,所以把他们三人编成一组,远远放在包围圈的最外围,这样就算他图谋不轨也难以有什么作为。

就在龙飞向东方剑他们介绍情况的工夫,去征用船只的刑警回来了,还带回来一个坏消息:"高队,除了那一条,其他船的马达都被破坏了!"

那条惟一完好的船是一家旅游公司所有的微型游艇,船舷上用油漆写得明明白白:限载四人!

龙飞笑道:"哦,看来他们还很好客,留给我们四个参加酒会的名额!"

高明很清楚他指的是什么。宫茗雪等人完全可以将所有船只的发动机破坏,现在却留下一条只能坐四个人的小船,用意显然是只让四个人能追上他们。

高明问那个刑警道:"这条船有没有什么问题?"

"一切正常!"

高明咬牙道:"那好,就算是陷阱,也到了往下跳的时候了!谁跟我一起去?"

刑警们立刻群声相应:"我去!""让我去!"

"你们先等等。"龙飞打断他们,"这种时候还是让专家去比较合适,比如说我和这个小子啦!"说着拉过东方剑。

方明狐赞同道:"没错,王思暮的手下很多都是半人半妖的'超能者',你们虽然训练有素,却也不是他们的对手!所以还是让我和明剑还有这位妖魔猎人去吧!"

东方文秀冷冷道:"也就是说,你打算把我排除在外了?"

方明狐急忙道:"小姐的身体……"

"最后警告你一次,不要叫我小姐!"话音未落,东方文秀高高跃起到空中,一个翻身落在那条小船上,叉腰站在船尾,大声道:"还有谁要上船?"

方明狐无可奈何，只好跟着纵身跳上船去。和东方文秀比起来，他的动作要沉稳得多，没有任何多余的花哨动作。

东方剑也跳上船，方明狐伸手接住他，然后把他放在船板上。

龙飞对高明笑道："看来没有你的位置了呢！"

高明倒是显得很冷静，"这样也好，毕竟你们都是处理这些事情的专家。"在那些"怪物"手上吃过几次亏之后，高明也不得不承认隔行如隔山，顿了顿，又道："我这就向海岸警卫队求援，让他们派巡逻艇去支援你们，我们也会尽快找船赶过去。在那之前，你们千万不要意气用事！"

龙飞笑道："当然不会！你们这里的海鲜我还没吃够！"

高明也笑了，向所有人大声道："等平安回来之后，我豁出这个月的工资，咱们大家一起去吃海鲜烧烤！"

刑警们的欢呼声中，龙飞走到码头边，轻轻一跳登上游艇。

这时高明忽然想起一个非常重要的问题，急忙大声喊道："你们有没有人会开船？"

游艇上传来龙飞的声音："你指的是宇宙飞船吗？"

马达轰鸣，游艇离弦之箭般冲出泊位，略一调整方向之后平稳地向宫茗雪等人座船的背影追去。

这条游艇的速度比宫茗雪他们乘坐的客船稍快一点，在龙飞娴熟的驾驶技术控制下，两条船之间的距离眼看着在逐渐缩短。

方明狐对这个看起来跟自己年纪差不多的妖魔猎人很是佩服，问东方剑道："你的这个同伴是什么来头？"耳边的呼呼风声让他不得不提高声音，才能让别人听到自己的话。

因为船身颠簸的关系，东方剑脸色苍白，勉强道："应该……是个水手吧？"他对龙飞的过去也知之甚少，只是记得当初碰到龙飞是在月炎家族封印"不应存在的力量"的小岛上，当时他说自己的船沉没了，而他又有这么好的驾船技术（东方剑也是刚刚才知道），所以东方剑猜测这家伙以前应该做水手的。

龙飞忽然大声喊道："小心！"话音未落，一枚火箭弹呼啸着从他们头顶不到两米的地方疾飞而过，在空中留下一道轨迹。又飞行一段距离，火箭弹的燃料用尽，斜斜扎进海里，剧烈的爆炸掀起一蓬四五米高的水柱，然后才传来一声沉闷的声响。爆炸让原本平静的海面上腾起层层巨浪，好一会才平静下来。

这一阵剧烈的颠簸让东方剑险些吐出来。东方文秀将手放在他背上,用她的灵力帮东方剑恢复平静。这显然是个很有效的手段,东方剑立刻就感到好多了。

海面上传来宫茗雪的声音:"看来你们的船好像经不起风浪啊,要不要过来上我们的船?"这时两艘船相距足有四五十米,东方剑他们听她的声音却像在耳边说话一般清晰,大概这也是"塞壬之音"的能力之一。

向客船上看去,东方剑看到宫茗雪正在向这边招手。在她身边,一个彪形大汉正扛着一具四联装反坦克火箭发射器瞄准东方剑他们的游艇。刚才那一发大概是他们故意打高的,目的就是威胁东方剑等人就范。

东方文秀恼火道:"让我来教训教训这个女人,让她知道点天高地厚!"

龙飞道:"我倒觉得她的提议不错。反正咱们的目的是跟着他们找到王思暮,跟他们坐在一条船上不是更好?"

方明狐忧虑道:"这会不会是个陷阱?"

龙飞道:"用刚才老高的话说,就算是陷阱也得往里跳!否则要是他们把这条船弄沉了,咱们大家还不都得游泳跟在他们后面?"

东方文秀显然不服气,大声道:"如果你担心被炮弹打中的话,我告诉你,根本没必要!用我的朱雀要击落那种速度的物体简直太简单了!"

龙飞摇摇头:"我担心的不是那玩艺!"对方明狐道:"那个叫宫茗雪的女人大概算个水系魔法师?"

方明狐不知道他想说什么,点头道:"差不多。"

"我们现在可是在海里!她想在我们船底下开两个洞也不是太难吧?"

一语惊醒梦中人,东方剑等三人这才意识到他们的处境是如此危险。的确如龙飞所说,宫茗雪只要在他们船只经过的航道上放下几块坚冰,就能轻易弄沉这条小船。

宫茗雪的声音再次传来:"怎么样,你们商量好没有?要是愿意赏光的话,就把船慢慢靠过来吧!"

这次连东方文秀也不再反对,于是龙飞驾驶游艇向宫茗雪他们的客船靠过去。

当两艘船并排的时候,有人从客船向游艇上放下一条软梯。

东方文秀当然不会去爬梯子,纵身一跃跳上客船。方明狐拉着东方剑也跳了上去,只有龙飞老老实实地从梯子爬上去。

"一、二、三、四,没错,就是老板想要的客人!"宫茗雪满意地点点头,"这样客人就全了……嗯,全速航行!"得到命令,客船的马达又开始发出嗡嗡的轰鸣声。

宫茗雪走到东方剑等人面前,微笑道:"多谢各位赏光,参加我们老板王思暮先生举办的酒会。对于各位的光临,老板他一定会非常高兴的。"她看都没看方明狐,好像根本不认识他一样。

宫茗雪继续道:"现在请各位进船舱稍事休息,我们还得过一段时间才能到达目的地。"

龙飞问道:"能不能透露一下,目的地是什么地方?"

宫茗雪微笑着回答:"到了之后自然就知道了!"

客船的船舱里,佐佐木乱波正襟危坐在正中的沙发上。他穿了一身日本传统的武士服装,腰间插着一长一短两把日本刀。铃木美佐子站在佐佐木乱波身后,其他日本人在他们周围或站或坐,手中都握着 MP5、乌兹之类的轻型自动武器,警戒地注意着四周的动静。

当东方剑他们走进船舱时,这些手持武器的日本人向他们投来充满戒意的目光,有几个甚至举枪向他们瞄准,一时间空气中充满了一触即发的火药味。

佐佐木乱波挥挥手,那些日本人纷纷将手中的武器垂下来。

看着方明狐,佐佐木乱波用生硬的汉语道:"其他事放旁边。王思暮和他的手下,我们一起对付!"他显然是想提醒方明狐,现在他们共同的敌人是王思暮和他的手下,所以应该放弃彼此间的分歧,一致对敌。

方明狐看看东方文秀,然后点头道:"好,我们答应你!"

听到这句话,佐佐木乱波咧嘴一笑,于是这个临时的攻守同盟就算成立了。

接下来是一段三个多小时的漫长航程。其间曾经有两艘巡逻艇跟在客船后面航行了一段时间,但是很快就掉头回去了。东方剑感到很奇怪,当他问龙飞的时候,后者这样回答:"大概因为我们已经进入公海,而他们没有权力在公海上进行抓捕——也就是说,咱们恐怕一时半刻不会有什么支援了!"

终于,宫茗雪走进船舱:"各位乘客,我们到了!"从舷窗里看出去,不远处的海面上停泊着一艘体型庞大的油轮,看来这就是他们此行的"目的地"。不知什么时候,阴沉的乌云已经布满了整个天空,眼看暴风雨就要来了。

佐佐木乱波忽然猛地站起来,一个箭步冲到宫茗雪身边,挥手拔出那把较短的日本刀架在宫茗雪脖子上。与此同时,他身边的日本人纷纷端起枪,从船舱门里冲出去。一时间客船上枪声大作,惊呼声和惨叫声此起彼伏。

宫茗雪和她的人显然没想到日本人会在这时候突然发难,被打了个措手不及。转眼之间,她所有的手下都已经中弹倒地,那些日本人也付出了两死三伤的代价。

宫茗雪脸上变色道:"佐佐木先生,你这是什么意思?"

佐佐木乱波的丑脸上露出一个冷笑:"很简单,我不喜欢,牵着走被别人!"他的汉语真是令人不敢恭维,不过他自己倒是挺满意,继续道:"升降机,放下来让他们!"为了增强"说服力",他手上略微使劲,短刀的刀锋在宫茗雪脖子上划出一道浅浅的伤口,殷红的鲜血立刻渗了出来。

宫茗雪忍痛道:"放开我,我这就让他们把升降机放下来!"

佐佐木乱波手上松了点劲,却没有把短刀从宫茗雪脖子上拿开。

"有人吗?我是宫茗雪,现在把升降机放下来!"一连叫了好几遍,油轮上都没有半点回应。

宫茗雪心中不祥的预感越来越强烈,眉头紧皱道:"船上一定发生什么事情了!"她的"塞壬之音"能传到数公里之外,如果船上有人,没理由听不到她的话。

方明狐道:"我去把升降机放下来!"说着挥手叫出白虎剑,纵身一跃落在那道白光上,稳稳地向上飞去,转眼间已经消失在油轮的船舷里。

龙飞一副很感兴趣的表情,"这就是御剑飞行?还是第一次见到!"

过了一会,伴随着"吱嘎"声响,升降机缓缓降下来。除了佐佐木乱波两名手下留下照顾伤者,其他人都登上升降机,随着转动的绞盘来到油轮上。

第十四章
战神阿修罗

阴沉的天空下,足球场般宽阔的甲板上只有一片死寂。

登上甲板,东方文秀看不到方明狐的影子,大声道:"方明狐,你躲到哪里去了?"

一阵"桀桀"的狞笑声传来,接着一个如同金属摩擦般的声音道:"你在找他吗?"

循声望去,他们看到一个赤发蓝肤,面目狰狞的人形怪物站在那里,右手提着一个人,赫然就是方明狐。

东方文秀大怒,"把他放下,你这个怪物!"朱雀剑的红光一闪,向那个怪人飞射而去。

怪物狞笑一声:"好,还给你!"提起方明狐,向射来的朱雀剑扔过去。

东方文秀急忙控制朱雀剑在空中一转,挡住方明狐的去势,接着钻到他身体下面,托着方明狐缓缓落在地下。

怪物火红的眼睛紧盯着东方文秀:"御剑术……看来你和这个叛徒是一家人喽?"

东方文秀毫不畏惧地和怪物对视着,"没错!"

龙飞跑到萎顿在地的方明狐身边,把他从地上扶起来,"嘿,这家伙还活着!"

"哦,那还真是可喜可贺!"怪物狞笑道,"他的灵力已经被我吸干了,就算不死也是个废人!"

东方文秀怒道:"你胡说!"地上的朱雀剑猛地弹起来,化作一道红光刺向那怪物。

与此同时,"哒哒哒!"一阵清脆的枪声响起,三道火舌同时向空中的怪物喷射。是佐佐木乱波的三名手下,他们刚才趁东方文秀牵制住那个怪物,在昏暗光线的掩护下悄悄绕到怪物身侧,突然用交叉火力发起攻击。

子弹打在怪物青蓝色的皮肤上发出"叮叮"的声音,好像打在铁板上一样。怪物挥手将飞来的朱雀剑砸开,狞笑道:"银子弹只能对付妖怪,对神是没有用的!"忽然闪电般伸手在虚空中连抓三下。惊叫声中,那三个日本人被一股无形的力量拽得向那怪物飞过去,漂浮在怪物周围。

怪物伸出右手捏住其中一个日本人的脖子,"嘁,没多少灵力的垃圾食品!"随手把他扔在脚下。对第二个日本人也是如法炮制,就在他伸手要去抓第三个的时候,那个日本人忽然大叫一声,从口袋里掏出一颗手雷,猛地拉开了保险。

"轰!"

硝烟散去,怪物毫发无伤,狞笑道:"这种不怕死的武士道精神值得嘉奖,不过你们以为这种小儿科的玩具对战神阿修罗会有效吗?"

"战神阿修罗?"宫茗雪惊叫起来,"难道……你是老板?"

怪物傲然道:"当然是我!"原来他就是王思暮!

宫茗雪惊喜道:"真是太好了,想不到'阿修罗的手臂'竟然有这种力量!"侧头对用刀横在她脖子上的铃木美佐子叫道:"快把我放开,听到没有!"有这么一个厉害老板做靠山,她的底气也足了许多。

铃木美佐子一言不发,将横在她脖子上的短刀拿开。

脱出束缚之后,宫茗雪三步并作两步跑到变成"战神阿修罗"的王思暮身边,"老板,我……"

没等她说完,王思暮突然伸手,像抓那三个日本人一样捏住她的脖子,狞笑道:"来得正好,把你的灵力也给我吧!"

宫茗雪脸上露出难以置信的惊讶神色,艰难道:"老板……"

王思暮脸上忽然发出"咦"的一声惊叫,随手将宫茗雪扔出去,纵身向后跳开。一道刀光在他刚才站立的地方划过,激荡的刀气凝聚不散。

一击不中,佐佐木乱波立刻收刀向后跳开。

"这把刀……是'酒神童子'!"王思暮火红的眼睛中射出贪婪的光芒,"天河太郎居然让你把它带出来了!"

佐佐木乱波双手握刀摆在面前,冷冷道:"因为使用它,我配!"

宫茗雪挣扎着站起来,尖叫道:"为什么要这样对我?!"

王思暮狞笑道:"因为完成这个身体需要强大的灵力,为了我能变成神,只好牺牲你们了!"

"那么,这船上的人……"

"没错,"王思暮发出一阵残忍的笑声,"他们那点灵力虽然少得可怜,不过总比没有好点!"

东方文秀咬牙道:"就凭你还想变成神? 别做梦了!"她将朱雀剑召回手中,准备近身肉搏。

王思暮高举双手,"不过现在我已经是神了! 看吧,这就是战神阿修罗的样子! 你们这些凡夫俗子,在我面前就好像蝼蚁一样!"

佐佐木乱波冷哼一声:"你不配!"突然将酒神童子举过头顶,以雷霆万钧之势向王思暮迎面斩下来。

"叮!"王思暮举起右手硬挡了这一刀,狂妄地叫嚣道:"就算是八岐会的妖刀,也不能把我怎么样!"

宫茗雪忽然叫道:"右肩! 他的弱点在右肩! 那只右手和他的身体还没有结合牢固,应该有一道缝隙!"她的灵力已经被王思暮吸得七七八八,连"塞壬之音"也无法使用,更别说水系魔法了。

这时东方文秀正好闪到王思暮身后,正要刺向他的背心,听到宫茗雪的话立刻将横刺变为斜削,向王思暮右肩砍去。

王思暮发出一声狂叫,略一侧身,让朱雀剑砍在自己右臂上,然后双臂左右挥出,卷起一阵劲风将佐佐木乱波和东方文秀逼开,接着一蹿来到宫茗雪面前,伸手将她提起来,怒吼道:"该死的女人! 要不是我把你捡回来,你早就死在垃圾箱里了! 现在居然连你也背叛我! 好,那你就去死吧!"

忽然一道白光闪过,闪电般刺入王思暮的胸膛。王思暮发出一声痛苦的嗥叫,随手将宫茗雪摔到一边,右手抓住露在胸口外面的半截剑身,将刺进去的噬魔剑拔出来。噬魔剑猛的一震,从他手里挣脱出来,飞回东方剑身边,此时它剑身上的光芒已经变成黯淡的灰色,显然已经吸收了不少灵力。

王思暮怒吼道:"小鬼,你到底干了什么?!"吼叫着向东方剑扑过去。

佐佐木乱波窜上来,举刀向王思暮右肩斩去。王思暮不敢冒险,急忙侧身避开。与此同时,东方文秀抛出一张符咒,符咒燃尽之后,一个两米多高的火人凭空出现,挥动着火焰巨拳向王思暮砸下去。

王思暮丝毫不惧,伸出右手迎向火人挥来的拳头。只听"唰"的一声轻响，火人庞大的身躯被吸进王思暮的手心里，半点不剩。

东方文秀不禁一呆，她不明白自己的火鬼怎么会这么不堪一击?!

宫茗雪气喘吁吁道:"王思暮……也是超能者……他的能力是……吸收灵力……"刚才又被王思暮吸取了一部分灵力，现在的她虚弱得站都站不起来。

"多嘴!"王思暮隔空一拳向宫茗雪打去，不过途中为了避开东方文秀的攻击，拳势略微偏了一点，打在宫茗雪身边的甲板上，将坚实的甲板砸出一个半尺多深的凹坑。

久战无功，这让王思暮越来越焦躁，现在他已经不想吸收这些人的灵力，只想尽快把他们杀掉好一出胸中恶气。

正好这时佐佐木乱波一刀斩来，取的还是王思暮的右肩。

王思暮大吼一声，伸出右手一把抓住酒神童子的刀锋，同时左拳猛地抡出，结结实实地砸在佐佐木乱波胸口上。

佐佐木乱波的身体好像断了线的风筝，歪歪斜斜地飞了出去，手中还紧紧抓着那把妖刀酒神童子。

"解决一个!"王思暮靛蓝色的脸上露出一个狰狞的笑容，"下一个就是你，臭小子!"他不理东方文秀的攻击，纵身向东方剑扑过去。

东方剑急忙催动噬魔剑迎向王思暮，不过此时噬魔剑的行动已经不如之前灵动，被王思暮轻易避开。情急之下，东方剑不管三七二十一，掏出身上所有符咒向王思暮扔去，同时纵身后跃。

王思暮伸手抓住那些符咒，狞笑道:"想用这些碎纸片对付我? 你真是太……"话音未落，一道闪电从天而降，正落在他身上，剧烈的电流在甲板上留下一大片烧焦的痕迹。接着才是震耳欲聋的雷声，"轰隆隆!"

虽然这道闪电的威力并不足以杀死王思暮，却也让他一阵眩晕，抱着头迷迷糊糊地痛苦道:"怎、怎么可能?"

东方文秀正要上前给王思暮最后一击，却发现有人比她还要快一步。铃木美佐子闪身来到王思暮身后，在她手中握着的正是佐佐木乱波的"酒神童子"。手起刀落，刀光闪过之后，王思暮的右臂已经和身体分开掉落在甲板上，猛烈地挣扎着。

铃木美佐子冲上去抓起"阿修罗的手臂"，接着转身向甲板边沿跑去，冲到船舷边纵身跳了下去。在她跳下去的地方，正是宫茗雪接他们来的那条客船。

这几下兔起鹘落，等东方文秀和东方剑想到要阻止她的时候已经来不及了。

豆大的雨点从天而降,暴风雨终于开始了。

那边的王思暮刚刚明白发生了什么事,发出一阵凄厉的嗥叫:"我的手!我的手!"失去了"阿修罗的手臂"之后,他的身体开始逐渐恢复原状,变成一个矮小皱缩的白发老人,在甲板上抱成一团,翻来覆去地哀嚎着。

雨幕中传来直升机旋翼的"嗡嗡"声,接着几道光柱划破漆黑的夜空照在甲板上。高明的声音在空中回响:"你们已经无路可逃了,立刻放下武器束手就擒!"直升机上抛下软梯,全副武装的武警战士顺着梯子滑下来,迅速抢占周围的火力点。

"怎么和香港的警匪片一样,我们警察都是最后出场收拾残局的?"虽然被大雨淋得像落汤鸡一样,高明还没忘幽上一默,这才问道:"这艘船上发生了什么事?"

东方剑道:"一言难尽,还是等回去之后再说吧。"

高明点点头:"这样也好,现在救人要紧。"武警战士正在将油轮各处的伤者集中到控制塔下面的船舱里,这些人都是被王思暮吸光了灵力,昏迷不醒。

这时有武警战士把王思暮带过来,他肩上的伤口被简单地包扎过,鲜血染红了包在肩头的纱布。他浑身上下都被雨水湿透了,样子狼狈至极。

"这家伙就是王思暮?"见东方剑点头,高明走到王思暮面前,道:"王老先生,我们是中国人民警察,现在以涉嫌走私人体器官、非法拥有武器、经营具有黑社会性质的组织以及故意杀人的罪名对你进行拘捕,这里是逮捕令。"

王思暮大声吼叫道:"你们根本没有权力逮捕我!这里是公海!你们强行登上我的船,这是海盗行为!我要向国际法庭控告你们!"

高明冷笑道:"公海?你一定是老糊涂了!"

王思暮一愣,还没等他明白是怎么回事,旁边墙上的喇叭里传来龙飞的声音:"各位乘客请注意,本船将在十分钟后进入新港市港口,请大家带好自己的行李物品准备下船!"

"什么?新港市?!这不可能!"王思暮疯了一样冲出船舱,跑到船舷边。透过逐渐稀疏的雨幕,新港市港口的灯火清晰可见。

当紧随其后的两个武警战士冲过来抓住他的时候,王思暮已经像死狗一样摊到在甲板上,嘴里不停嘟囔着:"完了,一切都完了……"

尾　声

新港市警察局，高明的办公室里。

高明整理着桌上散乱的材料，在他对面坐着的是东方文秀和方明狐。

好不容易把那堆纸整理成一摞，高明点头道："好，这样指控王思暮的材料肯定足够了。"

东方文秀道："他会被判什么罪？"她的脸色似乎红润了一些，不再是那样可怕的苍白。

高明想了想，道："大概三个或者四个死刑，看法官当时的心情了。"反正命只有一条，几个死刑都一样。

方明狐有些担忧地问道："我呢？"

"哦，经过法院那边研究，你的犯罪情节比较轻微，而且有重大立功表现，所以被免予起诉了——虽然我本人对这个决定并不太赞同。至于王思暮手下的其他人，可能都得进牢里蹲几年了。"看来高明还在为方明狐大闹警察局的事情耿耿于怀。

方明狐松了口气，道："东方剑和龙飞呢？"这两天他一直在警方的监控下，东方文秀又住进穆和医院进行心脏检查，所以都并不太清楚龙飞和东方剑的行踪。

"他们今天早上已经回去了。龙飞说他已经吃够新港市的海鲜了，还说如果你们要找他们的话，到他们住的地方去就行。"幸好那个大胃王龙飞已经走了！想起前天晚上那顿吃掉他一个半月工资加奖金的宴会，高明还是感到一阵阵肉疼。

东方文秀讶然道:"他们不需要留下来作证?"

"这就是妖魔猎人的特权之一了,他们可以只负责行动的部分,收尾的事情都让别人替他们做了。"不过高明似乎并没有什么不满,"用龙飞的话来说,就是'管杀不管埋'!"

东方文秀和方明狐都笑了。大概只有龙飞才会这么说吧?

高明又问东方文秀道:"对了,检查的结果怎么样? 有没有别的治疗方法?"

东方文秀的表情变得很奇怪,道:"医生说我的心脏很健康,根本不需要进行治疗。"

高明一愣:"怎么回事,误诊吗? 不过穆和医院的心脏内外科都是全国有名的啊?"

"不,我自己的感觉确也是好多了。"东方文秀眉头轻皱,"真不知道是怎么回事……"

方明狐道:"一定是三清祖师显灵,才保佑我们平安无事,还治好了你的旧疾!"那些被王思暮吸光灵力的人在睡了一觉之后全都醒了过来,而且完好无损,并没有像王思暮说的那样"非死即残"。虽然在外行人看来并没有什么奇怪,但是所有对灵力稍有研究的人都会认为这是个奇迹。

东方文秀摇摇头,不太相信这种说法,不过也没有反驳。这时她的手机忽然响了。

"喂? 啊,爷爷! ……没错,我知道他在哪里。"说话间,她的脸色变得相当凝重,"是。……好,我知道了!"

放下电话,东方文秀对高明道:"我们可以离开新港市了吗?"

"啊,当然可以。"高明点点头,"顺便问一句,你们要去哪里?"

"去找东方剑,然后带他回家!"

与此同时,月炎大厦。

月炎随手翻着龙飞他们带回来的资料,"你们居然碰到这么麻烦的事情? '阿修罗的手臂'……对了,祖母曾经说过她到日本开会的时候,听那里的妖魔猎人说起过这个东西。据说有个考古队发现了一处日本战国时期的古墓,里面的尸体已经变成一堆白骨,但右臂却完好无损。"

东方剑好奇道:"然后呢?"

"然后,"月炎故意用阴沉的声音道:"那具骷髅突然爬起来,把离它最近的考古队员掐死了!"最后"掐死了"这三个字突然提高声音,把东方剑吓了一跳。

月炎很是得意，继续道："后来日本妖魔猎人协会派两名二级猎人去调查，但不久之后就有人发现他们的尸体和那具失去手臂的骷髅一起躺在墓穴里。"

宁汝馨甩甩尾巴，问道："也是被掐死的？"

"不，是被刀砍死的，而且都是一刀致命。后来考古人员发现在墓穴里有'拥有阿修罗手臂的男人'这样的文字，所以后来'阿修罗的手臂'就成了那条失踪手臂的名字。"

龙飞道："这样看来，那时候应该是八岐会把手臂抢走的，而且很可能就是铃木美佐子下的手。"

宁汝馨问道："铃木美佐子是谁？"

东方剑抢着道："一个傀儡师！我们开始都以为佐佐木乱波是那帮日本人的首领，谁知道竟然是她操纵的人偶！"后来武警战士检查佐佐木乱波的尸体时才发现，他居然是一个由木块、粘土和皮革做成的假人。

月炎道："傀儡师？我听说过这种人，据说能够把假人操纵得栩栩如生，有机会一定要见识一下！对了，你们抓住她没有？"

东方剑不高兴地摇摇头，"让她给跑了！"暴风雨过后，高明曾经派直升机和巡逻艇进行搜索，还是没有找到铃木美佐子和另外五个日本人。

宁汝馨对龙飞歉然道："没想到这次的任务竟然这么危险。你为什么不早说？我们也可以过去帮你们啊！听你在电话里说的，我还以为你们在那里寻欢作乐呢……"

东方剑使劲点头："就是说啊，龙飞哥还曾经受了很重的伤……"

"受伤？"宁汝馨奇怪地看着龙飞，心想这家伙活蹦乱跳怎么像受过伤的人？

龙飞干咳一声，道："一点小伤，没什么大不了的。"见东方剑要说话，他又继续道："新港市的海鲜真不错，就是吃多了会让肚子不太舒服。"

东方剑笑道："那是因为你吃得太多了！"在高明请客的宴会上，龙飞吃掉的各种海鲜都要论"盆"计算！

"是吗？"龙飞挠头笑了，然后对月炎和宁汝馨道："对了，差点忘记了。我还给你们买了点纪念品。"

月炎很有兴趣："哦？是什么？"

龙飞打开他带回来的大包行李，在里面找了一会，拿出两个小盒子递给月炎，"这是给你和柳月的。"

月炎把两个盒子都打开,里面分别放着一条珍珠项链,一条颜色偏粉,另一条则带着淡淡的蓝色。关上盒子,月炎道:"谢了,还是都让柳月带吧!"她对这种多余的饰品没什么兴趣,因为戴着工作会很不方便。

龙飞又翻了一阵,终于道:"好了……这个是给狐狸的!"

宁汝馨忍不住探头望去,"是什么?"

"新港市特产的人造珊瑚骨头宠物玩具!既能磨牙又可以补钙,是新港市出口创汇的拳头产品……啊,你为什么咬我?!"

图书在版编目（CIP）数据

降魔舞.2，灵魂归宿/光牙著.–北京：作家出版社，2006.1

（奇幻四公子）

ISBN 7 – 5063 – 3458 – 5

Ⅰ.降… Ⅱ.光… Ⅲ.长篇小说–中国–当代 Ⅳ.I247.5

中国版本图书馆 CIP 数据核字（2005）第 114743 号

降魔舞Ⅱ：灵魂归宿

作者：光　牙

责任编辑：启　天

特约编辑：赵　平

装帧设计：天行文化

出版发行：作家出版社

社址：北京农展馆南里 10 号　　　邮码：100026

电话传真：86 – 10 – 65930756（出版发行部）

　　　　　86 – 10 – 65004079（总编室）

　　　　　86 – 10 – 65389299（邮购部）

E – mail：wrtspub@public.bta.net.cn

http://www.zuojiachubanshe.com

印刷：紫恒印装有限公司

开本：640×960　1/16

字数：300 千

印张：19　　　　　　　　插页：5

印数：001 – 15000

版次：2006 年 1 月第 1 版

印次：2006 年 1 月第 1 次印刷

ISBN 7 – 5063 – 3458 – 5

定价：22.00 元